# Pam Fi ETO, Duw?

# JOHN OWEN

## Diolchiadau

*Diolch i Ian Staples, fy nghyd-awdur ar yr ail gyfres deledu am ei ganiatâd i ddefnyddio rhai o'r straeon; i Rhian Ellis, Uwch-athrawes yn Ysgol Gyfun y Cymer, Rhondda, am lunio'r englyn; ac i gast ac actorion sy'n rhoi urddas ar ein geiriau moel.*

r erbyr
latest

Fi ETO, Duw?

2008 )6

)0(

)

)

'0

**Argraffiad cyntaf: Mawrth 1998**
**Ail argraffiad: Tachwedd 1998**

⊕ Hawlfraint Y Lolfa Cyf. a John Owen 1998

Lluniau'r clawr trwy garedigrwydd S4C

Rhif Llyfr Rhyngwladol: 0 86243 442 4

Cyhoeddwyd yng Nghymru
ac argraffwyd ar bapur di-asid a rhannol eilgylch
gan Y Lolfa Cyf., Talybont, Ceredigion SY24 5AP
*e-bost*  ylolfa@ylolfa.com
*y we*  http://www.ylolfa.com
*ffôn*  (01970) 832 304
*ffacs*  832 782
*isdn*  832 813

*I gofio'n annwyl am:*

**GERAINT MORRIS**

*Ffrind, Cynhyrchydd, Ysbrydolwr*

## Dydd Mercher, Awst 23ain

Ma' Dad yn adeiladu wal mas y bac. Wy' wedi cynnig rhoi'r brics iddo fe, achos 'y mod i'n cachu gymaint ohonyn nhw! Ma' canlyniadau TGAU fory, a wy'n credu gallen i gyflenwi digon i ailadeiladu Clawdd Offa! Pam na withes i'n galetach?! *O, my God, I AM A FAILURE!*

## Dydd Iau, Awst 24ain

Os nagw i'n neud lot o sens, bai Dad yw e. Ma' fe'n feddw, iawn, iawn. Ma' Mam a Gu jyst wedi cwpla 'i roi e yn y gwely.

**MAM-GU**    Deryck, a man of your age. You shoud be ashamed.

**DAD**    ... rybish ... (hollol annealladwy)

*Wedyn*

**DAD**    But, Mam-gu, I am proud! (... Coma! Coma! Coma!)

Bases i. Bases i nhw i gyd! Mynnodd Dad brynu peints i fi. Y broblem yw – sa i'n lico cwrw.

**DAD**    No 'ave it, bach, cos you are my son!

Wel o'dd e' wedi colli'r plot erbyn 'ny, so do'dd dim lot o ddewish 'da fi. Ma' rhieni mor *embarassing!* O ganlyniad, sa i cweit yn siŵr beth wy'n 'i weud nawr achos ma' 'mhen i bach yn ysgafn hefyd, so weda i bopeth fory. Bases i! *UP YOURS, SOFFOCLEESE.* BASES I!!!!!!!

---

## Dydd Gwener, Awst 25ain

Bore da, fyd! Bases i. Well i fi weud 'na eto yn uchel. BASES I'N BLYDI TGAU'S I I GYD!! Ble alla i ddechre? Dal sownd. Ma' Dad yn bod yn sic yn y tŷ bach.

**MAM**    I thought a man of your age would 'ave more sense. What kind of example is that to give your son?

**DAD**    Not now, Peg – bad.

Ble o'n i? Sori bythdi Dad, ond y ffordd o'dd e'n yfed ddoe, o'n i'n meddwl 'i fod e'n trio torri rhyw record. Whare teg, 'na'r tro cynta iddo fe yfed ers cael ei job nôl fel rheolwr y pwll preifat. Mae'n stori hir ond, *basically,* o'dd y bachan roion nhw yn lle Dad yn brat. Ath y busnes i'r wal jyst â bod a gofynnon nhw i Dad fynd nôl. Wy' erio'd yn ei gofio fe mor hapus – ar wahân i nithwr!!! Ble o'n i?

Wel, gwrddes i â phawb yn iard yr ysgol. O'n ni gyd wedi cytuno i beidio â dod â'n rhieni, achos d'os dim byd yn wa'th na rhieni'n dangos eu gorfoledd neu eu siom yn gyhoeddus. Wedyn, 'na le o'dd y gang a gweddill blwyddyn 11 yn hofran. Dyma flwyddyn ola'r Shad fel Prifathro (ma' nhw wedi 'i berswado fe i ymddeol o'r diwedd), wedyn sa i'n gwbod os o'dd e'n cael rhyw wefr rywiol o gadw pawb i aros, ond o'dd 'i ddrws e hanner awr yn hwyr yn agor. Depiwti Shad gyde fe a Depiwti Shades – a fesul un 'co ni mewn.

O'dd rhyw grap wedi'i weud am ddod yn ôl trefn y rhifau arholiad, ond wrth gwrs o'dd pawb wedi anghofio'u rhife. Îfs o'dd y cynta mewn o'n gang ni. Ma' mwy o gyts 'da fe na neb. Ag o'dd y wên 'na ar 'i wyneb e pan ddath e mas! Deuddeg

A serennog!! Onest tw God. Can iw bilîf it?? Sneb mor glyfar â 'na!

**SPIKEY**    Oi, Îfs, fe ddim yn *'ealthy* i fod *as brainy as that!*
**LLINOS**    Cer di mewn, Spikey.
**SPIKEY**    Na fi ddim ishe sboilo *shine* Îfs. Rhywun *less* llwyddiannus na fi *next*.

Wel o'dd Billy wedi byta dou Snickers yn yr amser o'dd e'n aros ag o'n i'n dechre becso am y jîns newydd o'dd e wedi prynu achos dim ond jyst ffito o'n nhw ta p'un, so wedes i wrtho fe i fynd mewn o mla'n i. Gadawodd e'r drws ar agor tam bach a 'na gyd weles i o'r coridor o'dd Billy yn rhoi Mars i'r Shad a'r Depiwtîs cyn dod mas fel roced. Sa i wedi'i weld e'n symud mor glou â 'na erio'd (ar wahân i Steddfod Wrecsam, pan gethon ni lwyfan).

**BILLY**    Duddeg! Wy' 'di cal duddeg! Naw C tri B. *I am a genius,* bois bach. Smo Mam a Dad mynd i gretu hyn! Pwy sy moyn Bounty?

O'dd Llinos 'da fi a jyst pan o'n i'n mynd i fynd mewn ma'r Shad, (wy'n siŵr mai M.A. mewn bod yn *creep* gas e yn y brifysgol) yn dod at riniog (*I really must stop using this posh* Cymraeg!) ei ddrws ac estyn ei ddwylo ati,

**SHAD**    Llinos! Llinos fach! Llinos!

*Yes,* wy'n credu bo' ni'n gwbod ei henw, byti! Onest, oni bai ei fod e'n chwe deg yn codi'n gant gallen i dyngu 'i fod e'n drŵlan drosti!

**SHAD**    Dewch i mewn i'r cysegr sancteiddiolaf er mwyn i'r Sanhedrin eich llongyfarch.

Daeth Spikey lan ata i wedyn.

**SPIKEY**    Wod e sei?

| | |
|---|---|
| **FI** | Man a man 'sa fe'n siarad Venusian gydag acen gog, Spikey. Sdim cliw 'da fi, ond wy'n credu 'i fod e'n arwydd bod canlyniadau da gyda Llinos. |
| **RHIDS** | Dim ond ti a fi a Spikey i fynd, Rhys. |
| **FI** | Sdim gobeth 'da fi i'w ca'l nhw gyd. |
| **SPIKEY** | O na, Rhys! A beth o'dd y marcie 'na diwedd blwyddyn deg ar ôl ti bîto Andrew Bechadur lan? |
| **FI** | Nagon i wedi 'i fîto fe lan! |
| **SPIKEY** | Gyda *mouth* ti, boi! |
| **FI** | A ffliwc o'dd y canlyniade 'na. |

Ar y gair dath Llinos mas, ac yn sefyll tu ôl iddi o'dd Triawd y Buarth, neu'r tri mwnci twp. Ma' rhywbeth abythdi Shads a Depiwtî Shads. O'n nhw'n sefyll 'na a chyn i Llinos ddangos y slip canlyniadau i ni, gallech chi dyngu mai nhw oedd wedi llwyddo, ddim Llinos. A wedodd hi'n dawel,

| | |
|---|---|
| **LLINOS** | Deuddeg A serennog. |
| **SPIKEY** | I do not believe it! You can not be serious!!! |

Sa i'n gwbod beth ddath drosta i ond rhewodd 'y nhafod i. Wy'n gwbod dylen i fod wedi bod yn sgrechen a'i chwtsho hi a phopeth. Ond o'n i ffili. A diolch i'r drefen, ces i 'ngalw mewn wedyn.

| | |
|---|---|
| **SHAD** | Rhys, llongyfarchiadau, rŷch chi wedi cael tystysgrif da iawn. |

Nawr sa i'n gwbod os ŷch chi wedi cael canlyniade erio'd, ond ma'r ofn sy arnoch chi cyn mynd i'r ysgol y diwrnod 'na yn amêzing! Mae e fel tase'ch holl fywyd, o'r ysgol feithrin trwy'r cynradd, dechre blwyddyn saith hyd at nawr, mae fel petai'r cyfan i gyd wedi bod yn arwain at yr eiliad yma. Yr holl fecso, y ffolios, y gwaith cartref, yr holl 'na, a 'na gyd o'dd 'da'r bastard i ddweud oedd,

| | |
|---|---|
| **SHAD** | Rhys, llongyfarchiadau. Rŷch chi wedi cael tystysgrif da iawn! |

ARCH BRAT!! Pan edryches i ar y slip weles i ddim byd. Mymbles i "Diolch yn fawr, Syr" a mynd allan a galwodd e Rhids mewn. Odd Îfs a Billy a Llinos 'na yn dishgwl a wir, ar yr eiliad 'na do'n i **ddim** yn gwbod beth o'n i wedi'i ga'l. O'dd y slip fel tase fe wedi troi'n fyw. Dalodd Llinos yn 'y nwylo i – 'na pam o'n i ffili gweld! O'dd y blydi papur yn shiglo gymaint. A hi wedodd wrtha i,

**LLINOS**     Rhys, ma' hwnna'n ffantastig. Chwech A serennog, peder A a dwy B. Ma' hwnna'n wych!

O? A ma' dy ddeuddeg A serennog di yn shiti, ody fe? Wy'n gwbod. 'Na'r peth cynta ddath i'n feddwl i. *God*, ma' cenfigen yn beth hyll. Pawb yn llongyfarch wedyn nes bod sŵn llais Rhids yn gweiddi yn dod ar y'n traws ni,

**RHIDS**     Fi ddim yn thic! Fi ddim yn thic!!! Fi wedi cael pump! Bois, fi ddim yn thic!

O'dd Rhids wedi cal pump 'C' a wir, o'n i mor *chuffed* drosto fe. Wel o'n ni gyd achos o'dd e wedi gwitho mor galed – wel o'n **ni** gyd wedi gwitho gyda fe!! A wedyn da'th Spikey mas. Stopon ni gyd a jyst edrych arno fe.

**SPIKEY**     Wojyou gyd edrych ar?

A dechreuodd e gerdded mas heb siarad â ni. Not ê gŵd arwydd, ydy fe? So rhedon ni ar 'i ôl e nes o'dd e mas yn yr iard lle o'dd *millions* o flwyddyn un ar ddeg yn llefen a bod yn hysterical heb ddim ishe. O'n ni gyd yn gwybod at ble o'dd e'n anelu – draw at goeden Sharon. O'dd e'n edrych yn hyfryd adeg 'ma'r flwyddyn – plannon ni ddi y llynedd er cof amdani.
Ar ôl iddo fe gyrraedd, droiodd e aton ni.

**SPIKEY**     *I got one*, reit. Un.

O'dd Llinos ar fin mynd ato fe.

**SPIKEY**     Llinos, *it is not a problem.* Un o'n i eisiau cael. Fi
wedi trio gorau fi i gael hwn *and I am proud* bod
fi wedi llwyddo. Chi lot. Wel, chi ddim yn siŵr
o'ch chi? Falle deg falle wyth. Ond o'n i eisiau
un a fi wedi cael un.
**RHIDS**      Beth o'dd e, Spike?
**SPIKEY**     Llên Cymraeg.

O'dd y'n hwynebau ni fel *gargoyles,* siŵr o fod.

**SPIKEY**     Ie, ie, chi'n meddwl fi'n thic. Ishe *brains* i cael
Llên Cymraeg. Treigliadau ac idiomau a
barddoniaeth, rheina i gyd. Ond fi'n hoffi
barddoniaeth Sharon a hwnna oedd wedi clinsho
fe i fi.

Wedyn gladdodd e 'i slip yn y pridd wrth wraidd y goeden
a sefon ni gyd 'na i adrodd y gerdd. Darn TGAU o'dd e ar
gyfer y papur Llên ond, rywffordd neu'i gilydd, o'dd y gerdd
'ma jyst yn disgrifio ni a Sharon i'r dim ag o'dd e' wedi dod
yn bwysig ofnadwy i ni, i'r gradde y'n bod ni gyd yn ei gwybod
hi ar y'n cof ac yn lico 'i hadrodd hi gyda'n gilydd. Nawr tase
hwn yn Eisteddfod yr Urdd wy'n credu bydden i'n fodlon
bod yn rhan o grŵp llefaru hyd yn oed. O'dd ca'l ei gweud hi,
i gyd 'da'n gilydd, yn deimlad arbennig o dda.

Yn yr oriau du
  A'r gwyll yn cau amdanaf
Trof fy ngolwg atat Ti
  A'th wyneb godidocaf

Yn yr oriau du
  A'r nos yn cau ei breichiau,
Trof fy meddwl atat Ti
  I gario pwys fy meichiau.

Yn yr oriau du
　A'r gole wedi cilio
Trof fy ngolwg atat Ti
　A gwn y byddi'n gwrando.

Yn yr oriau du
　A'r wawr yn hir yn torri,
Trof fy ngolwg atat Ti
　A gwn na chaf fy siomi.

Yn yr oriau du
　Rwy'n edrych dros y brynie
Trof fy ngolwg atat Ti
　Am ateb i 'ngweddïe.

Yn yr oriau du
　A'r haul ag ofn disgleirio
Trof fy ngolwg atat Ti
　I'th garaid fy nghofleidio.

Yn yr oriau du
　A'r fflam bron iawn â diffodd
Trof fy ngolwg atat Ti
　Fy Nhad a'm Duw byth bythoedd.

Ath yr athro Cymraeg bach yn *ape* pan sgrifennodd Spikey, 'Fy Sha a'm ffrind byth bythoedd,' mewn un gwaith cartref, ond gan mai 'na'r unig waith cartref o'dd Spikey wedi'i wneud erioed yn y pwnc, sylweddolodd e 'i fod e wedi cyffwrdd yn rhywbeth. Wy'n credu taw Spikey sy'n gweld ei hishe hi mwy na neb. Er, sa i'n gwbod. Ni gyd yn cuddio lot.

Y prynhawn 'ma wy'n mynd i'r Cwrs Haf. Cwrs Haf yn yr ysgol. Rhaid 'mod i off 'y mhen. Wel a'r athrawon, sbôs. Ma' nhw wedi penderfynu cynnal cwrs yn yr ysgol am wthnos, er gwaetha'r ffaith mai'r gwyliau haf yw e a bod yr ysgol yn dechre mewn wythnos, er mwyn hyrwyddo Cymreictod. O'dd cwestiwn Spikey diwedd tymor cyn y TGAU yn bril,

**SPIKEY**     Wo? So ni gachllu teacho nhw talko proper Cymraeg fel fi'n talko.

Ond ma' Dom Criws, yr athro drama ddaeth yma y llynedd yn lle Prys Olivier, yn deall Spikey nawr ac yn gwybod pryd mae e'n 'i weindo fe lan.

**DOM**     No, Spikey, we want them to speak proper English first and then we'll consider their Welsh last.

**SPIKEY**     Oi, Syr! Fod i siarad Cymraeg mewn ysgol Gymraeg. *Is 'e takin the piss or what?*

Eniwei, wy' ar y ffordd i'r cwrs haf a ma' deuddeg TGAU 'da fi. BASES I!!!!!!!!!!!!!!!!!!!!!!!!!!!!!!!!!!!!!!!!!!!!!!!!!!!!!!!!!!!

---

## Dydd Sadwrn, Medi 2ail

---

Wy' wedi bod yn cysgu ers ugain awr, a wy' dal yn *shattered* a *knackered*. Sa i wedi wherthin gymaint ers Eisteddfod yr Urdd cyn i Sharon farw. Onest, o'n i'n meddwl ar un adeg y bydde'n rhaid i fi ddod gartre o'dd y'n ribs i'n gwynegu gymaint.

### Wedyn

Sori, f'annwyl rieni wedi mynnu 'mod i'n codi i gael rhywbeth i fwyta a siarad gyda nhw achos dŷn nhw ddim wedi 'ngweld i na Sêra (o'dd hi ar y Cwrs Haf 'fyd gan 'i bod hi'n mynd i'r ysgol gyfun fis Medi) ers wythnos, a phan ethon ni sha thre ethon ni'n dou yn syth i'r gwely a chysgu.

**DAD**     What happens on this *Cwrs Haf*, then?

A Sêra a fi'n giglo a wherthin fel ffylied. Dad woz not amiwsd!

**DAD**       O, that's very nice that is, keepin' things from us.

**MAM-GU**    Deryck, try and behave as if you're grown up now and again, will you. You remember being young, don't you?

**DAD**       Yes, Mam-gu, when I wasn't married and didn't have responsibilities like a mother in law!

Ma' Mam-gu yn byw 'da ni nawr, wel ŷn ni'n byw 'da Mam-gu. Drychwch, fel hyn ddigwyddodd hi. Gwerthodd Mam-gu ei thŷ, gwerthon ni y'n tŷ ni a brynon ni dŷ hiwj piwj lle ma' Gu yn gallu cael *granny flat*.

**MAM-GU**    Not tha' I can't look after myself, Deryck, you understand!!

Ond wrth gwrs, ma'r gwrthdaro sy rhyngddi hi a Dad yn grêt. A ma'n rhaid i fi weud, wy'n lico'r ffaith ei bod hi o gwmpas drwy'r amser. Wel o'dd hi yn y tŷ arall hefyd i bob pwrpas. Ond ma' fe'n swyddogol nawr fel.

**DAD**       I am still waiting to be told about this 'ere *Cwrs Haf!*

**SÊRA**      O Dad, it was brilliant. We laughed and played games and sang and danced and went on a nature walk!

Pan wedodd Sêra 'na ffrwydron ni'n dou achos ar y daith gerdded 'ma, lle o'dd trigen o blant plys swyddogion, plys rhai athrawon yn cerdded drwy'r coed, dethon ni ar draws car wedi parcio. Ynddo fe o'dd dyn a menyw yn gwneud beth ma' dynion a menywod yn 'i wneud pan fyddan nhw wedi parcio ym mherfedd y goedwig ar ben mynydd Llanwonno. Sefodd Spikey wrth ffenest gefn y car a gweiddi,

**SPIKEY**    Dy!! You gor an awful 'airy arse, butty!

Sori, ond wy'n craco lan nawr yn wherthin. Sa i'n gwbod

pwy ga'th y sioc fwya, y fe neu'r athrawes Gymraeg newydd o'dd 'da ni! (Mwy amdani hi, yr absoliwtli gorjys stoncin boncin Miss Esyllt 'Dafydd ap Gwilym ap Ieuan Brydydd Hir ap Taliesyn *look at my gorgeous figure'* ap Einion, mewn munud.)

**DAD**  Well, you're laughin' again!
**MAM**  That a crime now, is it?
**DAD**  No, I'm not sayin that but …
**MAM**  Because you're not part of it you're feelin' left out.
**DAD**  Yes!

A whare teg i Dad, wherthinodd e hefyd.

**SÊRA**  O Dad, I'm sorry I'm laughin' so much but see, bach, I've got private things in my life now that I'm going to the *ysgol gyfun*.
**DAD**  Hell! Hell! Hell!

Llonydd o'r diwedd i ail-fyw eto un o wythnosau mwya ffantastig 'y mywyd ysgol heb neb i darfu arna i achos wy' nôl yn y gysegrfan sancteiddiolaf, tw cwôt Shad. Fy ystafell wely newydd, mwy o seis, rîli cŵl. Gwely tri chwarter!! Nage bod Llinos yn dod 'ma mor amal â hynny! Ma' bod ar fin y chweched dosbarth wedi 'ngwneud i'n ewn iawn!! Ond y cwrs haf!

Dyw e ddim yn swno fel sbort, ody fe. Cysgu ar lawr yr ysgol am wythnos, siarad gyda phlant newydd blwyddyn saith a gwneud yn siŵr eu bod nhw'n joio siarad Cymraeg. Ag o'dd e'n waith caled, chi'n gwbod. Yn llythrennol, o'n i'n gwitho am ddeunaw awr y dydd, ond o'dd y teimlad o berthyn a Chymreictod ar y cwrs yn hollol stonc. Pan gyrhaeddon ni, y peth cynta o'n i'n gorfod 'i neud o'dd symud yr holl gelfi mas o'r ffordd achos ar loriau'r ysgol o'dd pawb yn cysgu. Spikey woz not amiwsd.

**SPIKEY**    Oi! Fi ddim wedi gwitho gyts fi mas i gael TGAU'S i fod yn *furniture remover*.

Wedyn cyrhaeddodd y plant. *God*, o'n nhw'n edrych mor fach! O'n i'n arfer bod mor fach â 'na?

**RHIDS**    Just abowt digon i lanw dy blât di, Billy!

Wrth gwrs o'dd Sêra 'na yn trio bod mor cŵl, yn nabod y gang i gyd a fi'n trio 'ngore i osgoi dangos i bawb ei bod hi'n whâr i fi! Wel, mae mor debyg i Gu withe mae'n frawychus. (Iwses i'r gair 'na i ddisgrifio effaith y gynghanedd yn un o gerddi'r Cwrs Llên Cymraeg!! Gwd, nagyw e!)
Pawb i'r ffreutur wedyn i ganu cân y cwrs. Sa i **byth** eisiau clywed *another word* am 'Tarian ein hynafiaid oedd yr iaith Gymraeg'. O'dd Spikey ffili gweud y geirie, ta p'un. O'n ni gyd jyst yn meddwl beth ŷn ni'n neud man 'yn pan gerddodd **hi** mewn. HI, EI MÎN sîriys, HI!! Yr athrawes Gymraeg newydd, *as we now know*. Stopodd ceg Spikey hanner ffordd drwy'r gân a dyw e ddim wedi cau 'to.
Nawr wy'n gwbod 'mod i'n ddyn priod (Ych – mwy am hwnna rywbryd 'to. Llinos a fi yn od iawn 'da'n gilydd trwy'r haf), ond o'dd gweld gwrthrych pennaf fy mreuddwydion adolesent yn cerdded mewn i uffern y Cwrs Haf fel gweld y Greal Sanctaidd! Ac wrth gwrs, fydde ddim rhaid i fi edrych ar *Baywatch* rhagor i gael fy mhleser rhywiol. (*God*, 'se Llinos yn darllen hwn!) Wedyn 'co Dom 'drama yw fy mywyd' Criws yn ei chyflwyno fel Miss Esyllt ap Einion, yr athrawes Gymraeg newydd o Fethesda.

**SPIKEY**    Gog! Fforget it. Dim ôps fi'n mynd i deall hi.

Wedyn ar ddiwedd y sesiwn ganu a chyn i'r miloedd o blantos bach ymosod arnon ni, 'eu ffrindiau newydd' (get mî a bycit!!!), 'co Spikey yn mynd ati.

**SPIKEY**    Oreit, Miss. Gog, ydy fe?
**MISS**    Oreit, byti. Hwntw, ia?

**SPIKEY**     *What?* Hwtw a Twtsis yn Rwanda, *like?*

Ddim y ffordd ore i ddechre perthynas dda. Penderfynodd Spikey wedyn 'i fod e'n sicr yn mynd i neud lefel A Cymraeg. Ag ystyried taw 'na'r unig bwnc basodd e, sdim lot o opsiynau ar agor iddo fe! Ond Spikey yn gwneud y Cywyddwyr a Kate Roberts a, *God forbid,* Saunders Lewis!!!

Wel, dath diwedd y diwrnod cyntaf a gwely am hanner nos i bawb! Odych chi wedi trio cysgu mewn ystafell lle ma tri deg o blant bach Cymru yn torri gwynt, yn troi a throsi ar eu gwelye cysgu sgwici, a phawb ishe pisho o leia teirgwaith yr awr! Erbyn hanner awr 'di tri do'dd neb wedi cysgu wincad. Do'dd Billy ddim yn Indian Hapus!

**BILLY**      Nawr gwrandwch, y ffycars bach hyll!
**PLANT**      Roedd e wedi dweud gair drwg!
**BILLY**      A ma' lot yffyrnol yn fwy 'da fi i weud. Nawr, os nagych chi'n mynd i guad ych penne, croesi'ch coese a stopo symud, ma' Yncl Billy yn mynd i sefyll ar gader a deifo ar ych blydi penne chi a sgwasho chi'n fflat fel bastard ffroisen!

Sneb wedi clywed Billy'n rhegu fel 'na o'r bla'n, ond mae e'n un sy'n lico 'i gwsg.

**SPIKEY**     Paid howldo nôl, Billy. Telo nhw beth ti'n rîli teimlo, myn.

Ond fe withodd e. Gethon ni lonydd 'sbo hanner awr wedi whech pan ddechreuodd un crwt gonan 'i fod e'n marw ishe pisho. Wedodd Îfs wrtho fe i fynd i neud e'n y gornel. A nath e. Onest tw God! Fe gododd y crwt 'ma o'i sach gysgu, cerdded i'r gornel lle o'dd Rhids yn cysgu a phiso fel afon. Pan ddihunodd Rhids ...

**RHIDS**      Oi, bois, fi jyst wedi ca'l breuddwyd lyfli bo fi'n cael cawod. Beth yw'r gwynt 'na?
**SPIKEY**     Lemon shampŵ, Rhids.

Wy'n credu bod Rhids wedi mynd bach yn rhy bell i ddala'r crwt wyneb i waered uwchben y bog ond sa i'n credu gaiff e' drafferth 'da fe byth 'to.

Whare teg i Sêra, o'dd hi fel potel o bop amser brecwast. Dyw darpar swyddogion y chweched dosbarth ddim yn edrych fel *million dollars* yn y bore, yn ishte rownd ford yn siarad gyda dyfodol y genedl am unrhyw beth dan haul, ond o leia ma' nhw 'na yn trio siarad. Ar wahân i Spikey hynny yw.

**SPIKEY**        Blantos bach, shyt yer 'eads plîs, mae Spikey wedi blino'n lân.

**DOM CRIWS**     Spikey, y bwriad yw cael pawb i siarad er mwyn ystwytho'r iaith.

**SPIKEY**        *Sir*, iaith fi *as about as* ystwyth *as my* boncyff amser 'ma'r bore. Fi braidd yn gallu sîo mas o *eyes* fi.

**PLENTYN**       Pam wyt ti'n siarad Cymraeg fel 'se ti'n siarad Saesneg?

**SPIKEY**        O, *Sir*, myn. Ma' hwn yn gwneud pen fi mewn. *Guilt trip* am *half past eight* yn y bore!

Wedyn, yn unol â'r drefn ddyddiol a osodwyd gan yr athrawon, roedd yn rhaid i ni, *as in* darpar swyddogion y chweched, gymryd sesiynau o chwaraeon am awr! Chwaraeon! Billy! Rhids! Spikey! Wel, sbôs bod sens yn y peth, achos os yw gang mawr o ddarpar swyddogion yn siarad drwy'r amser yn eu Cymraeg gorau (gan gynnwys Spikey) ni bownd o fod yn creu amgylchfyd lle mai dim ond Cymraeg sydd ar feddwl pawb! Wel, 'na'r theori ta p'un. Gethon ni i gyd y'n rhoi yn y neuadd i whare shinti. Ma' hwnna'n rybish. Ma' shinti yn gêm gall, lle mae prenne hoci yn cael eu defnyddio i fwrw'r bêl. Yn y fersiwn hon, o'dd y prenne hoci (rhai plastig ond uffernol o galed) yn cael eu hiwso i dripo pobl lan, scago nhw wrth eu cerrig a'u bygwth nhw gyda *brain death! Mad!* Hollol *mad!*

A digwyddodd rhywbeth hollol boncyrs i Billy. Fe

ddechreuodd e redeg! Wy'n gwbod, nage celwydd yw e. Dechreuodd e redeg, a nage trot – ond rhedeg! Dechreuodd e un pen y neuadd gyda'r bêl wrth ei bren e (nage metaffor yw hwnna – onest!) ag o'dd e fel trên yn codi sbîd. Sgorodd e. Wel *come on*, pwy fydde'n ddigon dwl i drio stopo dwy stôn ar bymtheg a hanner o gnawd yn gwneud deg milltir yr awr. Y broblem wrth gwrs o'dd stopo – i Billy hynny yw. Nawr, ma' diwedd y'n neuadd ni yn llawn gwydr – lot o ffenestri. Ie, chwychwi a allwch ddychmygu beth ddigwyddodd. Erbyn i Billy sylweddoli ei fod e'n gorfod stopo bihafio fel Lynford Christie heb y *lunch box*, o'dd e ffili. Codws e ei freichie, ishteddws ar ei din, ond erbyn hynny o'dd y momentwm yn drech nag e. O ganlyniad, ma' un ffenest yn llai a dau dwll seis deg trwy'r plaster bôrd o'dd yn cwato'r twll gwreiddiol o'dd Bollacs wedi 'i neud yn y wal ddiwedd tymor diwetha. ('Na'i ffordd e o adel ei farc – dyw e ddim yn dod nôl i'r chweched, "Not comin' back to this ffycin Welsh hole!") *So much for* addysg Gymraeg yn creu cenedlaetholwyr ohonon ni!

O'dd Dom 'Pwy yw Euan McGregor' Criws yn itha tyner gyda Billy, a gan na chafodd neb niwed 'da'r gwydr, o'dd e'n *crawly bum lick time* gyda'r gofalwr! Erbyn amser cino ar y diwrnod cyntaf llawn hwn, o'dd pob 'darpar swyddog', 35 ohonon ni, yn ciwo yn ffrynt y ciw i gael cinio ac wythdeg plys o 'ddyfodol y genedl' ar eu pennau eu hunain.

**BILLY**       Achub yr iaith, myn yffarn i! Beth am achub y'n fola i gynta?!

DOM CRIWS WOZ NOT AMIWSD!!!

**SPIKEY**      *Sir*, ni methu siarad os ni'n *weak* gyda *hunger pangs!*

**DOM CRIWS**   Byddi di ffili siarad o gwbwl os hala i di gartre!

Wî got ddy mesej ar ôl 'ny, ontife!!

Yn y prynhawn wedyn o'dd pawb yn cael eu rhannu i wneud

pethe gwahanol. Un llys ar daith gerdded – ffurf ar artaith yw hwnna 'da'r athrawon i flino pawb. Un llys i Sain Ffagan (am y milfed tro!!) a'r llys arall yn mesan o gwmpas yn trio twyllo'u ffordd i ennill yr eisteddfod ddiwedd yr wythnos.

O'dd y'n llys i yn mynd ar daith gerdded, Sêra incliwded. O'dd hi wedi gweud wrth bawb erbyn hyn bod ei brawd yn 'ddarpar swyddog'! Wel, pwy arall oedd yn y'n llys ni? Yr athrawes Gymraeg newydd! Nawr sa i'n honni 'mod i'n deall lot am deimladau merched, ife, ond dyngen i fod Llinos yn genfigennus! Onest! Wel, chi'n gwbod fel ma darpar aelodau'r chweched dosbarth sy'n fechgyn. 'W! Rhoi un i hi' mentaliti! Hollol stiwpid. Wy'n credu 'mod i'n mynd trwy'n adolesens i nawr! O'n i'n weddol gall ym mlwyddyn deg ac un ar ddeg!

O ie, 'na pwy arall o'dd yn y'n llys ni o'dd Raz. Nawr ma' Raz wastod wedi bod o gwmpas ar ymylon y gang, chi'n gwbod, ond pan fuodd Sharon farw – *God*, mae mor hawdd ysgrifennu 'i henw hi nawr – o'dd hi'n fwy ypset na'r un ohonon ni jyst â bod. Yn gorfforol mae'n debyg i Billy ond ei bod hi'n fwy! Ac mae mor debyg i Sharon yn ei hagwedd tuag at fywyd. Bron fel pe bai hi wedi cymryd lle Sharon – alle hi ddim wrth gwrs. Ond ys wedodd Mam-gu, "Ma' pob Ffaro yn codi rhyw Foses", ac ers dechre'r Cwrs Haf o'n i'n meddwl mai Raz fydde'n Moses newydd ni i roi stic i'r sefydliad addysg a elwir yn Ysgol Gyfun Glynrhedyn.

Ta beth, 'na le o'dd pawb yn marw o syched yn cerdded trwy'r goedwig a digwyddodd y busnes 'da'r car a Spikey yn sefyll 'na yn edrych mewn arnyn nhw wrthi. Wel, wrth gwrs, o'dd pawb wedyn yn mynd i heidio at y sioe 'ma, nagon nhw. Fuodd Raz, whare teg iddi, yn grêt.

**RAZ**       Hoi, cidiwinciaid, dewch fan hyn. Un deg saith can o gôc yn ffloto yn yr afon!

A 'co pawb off i edrych yn yr esgus o ddŵr o'dd yn afon unwaith. Erbyn hyn o'dd y bachan yn y car wedi gwishgo'i drowsus ac ar 'i ffordd mas o'r car.

**BLÔC**      Piss off!

| | |
|---|---|
| **SPIKEY** | I 'ope you're usin' a condom, butty! |
| **BLÔC** | I'll bloody swing for you. |
| **SPIKEY** | Do your zip up first, boy! Flying low. |

O'dd Spikey yn rîli stretcho fe achos o'dd y bachan 'ma yn ffit a chyhyrog. Wedyn trodd Spikey at yr athrawes Gymraeg newydd,

| | |
|---|---|
| **SPIKEY** | Nhw'n cael *nature walks* fel hyn yn y gogledd, Miss? |

O, ddyn, wherthin? Gaches i !! O, *ang on*, ma' Gu wedi 'ngalw i i gael te 'da 'i. Od. Nôl mewn munud.

### Dwy awr wedyn

Mam-gu. Sa i cweit yn gwbod beth i weud. Es i lawr i'r fflat i ga'l te 'da 'i a roiodd hi siec i fi am bum can punt a watsh arian Tad-cu – yr un o'dd gyda fe yn y pwll pan fuodd e farw. Bostes i mas i lefen pan roiodd hi fe.

| | |
|---|---|
| **MAM-GU** | Wy' moyn i ti gêl e, achos bydde dy Dacu moyn ti gêl e. |
| **FI** | Ond Gu, beth os golla i e' ne dorra i fe? |
| **MAM-GU** | Nê, smo fi'n cretu wnei di. |
| **FI** | Wy' ffili cymryd yr arian 'ma, Gu. |
| **MAM-GU** | *Good God Almighty,* pam ti'n meddwl wy' wedi bod yn talu inshiwrans ers i ti gêl dy eni? Weita di sbo ti'n *eighteen* – wetyn 'ny gewn ni barti! Milodd o bunnodd. |
| **FI** | Gu! |
| **MAM-GU** | Ti moyn sleishen o'r dishen 'ma? |

*End of story* wedyn. Mae mor styfnig. Ma'r watsh 'ma'n wych. Ma' tolc ar y cefen lle blygodd y casin pan fuodd Tacu farw. Hwnna'n deimlad rîli od – o'dd rhywun nagon i'n nabod wedi marw ag o'dd y watsh ma'n dal i dican. Dŵo 'ead fi mewn hwnna yn, chwedl Spikey.

Cwrs Haf. Erbyn y trydydd diwrnod o'dd yr effaith ar Gymrag y plant yn amêzing. O'n nhw'n siarad Cymrag gyda'i gilydd heb fod neb yn 'u gorfodi nhw. Wrth gwrs o'dd hyn yn weledigaeth i Spikey.

**SPIKEY**     Hoi, bois, os fi'n dod ar cwrs haf, chi'n recno fi gallu imprwfo Welsh fi?

O'dd y ffaith ei fod e' ishws ar gwrs haf fel 'darpar swyddog' wedi 'i fethu e' rywffordd. O'dd pob diwrnod mor brysur do'dd jyst dim amser i siarad gyda'n gilydd ac erbyn y trydydd diwrnod o'n i wir ishe *chat* 'da Llinos. Wel o'n i ishe mwy na *chat* 'da Llinos, actshiwali! Ond o'dd e jyst yn amhosib – yn ystod y dydd hynny yw!! Dyw pob stafell ddim yn cael ei defnyddio yn ystod y Cwrs Haf, ac er bod cyrffiw llym iawn 'da'r athrawon am hanner nos, a gwylwyr nos o rieni yn cerdded o gwmpas yr ysgol drwy'r nos yn ein gwarchod, ma' modd dianc rhag llyffetheiriau'r rhagddywededig geidwaid! O'dd e'n lyfli cael bod gyda Llinos, jyst i siarad. Ac erbyn hyn, ni'n dou yn deall y'n teimlade a beth ŷn ni moyn mas o'r berthynas. A ma'r teimlad 'na o fod yn saff gyda rhywun mor ddigymar. (Ma'n rhaid i fi stopo iwso'r Gymraeg posh 'ma!)

O'dd hi'n un o'r gloch y bore cyn i ni deimlo'n ddigon saff i fynegi'n hunen! O, *stop it*, Rhys, er mwyn dyn. O'dd hi'n un o'r gloch y bore cyn i ni benderfynu cael rhyw. *Call a spade a spade, for God's sake!* O'dd e'n risgi ddo, achos galle'r larwm tân fod wedi canu, neu fe alle'r gwyliwr nos fod wedi taro mewn i'r Ystafell Gymraeg yn ddiarwybod – galle unrhyw beth fod wedi digwydd. O'n ni'n dou wedi gwishgo dillad nos – wel o'n ni wedi ca'l y'n danfon i'r gwely fel plant bach da, nagon ni? So wedyn, pe bai rhywun yn ein gweld ni yn paradan o gwmpas – fi yn y'n siorts a hi yn ei siorts a'i thop – fydde neb wedi amau dim! Ac wrth gwrs o'dd e'n hawdd tynnu'r dillad 'na, mor hawdd!

Ma' gorwedd yn noeth gyda rhywun chi'n caru yn brofiad emosiynol iawn. Ma' caru yn emosiynol, wrth gwrs, ond ma'r cynhesrwydd corfforol, y clymu breichiau a choesau – wy' jyst yn absoliwtli blydi dwlu arno fe. *God*, ma' codiad 'da fi jyst yn ysgrifennu amdano fe! Falle bydde fe'n well i fi fynd i ystyried fy nyfodol am bum munud!!! *Stop it, Rhys. You are acting like a prat.* Llinos yw'r unig ferch wy' wedi bod gyda. A fel wy'n teimlo nawr wy' ffili dychmygu eisiau neb arall. Wy'n ei charu ddi. Arhoson ni ar ddihun drwy'r nos, a charu ddwywaith – wel, pan chi'n ifanc ma'r cnawd yn gryf, nagyw e! Gethon ni un clôs shêf achos y sŵn nethon ni. Agorodd drws yr Ystafell Gymraeg a sheinodd un o'r gwylwyr nos dorts rownd y lle – dodji a dweud y lleiaf.

Wedyn, yn gynnar fore trannoeth, llithro nôl i'r stafelloedd cysgu. O'dd e'n deimlad ofnadwy, ei gadel hi. Fel tasen i jyst wedi iwso'n gilydd. Sa i'n deall hang yps oedolion abythdi rhyw. Wy'n gwbod o'n i'n itha stryng up y'n hunan ar ddechre blwyddyn deg, ond fel wy' wedi dod i dderbyn 'y nghorff a 'mherthynas, hawsa'n y byd mae e i weld rhyw fel rhan naturiol hyfryd iawn o 'mywyd i gyda'r ferch wy'n ei charu. A ma'n rhaid i fi weud, ma'r haf twym 'ma wedi neud i fi edrych yn well – wy'n frown i gyd, ar wahân i'r *bits* personol, a ma' ngwallt i wedi gwynnu yn yr haul. Rhys, *you are being big-headed.* Stopa fe nawr!

Diolch i Dduw, do'dd neb ar ddihun pan es i mewn i'r stafell. Erbyn canol yr wythnos ma' pawb yn nacyrd. Wel o'n i'n meddwl nagodd neb ar ddihun. O'dd llyged Îfs ar gau pan snygles i lawr yn y sach gysgu i drio dwyn dwy awr o gwsg cyn wyth o'r gloch, ond wedyn dath y llais 'ma a'r wên yn y llais:

**ÎFS**      Pump awr yn hir i gael cachad, nagyw e?

Wedyn droies i i edrych arno fe a gwenodd e, a gwenes i. *God*, ma' e'n ffrind da i fi.

Ma'r wythnos yn gymaint o laff, wy'n credu y dylen i ei chynnig hi fel syniad i S4C. *God knows*, ddei nîd it!

Bob gyda'r nos, ar ôl i 'ddyfodol y genedl' fynd i'r gwely, a rhaid dweud, o'dd bod gyda nhw drwy'r dydd, bob dydd, yn dod â chi lot yn agosach atyn nhw, ro'dd teimlad hyfryd o berthyn i gymuned Gymraeg. Jiawl o'dd e hyd yn oed yn effeithio ar Spikey! Dalodd e gang o fechgyn yn siarad Sisneg gyda'i gilydd a 'co fe off ar rant am bwysigrwydd siarad Cymraeg i gadw'r iaith yn fyw, i sicrhau dyfodol i'r diwylliant a'r wlad. Wedyn ffindodd e mas mai gang o *locals* o'r ardal o'n nhw wedi crwydro mewn i gae chwarae'r ysgol.

| | |
|---|---|
| **NHW** | Always knew this was a bloody nutty school! |
| **SPIKEY**(yn canu) | Rŷn ni yma o hyd! |

*Mad.* Ond beth o'n i'n gweud o'dd bod y swogs – ie, 'na ni, 'swogs' erbyn hyn nid 'darpar swyddogion' – unwaith o'dd yr epilog wedi bennu, yn gwneud deif am y cwpwrdd losin o'dd yn rhan annatod o bob amser egwyl ac yn hanfodol i weinyddiad y cwrs haf. Wel o'dd Dom 'Rwy dal â hang yp am fod yn athro gweddol newydd' Criws a'r athrawon wedi gwneud rheol bod yn rhaid i ni dalu am y'n losin wrth eu prynu nhw a, whare teg, am y diwrnod cynta, 'na beth o'dd yn digwydd. Wedyn, gath Rhids y syniad gwych yma o shiglo'r bocs arian wrth gymryd y losin. Do'dd neb yn y'n harolygu ni ac, wrth gwrs, roedd hwnna i Billy a Raz megis agor y fflodiart! (Hoffi'r gair 'na. Gwell na *flood gates*). 'Co Billy'n sgrechen yng nghanol y dyrfa o swogs:

| | |
|---|---|
| **BILLY** | Shifftwch, wy'n byta i ddou! |
| **SPIKEY** | O, *aye*, wedi beichiogi ydy fe, Billy? |
| **BILLY** | Stica i Cymlish, Spikey. Ma' fe'n siwto ti'n well. |

A'r fforest o ddwylo yn deifo mewn i'r bocs i shiglo'r arian. Wedyn dath Raz ac, yn llythrennol, fe fwrodd hi bawb mas o'i ffordd 'da'i bŵbs a'i bola, grabo bocs bach gwag a llwytho, onest tw God, llwytho hwnna 'da phob melysbeth posib.

| | |
|---|---|
| **LLINOS** | Shwd ti'n mynd i dalu am reina, Raz? Wedest ti dy fod ti'n *spent out*. |

*Curiad*

| | |
|---|---|
| **RAZ** | *Happy birthday, Raz, from the* Cwrs Haf!! |

A dyma hi'n rhedeg, wel gymaint ag y gall hi redeg, i'r tŷ bach agosaf. Dilynon ni ddi a dringo lan dros y waliau bach a 'na le o'dd hi yn ishte 'na yn rhwygo'r papur ac yn stwffo 'i hunan. Nagodd hi'n gallu siarad – jyst stwffo 'i cheg â losin.

**RAZ**        Nuffin like a ffwl mywth, bois!

**SPIKEY**    Oi, Raz, fi'n *glad* fi ddim yn *wrapped* mewn *paper or you'd eat me too!*

**RAZ**        Spikey, I only deal in eight inches of flake at a time!

**BILLY**     Wel 'co ti mas o'r ffrâm te, Mr Milky Way!

O, wherthin!!!!! Nagodd Dom 'Mr Cadbury' Criws yn gallu deall ddiwedd yr wythnos pam o'dd y siop wedi neud colled a'r holl losin o'dd y plantos bach annwyl yn 'u prynu!

Uchafbwyntiau eraill? Raz yn rhedeg mewn i'r disgo nos Lun a sgrechen, "Anghenfil. Mae e'n anghenfil, ma' fe yn." Ni lot yn rhedeg mas a'i dilyn mewn i dai bach y merched, a man'na yn y pan yn methu slipo lawr o'dd y dwrden fwyaf welodd neb eriôd. Trodd pawb i edrych ar Billy.

**BILLY**     Tŷ bach y merched! Sa i'n ffantom shitter.

**RHIDS**    Hwnna'n *unhealthy!*

**ÎFS**       Ma' pwy bynnag gas wared ar hwnna hanner stôn yn ysgafnach.

**SPIKEY**    *If tha'* o'dd fi, bydd fi ddim 'ma nawr. *Tha's all my bowels by there!!*

**LLINOS**   Nage plentyn nath hwnna.

**RHYS**     So Soffocleese 'ma!

**RAZ**        Wel, wy' wedi trio fflysho fe ond mae e'n gwrthod symud. O, wel, *hand job,* siŵr o fod.

Sa i'n siŵr pa mor gyflym rhedon ni gyd nôl mewn i'r disgo, ond do'dd neb yn rîli ffansio helpu gyda charthffosiaeth yr ysgol. Pan ddath Raz mewn ymhen hir a hwyr, ath hi i ddanso 'da'r *child from hell,* 'Damien 666' fel o'dd pawb yn 'i alw fe (God help yr athro sy'n gorfod dysgu'r diawl Cymrag 'ma tymor nesaf), a 'na le o'dd hi yn rhoi ei dwylo ar ei wyneb a'i wallt e. Wedyn droiodd hi aton ni a gweud,

**RAZ**      Wy' jyst wedi tynnu fe mas a smo fi wedi golchi
'nwylo!!!!!!!!

Do'dd dim clem 'da Damien pam fod hanner dwsin o'i swogs
annwyl wedi tsiyco yn y fan a'r lle. Ma' Raz yn grêt.
Steddfod i orffen y Cwrs – mega. Y cidsianiaid yn
perfformio lle o'n ni lot wedi bod wrthi drwy'r wythnos. Jiawl
ma' lot o dalent 'da nhw – piano a thelyn ayb. Ond un o'r
pethe mwya cynhyrfus oedd gweld plant sy'n amlwg â'r gole
yng nghynn, ond heb neb gartre, yn rîli joio siarad Cymrag a
gwneud pethe dwl yn Gymrag. O'dd hwnna'n rhoi *buzz*
gwirioneddol amêzing.
A'r epilog ar y noson olaf – onest, wy'n siŵr bod Dom
'profiadau Stanislafscaidd' Criws, *failed actor* ag y mae, yn ei
neud e ar bwrpas. Siaradodd e am y teulu o ffrindiau newydd
o'dd gyda ni ac fel bydde'r swyddogion yn rhan o'u bywyde
nhw ym mlwyddyn saith.

**SPIKEY**   *Like bloody hell!*

Sasha o'dd yn ishte wrth y'n ochor i ddechreuodd lefen
gynta – o'dd hi wedi bod fel cysgod wrth y'n ochr i ers y
prynhawn cynta. Wel 'na fe, *chain reaction* wedyn, ac erbyn i
ni ganu'r emyn, 'Dan Dy Fendith wrth Ymadael', dder woz
not ê drei I in ddy hyws!! Llongyfarchiadau Dom Criws!! O'dd
hi'n gywir fel se'r blydi Ayatollah wedi marw a'r galaru na
welen ni'n gilydd byth to! Jôc yw, ma' ysgol yn dechre mewn
tri diwrnod, eniwei!!
Ond ma'n rhaid i fi weud, ma'r Cwrs Haf 'ma wedi ca'l
effeth arnon ni gyd. Effeth ar y'n Cymreictod ni. Ma' byw am
wythnos gyfan lle ma'r Sisneg yn amherthnasol i'n bywyde
ni, wel ie, mae e'n afreal. Ond ar ôl siarad Cymrag yn
ddiddiwedd a joio siarad Cymrag, mae e'n rhoi golwg newydd
i ni ar y'n gilydd a hefyd ar beth ŷn ni moyn ar gyfer Cymru.
Beth alle Cymru fod wedi bod. Wy'n credu 'mod i, falle, wedi
cael profiad gwleidyddol sy'n newid fy mherspectif! Ma'

rhywbeth wedi digwydd i Spikey yn bendant. Siaradodd e â fi cyn mynd i gysgu un nos a siaradodd e gymaint o sens.

**SPIKEY**   Ti'n credu bod Cymraeg mynd i fyw, Rhys?
**FI**       Odw. Odw, deffinit, cyhyd â'n bod ni'n ei siarad hi.
**SPIKEY**   Ti'n credu bod pobl fel fi yn rhan o Gymru?
**FI**       Sa i'n deall.
**SPIKEY**   Ti'n gwbod, ffordd fi'n siarad Cymraeg, neu ddim yn siarad Cymraeg.
**FI**       Wrth gwrs dy fod ti. Pam ti'n meddwl fel 'na?
**SPIKEY**   Wthnos 'ma, tro cyntaf, wy' wedi teimlo bod e'n bosib byw bywyd ti yn Gymraeg – i gyd. A fi'n hoffi fe. *'Nite.*

O enau plant bychain ...

Eniwei, digon yw digon. Ysgol dydd Mawrth nesaf, a dwy flynedd o baratoi ar gyfer rhagor o arholiadau fydd efalle'n mynd â fi i goleg i baratoi ar gyfer rhagor o arholiadau. Sa i cweit yn deall pam wy'n rhoi y'n hunan trwy hyn i gyd, dim ond 'mod i'n rhan o rywbeth ma' Mam a Dad a Gu yn dishgwl i fi neud. A wy' moyn ei neud – peidwch â 'nghamddeall i. Wy' moyn e hefyd. Wy'n credu. Ond sa i'n gwbod pam yn hollol. Snyff!! Rhys, ti'n un deg saith – bron! Dal yn nacyrd. Cysgu.

---

## Dydd Mercher, Medi 6ed

**4.30 p.m.**   Anhapus

**6.30 p.m.**   Mwy anhapus

**7.30 p.m.**   Wy'n ffrigin balistic!!!

So, diwrnod hawdd ontife, diwrnod cyntaf. Cwrdd â hen gyfeillion, fy hen ffrindiau o athrawon y collais eu cwmni gymaint yn ystod y gwyliau! Ma'r Shad wedi ymddeol (lyci bastard) ac mae KRAKATOA, sef y Depiwti Shad, nawr yn Shad. O cê, dim problem gyda hwnna. Dyw e ddim yn debygol o wneud unrhyw newidiadau syfrdanol sy'n mynd i droi'r drol neu ypseto'r gert afalau! Ond o na! Mae hynny'n disgwyl gormod. Geswch pwy yw ffrigin Pennaeth y chweched ffrigin dosbarth? Ffrigin Andrew Bechadur! FFWC!!!!!!!!

Sori, ond *I can not believe it!* Ni wedi dioddef pum mlynedd o siarad gwag pathetig, hunangyfiawn y prat 'na, a jyst pan o'n i'n meddwl y'n bod ni'n ei waredu fe, Duw *does this to me!* Wel, os o'n i'n ame o'r bla'n, wy'n sicr nawr. **Ma'** Duw, a ma' fe ar ochr Andrew Bechadur wrth y'n cosbi ni trwy roi yr arch Beibl Basher i ni'n Bennaeth Ysgol. Byt dder's môr! Ei ddatganiad cyntaf fel Pennaeth y Chweched, cyn ein hannog i fynd i helpu blwyddyn saith i gynnal eu Cymreictod (Y Cymreictod do'dd dim byger ôl o ddiddordeb 'da fe i helpu ei gynnal yn ystod y Cwrs Haf, bei ddy way, gan nad oedd e ar y Cwrs!) oedd ein **gwahardd** rhag mynd mas i'r siop yn ystod ein gwersi rhydd! EI CID IW NOT. Nawr sa i'n gwbod shwd ma' pethe mewn ysgolion eraill ond mae cyrraedd y chweched fel cyrraedd rhyw hanner nefoedd o wybod bod rhyw fath o annibyniaeth gyda ni, a rhan o'r annibyniaeth 'na yw gallu cerdded allan o'r ysgol i'r caffi lleol jyst pan ŷch chi'n dewish heb orfod becso am osgoi athrawon a chael mil o esgusodion yn barod os cewch chi'ch dal. A nawr 'ma'r blydi Jiwdas Isacariot 'na, yr amîba hyll 'na, y lwmpyn o gachu ci drewllyd 'na yn tynnu'n genedigaeth fraint ni oddi wrthon ni. O'n i'n meddwl bod Billy'n mynd i lefen.

| | |
|---|---|
| **BILLY** | Bois, so fe'n sîriys, ody fe? Wy' 'di bod yn dishgwl mla'n i gal *bacon sandwich* bob bore ers o'n i ym mlwyddyn saith! |
| **SPIKEY** | Wel, fi wedi mynd yn *deaf*. |
| **RHIDS** | Wel, ti'n gallu dweud *so long* i fod yn swyddog senedd os fe'n dal ti'n torri rheolau. |
| **ÎFS** | Ond os dorrwn ni gyd y rheolau, byddwn ni gyd yn olreit. |
| **LLINOS** | Mewn undeb mae nerth, ife Îfs? |
| **RAZ** | *That creep is not stoppin' me from 'avin' my milky* |

*mug of coffee with three sugars*. Swyddog senedd *or no* swyddog senedd.

Pam yn y byd ma' athrawon mor *petty?* Wel, ddim athrawon i gyd ond yr athro bach pathetig hwn? Er mwyn dyn ma'r rhan fwyaf o'r chweched ucha yn ddeunaw erbyn hyn! Gallen nhw ymuno 'da'r fyddin, gallwn ni gyd briodi – ma' pawb yn y chweched dros un ar bymtheg, ond ŷn ni ffili mynd mas i'r blydi siop a'r caffi lleol!!!!! PYLÎÎÎS REFFYRÎ!!!!! *Get a life!!!!*
Yr unig gysur am weddill y dydd o'dd gweld adwaith y cidiwinciaid o'dd ar y cwrs haf 'da ni yn rhedeg lan aton ni i siarad â ni. Ma'n rhaid i fi weud, o'dd hwnna yn gymaint o *buzz*. Ag o'n nhw gyd yn siarad Cymrag. Er sgwn i am faint ma' hwnna'n mynd i bara gyda thygs blwyddyn naw yn wherthin am eu pennau nhw **am** siarad Cymrag. *God*, ma' rhywbeth rîli od amdanon ni a'n hiaith on'dos e. Sa i'n trio bod yn hunandybus nawr, ond dyw siarad Sisneg jyst ddim wedi bod yn rhan o 'mywyd i yn yr ysgol. Ma' Dad wrth gwrs, ond smo fi erio'd wedi meddwl am siarad Sisneg 'da neb sy'n gallu siarad Cymrag. Beth yw'r pwynt? A nage penderfyniad gwleidyddol yw hwnna – dyw e jyst ddim yn rhan o'r agenda. *God*, wy'n swno fel gwleidydd, neu falle wy' jyst yn lwcus bod teulu 'da fi sy'n Gymreig. Gobitho mai fel hyn bydd Sêra 'ma hefyd. Mae hi wedi setlo'n grêt ishws. Yn y prynhawn dewish pynciau lefel A!

**SPIKEY**    *What's the point,* neb yn mynd i dderbyn fi i neud dim gyda *one mankin' hangin'* TGAU.

Ond os nagos dim byd arall 'da Spikey ma' *cheek* 'da fe. Ath e rownd i bob Pennaeth Adran gan gynnwys Mathemateg, ag o ystyried mai 'U' gath e yn y papur hawdd o'dd hwnna **yn** *cheek*. Ond ei eiliad ore, yn ei ôl e, o'dd edrych mewn trwy ddrws Soffocleese ac yn syth i'w lygaid e a dweud,

**SPIKEY**    *Ny, don't think so, Sir! Five years* yn ddigon!

Gwych! Sneb wedi dewis Astudiaethau Clasurol – wel ma'

hwnna'n gelwydd. Ma' Llŷr ap Rhydderch, 'I have now got an even more perfect face', ond gan mai fe yw'r unig un, ma'r pwnc off yr amserlen, a dim ond yn ystod amser cinio ac ar ôl ysgol mae e'n gallu cael ei ddysgu! *Ha! revenge is a dish best eaten cold!!!!*

Pan ethon ni mewn i weld yr athrawes Gymraeg newydd, Miss Esyllt ap Einion, wy'n credu weda i 'na 'to achos mae e'n enw mor stonc, MISS ESYLLT AP EINION, o'n i'n meddwl bod pawb yn mynd i orwedd ar y llawr a gadael iddi gerdded droston nhw. Nage hi yw'r pennaeth adran, dim ond athrawes newydd, ond ma' pâr o lygaid a gwên gyda 'i byddech chi'n fodlon mynd i ryfel drostyn nhw. A phan wedodd hi wrth Spikey bydde hi'n falch iawn o'i gael e i wneud Cymraeg lefel A, ac y bydde hi'n eiriol gyda'r Pennaeth Adran ar 'i ran, roedd y dyrchafiad i fyd y saint yn sicr.

**SPIKEY**      Dy, Miss. Chi yw'r *first* gog fi byth wedi hoffi!!

Ethon ni mas yn lled glou wedyn! Sa i'n siŵr os yw'r cymhelliad iawn gyda ni gyd i neud lefel A – sef y stoncin athrawes – ond ma'r dosbarth Cymraeg erbyn hyn yn bymtheg!! Mwy na sy' wedi neud Cymrag ers blynyddoedd mae'n debyg – er shwd allwn ni gownto Spikey yn hwnna sa i'n siŵr! Ni gyd wedi ca'l y'n derbyn i neud Drama, er pan wedodd Dom 'nid pwnc Mici Mows yw lefel A drama' Criws wrthon ni am y ddau draethawd 5,000 o eiriau yr un, o'dd wyneb Spikey yn ddrych o ddryswch.

**DOM CRIWS**   Problem, Spikey?
**SPIKEY**      Ie, *Sir, five* mil o *words* mwy na fi'n cael yn pen fi! Falle bydd pen fi'n *totally empty* ar ôl neud e a bydd e'n implodo!
**RAZ**         Wha's the difference to now then, Spikey?
**SPIKEY**      Hoi, Raz, who do you think you are – Sharon?

D'odd dim lot o lewyrch wedyn a rhaid dweud o'dd Raz

wedi ypseto. Wel o'dd Spikey hefyd. Mae'n od. Er bod Sharon wedi marw ers blwyddyn a phedwar mis, mae'n dal i fod gyda ni, rownd i ni. Ac ŷn ni gyd yn gwbod beth o'dd yn mynd trwy feddwl Spikey – o'dd e ishe amddiffyn cof Sha, fel pe na bai hawl gyda neb i fod yn debyg iddi. Nid y galle neb fod yn debyg iddi ta p'un. Ond ŷn ni fel tasen ni ofn gollwng gafael arni, rhag ofn y byddwn ni'n ei hanghofio hi. *As if!* Tra bydda i, bydd y ffrind gore ges i erio'd yn anadlu 'da fi.

Sgiws mî – ffôn yn canu (yn fy ystafell!!!!). Llinos, siŵr o fod.

Awr yn ddiweddarach a pherseinedd Dad yn sgrechen, "There are other people in this house who want to use the phone, Rhys!". Wy'n dal 'ma – ar 'y ngwely. Ers i ni symud i'r tŷ newydd a cha'l fflat mam-gu i Gu, wy' wedi ca'l estyniad yn y'n ystafell wely! Wy'n gwbod, o'n i'n meddwl bod rhyw wendid meddyliol wedi goddiweddyd fy annwyl rieni, ond …

**MAM**        I think it's important Rhys should have some privacy, Deryck.

**MAM-GU**   You can shut your mouth now, Deryck, you're catchin' flies.

Wel nagon i'n mynd i wrthod, o'n i? Wrth gwrs, ma'r bilie manwl oddi wrth BT ychydig o broblem – ond dim ond unwaith bob chwarter ma'r ffrwydriad 'na'n digwydd.

**DAD**        I'm pullin' that phone out! It's ridiculous. I'll be bankrupt!

Llinos yn rhyfedd heno. Mae 'di bod bach yn oriog (wy'n dwlu ar y gair 'na – siŵr o fod af i'n 'word ffrîc' wrth wneud lefel A Saesneg a Chymraeg!), ond wy' ffili rhoi 'mys ar beth sy'n bod arni, a ma' hwnna'n od achos ni'n nabod y'n gilydd gystal ar ôl mynd mas ers dwy flynedd – wel bydd e'n ddwy flynedd mewn bythdi doufish. Ni'n ffono'n gilydd bob nos, a gweld y'n gilydd yn yr ysgol. Wy'n meddwl withe bod y berthynas yn y'n cyfyngu ni tam bach, ond ma' pawb yn dweud Llinos a Rhys neu Rhys a Llinos erbyn hyn. 'Sneb yn meddwl amdanon ni fel unigolion mewn gwirionedd. Smo hwnna wedi effeithio ar 'y mherthynas i ac Îfs o gwbwl. Wy'n gwbod ei fod e a Llinos wedi bod yn sili y Nadolig cyntaf buon ni'n mynd mas 'da'n gilydd, ond ma' pawb yn gwneud camgymeriadau, nagyn nhw? Dyw Îfs ddim yn caru 'da neb, er mae e wedi mynd mas 'da *tons* o ferched. Ac ers iddo fe siarad am ei ansicrwydd ynglŷn â'i deimladau rhywiol am ei hunan, dyw e ddim wedi dweud dim byd a dwy' ddim wedi gofyn. So wy'n derbyn bod pethe'n *'cool'* man'na.

Felly, dylen i fod ar ben fy nigon neu *on top of my enough*, on'dylen i? Dylen. Ond pam nagw i, 'te? Ma' popeth wy' moyn 'da fi. Canlyniadau da. Ffrindiau da. Cariad hyfryd. Teulu boncyrs ond da. Pam ma' rhyw deimlad o anniddigrwydd yn dal i gerdded drosta i? Ei sbôs, yr unig bryd bydda i'n hapus yw pan fydd problemau gyda fi y galla i ddweud eu bod nhw wedi eu goresgyn – buddugoliaethau bach. Rhys, *it's official – you are a total prat!* Nos da.

---

## Dydd Gwener, Medi 8fed

Cwôt of ddy ganrif:

**SPIKEY**       Pam ni'n neud drama am *dead miners*, myn. Boring!

Y ddrama eleni yw Senghennydd. Drama gerdd gan Emyr Edwards ac Eirlys Gravelle, (pwy bynnag ŷn nhw), am danchwa Senghennydd 1913 pan laddwyd 439 o ddynion a bechgyn, a ma' Spikey yn dweud hwnna! O'n i'n meddwl bod Dom Criws yn mynd i ffeinto.

**DOM CRIWS**   Spikey, stopa ddangos dy *ignorance*.
**SPIKEY**       O, *Sir*, myn. Chi ddim ishe fi chango *habit of a lifetime*, ydych chi, jyst achos fi yn y chweched dosbarth?

Fi ac Îfs yw'r Traethyddion, beth bynnag ma' hwnna'n 'i feddwl, a phawb arall yn filiwn o rannau gwahanol.

**RAZ**      Hei, Spikey, do you think you got the muscles to be a miner?
**SPIKEY**   Raz, fi'n cael muscles lle *you didn't know muscles existed!*
**RAZ**      Amrannau?
**SPIKEY**   *All my* rhannau, ferch!

(Do'dd dim pwynt trio esbonio iddo fe beth oedd 'amrannau'.) Falle taw na'i ffordd e o ddelio 'da'r emosiwn sy'n mynd i fod yn rhan amlwg iawn o'r cynhyrchiad yma. O'dd Llinos *'on top of her enough'* ddiwedd amser cinio. A phan es i gartre a dweud wrth y teulu annwyl … Wel!

**DAD**      I can give them advice on the mines.
**MAM-GU**   You wasn't a flash in your grandfather's loins in nineteen thirteen, Deryck.
**DAD**      I've read books, aven't I?
**MAM-GU**   But you weren't there!
**DAD**      Nor you!
**MAM-GU**   But my uncle was.

Gobsmacd *or what!!*

**FI**       O'dd y'ch wncwl chi actshiwali 'na, Gu?
**MAM-GU**   O'dd. O'dd e'n gwitho yn y Kymberlie.
**SÊRA**     Enw 'na yn y sgript, Gu.
**MAM-GU**   Siŵr o fod. Dêth e mês yn fyw, ond êth e nôl lawr i whilo am racor.
**DAD**      You aven't said anything before, Mam-gu.
**MAM-GU**   There are some things, Deryck, that are too painful to talk about often, and the way those miners were treated is one of them. I got to watch my blood pressure because when I think of those bastard capitalists …
**MAM**      Mam! Iaith!

**MAM-GU**   There we are see, they've started me off again.

O'n i moyn wherthin pan regodd Gu, ond o'dd rhywbeth mor ddifrifol am y ffordd siaradodd hi. O'dd e' fel se'r peth wedi digwydd ddoe iddi hi, ac mewn gwirionedd do'dd hi ddim wedi 'i geni pan ddigwyddodd y danchwa. Hanes, myn! Mynd mas i redeg nawr. Nôl wedyn.

*Wedyn*

Wy' 'di ca'l job! *Mad,* myn. O'n i'n ca'l sbel fach lawr wrth Queen's Square, wel newydd ddechre redeg odw i wedyn ma'r stamina bach yn ddiffygiol, a dweud y lleiaf, ag o'n i tu fas i'r Spar lleol pan ddath y rheolwr mas a dechre siarad 'da fi. Ma' fe'n tam bach o redwr ffrîc, mae'n debyg, ac o dipyn i beth wedodd e bod job rhan amser yn mynd 'na a gofynnodd e a licen i ga'l y job!!? Ma' Mam a Dad wrth eu bodd achos ma' hynny'n meddwl y gallan nhw leihau'r lwfans misol!! (Hei ma' lot o bethe wedi newid yn y tŷ 'ma ers i fi fynd i'r chweched.) Ond, *no way,* arian ychwanegol fydd hwn i joio!!!! Wahw! A nawr wy'n mynd i'r gawod i olchi fy nghorff chwyslyd, cyhyrog, secsi, a falle bydd yn rhaid i fi neud rhywbeth gwyllt 'da'r sebon yn y gawod! Blydi hel, ma'n rhaid i fi neud yn siŵr 'mod i'n cuddio'r dyddiadur 'ma'n saff. Tase unrhyw un yn darllen hwn!!!!!

---

## Dydd Llun, Medi 11eg

Gwers lefel A Cymraeg gynta heddi. Mae Miss Esyllt 'Achub y Genedl' ap Einion absoliwtli stoncin yn athrawes arbennig o dda. Gymaint mwy diddorol na'r Pennaeth Adran sy 'di'n dysgu ni ers blwyddyn saith. Y blac spot heddi yn anffodus o'dd wyneb Spikey pan ddarllenodd y rhagddywededig gorjys porjys athrawes Gymraeg ddarn o gywydd Dafydd ap Gwilym i'r Wylan i ni. Mae e'n ddarn *stunning,* ma'n anodd credu ei fod e'n saith canrif oed – bod rhywun yn ysgrifennu fel 'na yn Gymraeg saith can mlynedd yn ôl.

Yr wylan deg ar lanw diloer
Unlliw ag eiry neu wenlloer
Dilwch yw dy degwch di
Darn fal haul, dyrn fo heli.

Yn anffodus, gofynnodd hi i Spikey beth o'dd e'n meddwl o'dd y bardd yn trio 'i ddweud. Mudandod. *Followed by* dolur rhydd.

**SPIKEY**    Specto fe'n siarad am y *bird* 'ma'n hofran yn y *sky,* Miss, fel Hale Bop comet, a fe'n edrych ar hwnna a meddwl fe'n *insignificant* iawn.

Pan ethon ni mas o'r wers o'dd pen Spikey at y llawr,

**SPIKEY**    Bois, fi'n credu fi wedi neud *terrible mistake.*

O, pwâr dab. Helpwn ni gyd e.
Llinos wedi torri ei gwallt ac yn edrych yn hynod o lysh, mor lysh o'n i gorfod cael snog amser cinio lan top y cae! Wy'n gwbod, alla i ddim â chredu mai fi yw hwn. Snog yn yr ysgol. Wel, ni wedi cael rhyw yn yr ysgol adeg cwrs haf, so beth yw snog rhwng ffrindiau?
Mam yn dost gynne. Rhyfedd, smo Mam byth yn dost. Gu'n dweud taw ei *hormones* hi yw e, ei bod hi ar y *change.*

**SÊRA**    Beth yw'r *change,* Gu?

Wel ag ystyried nagyw Sêra wedi dechrau ei mislif hi 'to, o'dd yffarn o job 'da Gu i gael ei hunan mas o'r twll 'na.

**MAM-GU**    Wel, Sêra, ma' amser yn dod i fenywod pan ŷn nhw'n stopid bod yn fenywod a ma' nhw'n mynd yn hen fenywod.
**DAD**    That makes an 'ell of a lot of sense, Mam-gu.
**MAM-GU**    Deryck, I'm talkin'.
**SÊRA**    Is Mam an old woman, Dad?

**DAD**     No, Sêra, but your granny's makin' me old before my time!!

Ma' nhw fel *double act*. Gododd Mam wedyn, o'dd hi'n teimlo'n well a bytodd hi rywbeth.

## Dydd Mawrth, Medi 12fed

Digwyddodd rhywbeth rîli wiyrd yn yr ymarfer drama heno. Ma' pawb yn rîli joio neud y ddrama 'ma am Senghennydd, ond ma'r gân 'ma sy'n cael ei chanu jyst fel ma'r tad yn mynd bant i'r gwaith a gadael y plant bach – fore'r danchwa. Wy'n whare rhan y Traethydd a ma' Dom 'empathi, cydymdeimlad, ffocws' Criws, yn ei fawr ddoethineb, wedi gwneud y Traethyddion yn rhan integrol o'r chwarae. Wel ta p'un, ar ôl i'r tad iawn fynd i'r gwaith (Rhids hynny yw), o'n i ag Îfs fod i gymryd lle y tad iawn fel o'dd y teulu bach yn gallu canu i rywun, fel petai. Nawr, ma' llais da iawn 'da Sêra'n wha'r (nage 'mod i'n bostan!), a hi o'dd yn canu'r pennill 'ma:

Wy'n lico cwtsh, cyn cysgu'r nos
A chlywed adrodd stori dlos.
'Na od yw'r lle heb dy gysgod di
Y gadair wag a'r siarad fu.

CYTGAN

Ond dere nôl ar ddiwedd dydd
O dere nôl i'n breichiau ni
Mae'r tân yn dwym ar aelwyd lon
Ti'n dad, ti'n ffrind, ti'n bopeth bron.

Ddim egsactli Saunders Lewis, wy'n gwybod, ond ar ddiwedd y gân o'dd eiliad o ddistawrwydd a wedyn, bostodd Sêra mas i lefen achos o'dd hi'n cwtsho Îfs ar y pryd. Dechreuodd hwnna un arall o'r plant bach off nes yn y diwedd, onest tw God, o'dd dros gant a hanner o gast yn y neuadd yn llefen. Fel *chain reaction*. A do, fe lefes inne hefyd. Stiwpid. Ma'r ddrama ma'n cal gafel arnon ni mewn mwy nag un ffordd. Wrth gwrs, o'dd Gu amser te, pan wedon ni beth ddigwyddodd, yn hollol argyhoeddiedig mai ysbrydion y glowyr oedd wedi'u lladd sy'n siarad â ni. Roiodd hwnna'r spŵks i Sêra!

Profiad rîli dwys. Sa i wedi llefen fel 'na yn gyhoeddus ers angladd Sharon. Ond do'dd neb fel se'n nhw'n *embarassed*, chi'n gwbod. Ddim hyd yn oed *machos* y chweched. A Spikey!

**SPIKEY**    Fi ddim yn crio, fi'n cael *hay fever* gwael.

**FI**    Ym mis Medi!

**SPIKEY**    *Yes!* Fi'n *late developer* ym **mhopeth**. Hoffi'r treiglad 'na, Rhys?

Wel ma' Spikey'n gorffod amddiffyn ei hunan rywffordd. O'dd Raz yn wych 'da fe.

**RAZ**    Spikey, ma' nhw'n dweud bod llefen o fla'n pobl yn arwydd o *very mature man – in many ways*.

**SPIKEY**    Pwy sy'n gweud?

**RAZ**    Magasîns merched i gyd. So ma' hwnna'n profi ti'n *mature*, nagyw e?

**SPIKEY**    Ny, profi bod *hayfever* gyda fi – a bod fi'n *mature*.

Spikey bach, beth ddaw ohono fe? Ges i ag Îfs *chat* grêt gyda'n bod ni'n aros iddi dad e gyrraedd, wel, nes bod Dymps a Billy'n cyrredd. Sa i'n gwbod pwy sy galla, Spikey ne Dymps. Roiodd Sêra ei thro'd ynddi.

**SÊRA**    Pam ma' nhw'n galw DYMPS arnot ti, Dymps?

**FI**    Ti ddim ishe gwbod 'na, Sê.

**SÊRA**    Odw.

**DYMPS**    Ti'n siŵr, nawr?

**SÊRA**    Odw.

**DYMPS**    Achos pan wy'n cachu, Sêra, wy' fel arfer yn bloco'r bogs gyda 'nhwrden!

O'dd wyneb Sêra yn glasic. O'dd hi'n para i wherthin amser te ond wedodd hi ddim, diolch i'r drefen. O'dd Dymps a Billy wedi ca'l dadl abythdi mynd mas 'da merched a do'dd 'da bod yn dew ddim byd i neud â'r gallu i, yn ei eiriau fe, 'pwlo'.

**BILLY**   Paid siarad mor blydi sofft, Dymps. Se dewish 'da croten i fynd mas 'da rhywun hanswm fel Îfs ne pwdin fel ti a fi, pwy fydden nhw'n dewish?

**DYMPS**   Dibynnu am beth nhw'n whilo.

**BILLY**   Wel dŷn nhw ddim yn whilo am *sixteen* stôn o fola, odyn nhw?!

**DYMPS**   *Seventeen* os nagos gwanieth 'da ti!

**BILLY**   *Point proven.*

**DYMPS**   Billy, ti'n *sad*. Ma' fe gyd yn y meddwl. Ma' unrhyw ddyn yn gallu pwlo unrhyw ferch os oes digon o hyder gyda fe!

**BILLY**   *Balls.*

**DYMPS**   A rheina hefyd.

**BILLY**   Rhys, Îfs, gwedwch wrth y mwlsyn 'ma, newch chi.

**DYMPS**   Billy, wy'n folon beto ti lot o arian, bydda i wedi pwlo rhywun cyn diwedd wythnos nesa **a** rhoi hanner stôn mla'n.

**SPIKEY**   *What's happenin'?*

**BILLY**   Paid siarad yn sofft.

**SPIKEY**   *Chicken or what*, Billy?

**BILLY**   Smo ti'n gwbod am beth ni'n wilia so cia dy ben!

**DYMPS**   Wel 'na fe, Billy, os nagos digon o gyts 'da ti.

**BILLY**   Gormodd o hwnna 'sda fi, bachan.

**SPIKEY**   Am beth chi'n siarad am, myn?

**DYMPS**   Pwlo *birds!*

**SPIKEY**   *I'm your man!*

**BILLY**   Magu hanner stôn a cha'l rhywun i fynd mas 'da ti.

**SPIKEY**   Who's Maggie?

**BILLY**   Shytyp, Spikey!

**SPIKEY**   Dim ond gofyn!

**DYMPS**   Cyn diwedd wthnos nesa.

| | |
|---|---|
| **BILLY** | A beth wy'n ca'l os wy'n ennill? |
| **DYMPS** | Dala i am dy ginio di am yr hanner tymor yma! |
| **BILLY** | *Game on,* bachan! *Game on!!!!* |

Nawr wy'n hollol argyhoeddiedig bod gwendid meddyliol yn digwydd yn nosbarth chwech. Ma' Dymps yn hynod o ffein fel person. Addfwyn iawn. A ma'r gallu gyda fe i ddweud y pethe cocha ond mae e'n ca'l *get away,* chi'n gwbod, fel tase fe'n dyfynnu o'r llyfr emyne!

So nawr, ma'r ddou ohonyn nhw'n mynd i fod fel hwfers o gwmpas byrdde cino blwyddyn saith, ac mae'r her wedi 'i osod i Andrew 'cadwch at y llwybr cul' Bechadur – dim rhagor o sleifio mas ar berwyl i nôl tampacs i Raz. Ma' hi'n *mad* hefyd, yr unig ferch yng Nghymru sy'n cael tri mislif y mish! Deled heulwen, deled storm, mae'r brodyr yn mynd mas bob amser egwyl a phob gwers rydd i drio cyflawni nod y *'chicken'.* Nawr ble mae ffindo merched yng nghanol hyn – *pass.* Esgus yw e i stwffo, weden i. Wy' 'tam bach yn *bored* heno.

---

## Dydd Mercher, Medi 13eg

---

*Cyfanswm bwyta Dymps cyn egwyl*

3 phasti corn bîff, tri phacyn o grisps, dou garamel, a phacyn o frechdanau caws.

*Ar ôl egwyl*

Sosej sandwich, darn o gorn bîff pei o gegin yr ysgol, pacyn cyfan o hob nobs siocled!

*Cyn y wers Ddrama*

Dymps wedi bod yn fendigedig o sic!!! Ha! Ha! O'dd Soffocleese yn dod ar hyd y coridor a Dymps yn gweud 'tho ni, "Bois, wy'n credu wy' wedi oferdŵo fe tam bach." Ag o'n i'n meddwl 'i fod e'n edrych tam bach yn dost. O'dd 'i amseru fe'n berffeth. O'dd Soff jyst ar fin cerdded heibio i ni and *there she blows!* Onest, o'dd e fel *volcano*. Dath y ffynnon 'ma o chwd trwy'r awyr – fel rhyw fath o enfys, ond mwy amryliw – a lando dros sgitshe Soffocleese!!! DIAL! DIAL! DIAL!!! O'dd Raz … wel, am funud o'n i'n meddwl 'i bod hi'n ca'l pwl o'r fogfa (posh gair am *asthma*) achos o'dd y sŵn 'ma'n dod oddi wrthi fel darn o bolystyren yn cael ei dynnu ar wydr – ond wherthin o'dd hi!

A jyst pan o'dd Soffocleese yn sylweddoli beth o'dd wedi digwydd, tsiycodd Dymps eto!! Colapsodd pawb a rhedodd Dymps – bach yn hwyr – i'r tŷ bach. Nago'dd Soffocleese yn gallu dweud dim. Gafodd Dymps A yn Ast. Clas. yn TGAU ond do'dd dim help 'da'r bachgen 'i fod e'n dost, o'dd e?!! Ddaeth e ddim i'r wers ddrama, ond o'dd e yn ffreutur y chweched amser cino a'i blât e fel mini Wyddfa.

**DYMPS**   Wy'n well.

**RAZ**     Dymps, ti jyst wedi tsiyco fel sment micsyr!

**DYMPS**   Bai fi o'dd hwnna. Fi ddim yn mynd i gael brecwast yn y tŷ fory.

*Mad* – hollol *mad!* Wy'n gorfod mynd cyn bo hir i ddechrau ar y'n shifft i yn Spar. Yr un cynta ar 'y mhen 'y'n hunan. Cyfrifoldeb! O mor aeddfed!

### 10.30 p.m.

Wy' wedi pisho'n hunan yn socan – yn llythrennol! Wy' jyst wedi newid 'y mhans – a rinso nhw mas! Sa i'n dishgwl i Mam wneud popeth drosta i. Wherthin?! Gaches i. Wir nawr, ma'r Spar lleol 'ma fel comedi zôn ei hunan. Ma'r bobl sy'n dod mewn yn *mad!* Fel wedes i, o'n i ar 'y mhen 'y'n hunan heno nes bod y rheolwr, David, yn dod i gau lan. Wel, ddim cweit ar 'y mhen 'y'n hunan gan fod Hazel 'na – dim ond hi sy'n gallu gwerthu alcohol achos smo fi'n ddeunaw. Ond ma' dweud bod Hazel 'yna' yn gelwydd. Mae ar blaned arall. Hanner cant plys ac yn edrych yn hŷn o lawer, ffag yn gwrthbrofi rheol disgyrchiant yn hongian o ochr ei cheg, a'r tafod mwyaf bendigedig o gwrs wy' wedi'i glywed erio'd. Fel arfer, ar ôl i fi gyrraedd, y cwestiwn cyntaf mae'n gofyn i fi yw ...

**HAZEL**     Jiw 'ave a shag las' night?

A wy' wastod yn ateb,

**FI**     Yes, Hazel, twice.

Wyneb yn sgrynsho lan fel cling ffilm ar frechdan wrth iddi gofio'n hiraethus am gyfnod pell, pell yn ôl yn ei chof pan o'dd hi'n mwynhau'r cyfryw.

**HAZEL**     W! Bloody lovely, init? Nothin' like a good shag
               to keep you 'appy is there?
**FI**       No, Hazel.

Mae hyd yn oed yn llwyddo i embaraso fi, ag o'n i'n meddwl 'mod i'n weddol sysd a chŵl erbyn hyn.

**HAZEL**     Do you play with yourself, Rhys?
**FI**       Hazel!! That's personal! You're makin' me very
               embarassed.
**HAZEL**     Ger from by there, young man of seventeen
               embarassed! Like hell you are. I bet you've worn
               the palms of your hands out you do it so often!

Ar adege fel 'na, sy'n digwydd bob tro wy'n mynd i'r gwaith, wy'n diflannu i staco silffoedd nes ei bod hi wedi cŵlo lawr. Peidwch â 'nghamddeall i, mae'n berson hyfryd, talp o gariad, a nele hi unrhyw beth drostoch chi (na, ddim fel 'na!) ond am ryw reswm mae'n lico profi ei bod hi'n gallu bod yn waeth na'r dynion gyda'i hensyniadau rhywiol. O feddwl am y peth, ma' hwnna'n rhywbeth mor secsist i'w weud, on'dyw e? Ma' perffeth hawl 'da unrhyw fenyw i weud beth mae moyn. Pam ma' bod yn fenywod yn eu hatal nhw rhag bod yn gwrs? Wel dyw e ddim, wrth gwrs.

Wel, ta p'un, heno o'dd Hazel yng nghefn y siop, o'n i ar fin cau a dim ond un cwsmer o'dd ar ôl, a heb i ni sylwi o'dd e wedi dod â'i gi bach mewn. Wel ma' tuedd 'da ni i adel i hynny ddigwydd cyhyd â bod y cŵn yn deall rheolau glanweithdra – yn wahanol i fi heno! Wel, ta p'un, weles i Hazel yn mynd at yr hen ddyn 'ma a fe'n symud rownd y gornel. A phan ddath e tuag ata i, 'na le odd e wedi agor dou dun o sardîns ac yn 'u bwydo nhw i'r ci.

**HAZEL**    I 'ope you are payin' for those!
**DYN**    Only if he likes them! Gis a kiss, love.

Dechreuodd yr hen ddyn 'ma, (o'dd ishe dou glun newydd o leia arno fe), redeg ar 'i hôl hi – wel, ma' hwnna'n air braidd yn uchelgeisiol – cerdded yn gyflymach rownd y siop yn trio ca'l cusan.

**HAZEL**    Ger away from me, you dirty bugger. Rhys, phone the police!
**DYN**    I've always fancied you every time I come in 'ere.
**HAZEL**    You can 'ave the bloody sardines, myn! Rhys, phone the police.

Erbyn hyn allen i ddim fod wedi codi'r ffôn heb sôn am siarad â neb. O'n i'n wan! Y fenyw 'ma sy'n siarad â fi fel se hi'n gwbod y cyfan – (a **ma'** hi) a'r hen ddyn 'ma yn gobeithio ca'l mwy na'i haeddiant yn hala llond twll o ofan arni. Llwyddodd e i'w chael hi i gornel yn y diwedd a 'na le o'dd y ddou fel dou gi.

**DYN**    You are the light of my life!

Cydiodd Hazel mewn tun o fwyd ci.

**HAZEL**    Well I'll smash the bloody bulb if you don't bugger off a bit sharp!

Ac yna, y *pièce de résistance*, fe gododd y ci ei goes wrth draed Hazel. Wel yr eiliad 'na, rhoies i'r gore i groesi 'nghoese a da'th ffrydiau'r Iorddonen ar 'y nhraws. Do'dd dim ots 'da fi erbyn hyn. O'dd jyst gweld Hazel yn y picil 'na yn ffanblyditastig!

**HAZEL**     Whar are you laughin' for?

Ath y dyn wedyn – heb dalu am y sardîns – a Hazel yn rhefru.

**HAZEL**     They wannw lock him up. Penrhys see, what do you expect? 'Ave you peed yourself?
**FI**     Yes.
**HAZEL**     O, you dirty bugger!

Wy'n dal i wherthin nawr. Pan weda i wrth y bois yfory ...!

### *Hanner nos*

Mam yn dost eto. Od. Smo Mam byth yn dost. Sa i'n siŵr pam wy'n sgrifennu'r geiriau 'ma – dim ond bola tost sydd gyda hi. Ma' hawl gyda dy fam i fod yn dost. Cer i'r gwely.

---

## Dydd Iau, Medi 14eg

---

Ma'r dyddie diwetha wedi bod yn hectic. Ymarferion Senghennydd yn mynd yn dda. Ma' 'da fi deimlad arbennig am y ddrama 'ma. Ma'r caneuon i gyd yn dda ond ma' tair ohonyn nhw'n 'Shakin my knickers time' fel ma' Raz yn mynnu dweud wrthon ni. Fi sy'n arwain un gân. 'Pedwar cant tri deg a naw o goliars' yw ei henw ddi. Styries i ddim bod llais canu 'da fi – wel, cadw mewn tiwn ontife – ond pan wedodd Dom 'symudwch, ffeindiwch y gofod' Criws wrtha i y bydden i'n canu'n unigol, roedd y *kegs* megis yn llenwi acha rât! Ond ma' grym y geiriau yn y'ch cario chi rywffordd yn fwy na bydde llais fel Pafaroti. Ma' Gu yn mynd i fynd yn *ape* pan ddaw hi i weld y sioe. Mae'n gofyn i fi a Sêra ar ôl pob ymarfer,

**MAM-GU**   Beth ddigwyddws heddi?

Mae fel 'se hi'n byw y peth gyda ni. Wy'n gwbod y buodd Tacu farw cyn i fi gael 'y ngeni, ond ma'r farwoleth gafodd e ar ôl oes o weithio fel coliar yn y pwll wedi gadel ei ôl ar Gu. A'r peth gwaetha ynglŷn â'i farw fe yw'r ffaith mai dim ond doufish o'dd 'da fe fynd cyn ymddeol.

**MAM-GU**   Deryck, don't expect me to be sad cos the bloody
             pits have shut! I'm sorry there's no work for the
             men, yes, sorry to my middle, but I can't forget
             every blue scratch 'e 'ad on 'im and every *claish*
             on his head. You don't get killed stackin' shelves.

(Ddim oni bai y'ch bod chi'n gwitho yn Spar lle wy'n gwitho! Ond ma' Gu'n iawn, siŵr o fod.)
Llinos yn od 'da fi ddo' a heddi. Ni fod i fynd mas nos yfory – regiwlar Nos Sadwrn nawr. Wel, ni yn mynd, ond fydd e ddim yn lot o sbort gwitho drw'r dydd yn yr ysgol a becso wedyn 'ny pam bod wep arni hi. Sa i wedi neud dim. Wel, sa i'n credu. A wy'n teimlo mor *horny*. Wy'n meddwl withe 'mod i'n troi yn secs maniac, achos dim ond hwnna sydd ar y'n feddwl i withe. Ridiciwlys, on'dyw e? Pan wy'n meddwl fel o'n i'n arfer bod ym mlwyddyn deg, a'r tro cyntaf gares i gyda Llinos, o'n i mor hyng yp abythdi'n nheimlade rhywiol, ma'n rhaid 'mod i'n *walking tub* o ofnau a rhagfarnau. Ers tua mis Medi blwyddyn un ar ddeg ...! WOW! *Anything goes* – ond dim ond gyda Llinos. Wy'n siŵr bod Mam a Dad yn gwbod, er pan fydd hi'n dod i aros, ni'n hollol ofalus – dim sŵn na dim, ac yn y tŷ newydd 'ma ma' ystafell sbâr dim ond iddi hi nawr. Ond ran fynycha yn tŷ Llinos ŷn ni. Ni'n ffindo ffordd o garu jyst â bod bob wythnos! Wy'n gwbod! Gwarthus, on'dyw e? Ydy pobl normal yn neud e mor amal â 'na? Shytyp, Rhys. Yr *average* yw 2.5 gwaith yn ôl rhai ystadegau ddarllenes i mewn cylchgrawn hollol ddilys ei ymarweddiad

a'i gynnwys!! Wel mae'n amlwg y'n bod ni o dan y norm. Bydd rhaid i ni neud rhywbeth ynglŷn â hynny!!!!

Garon ni ar y mynydd unwaith ac ar lan y môr. Stiwpid. Galle rhywun fod wedi dod ar y'n traws ni. Ond o'dd e mor lysh yn yr awyr agored er bod Llinos yn cwyno bod morgrug yn cnoi ei thin hi a ma'n rhaid i fi gyfaddef bod tywod **yn** mynd i bob man! Ni'n dou wedi trafod siarad gyda'n rhieni ynglŷn â gadel i ni gysgu gyda'n gilydd yn agored pan ŷn ni'n aros yn nhai ein gilydd. Bydde rhieni Llinos yn ffein, siŵr o fod. Ma' nhw mor cŵl ma' nhw'n ffrij, os chi'n 'y neall i. Ond wy'n ofni am Cwîn Fictoria a Prins Albert, neu Mam a Dad fel y'u gelwir!! Man a man 'sen i'n gweud wrth Dad 'mod i'n mynd i bleidleisio i'r Toris pan wy'n ddeunaw! Yn rhyfedd iawn, wy'n credu bydde Gu yn deall! Ma' twincl ofnadw gyda hi yn 'i llyged. Wy'n siŵr ei bod hi'n rîal drwg pan o'dd hi'n iau. So beth sy'n bod ar Llinos?!

## Dydd Sul, Medi 17eg

I HÊT SYNDEIS!! Wy' moyn abolisho dydd Sul. Nath Duw gamgymeriad. O'dd Llinos yn ddiflas fel post – cwmpon ni mas so dim caru. Ma' dou pocsi traethawd 'da fi neud erbyn yfory, un drama, paratoi cerdd i Saesneg ac un Cymrag. Duw helpo Spikey. 'Dadansoddwch "Hon" gan T.H Parry Williams gan gyfeirio'n arbennig at y berthynas amwys oedd rhwng y bardd a'i wlad a'i iaith.' *Now bloody then!!* Wy' mor *bored* wy'n credu bydd yn rhaid i fi fynd i gael cawod a defnyddio bar cyfan o sebon a photel o *shower gel!!!!!!!!*

## Dydd Llun, Medi 18fed

Dyw Llinos ddim wedi dod mlân. Ei am ded. 'Na pam mae wedi bod yn od 'da fi. Mae dri diwrnod yn hwyr. O, mei God. Man a man i fi adel a ffindo job yn Spar yn llawn amser. *You prat, Rhys, you absolute prat!* Ac wrth gwrs o'n i mor gynnil a sensitif â Spikey ar asid!

| **FI** | Elli di ddim â bod. |
| **LLINOS** | Gwed 'na wrth y'n *ovaries* i! |
| **FI** | Ond ti ar y bilsen! |
| **LLINOS** | Ddim ar y cwrs haf. |
| **FI** | Ond pam? Wedest ti ddim byd pryd 'ny. Fydden i byth wedi … |
| **LLINOS** | Achos o'n i moyn. Gymres i risg. |
| **FI** | Wel nage 'mai i yw e 'te. |

O'n i'n haeddu'r slap ges i. A dweud y gwir wy'n haeddu mwy na 'ny. Wy' wedi trio ffono ond mae pallu siarad â fi, medde 'i mam. Gormod o waith cartref. Wy' ffili credu wedes i beth wedes i. Pam? Panico wnes i. Shgwl, 'co fi'n trio cyfiawnhau y'n hunan 'to. Wy' ffili credu beth sy'n digwydd? O, *God*. Pam fi, Duw?

Wel ni'n gwbod pam, nagyn ni, Rhys. Ti wedi bod yn esgeulus. Ti wedi disgwyl i dy gariad gymryd yr holl gyfrifoldeb am yr atal cenhedlu. Mewn gair, ti wedi troi mewn i brat bach hunanol sy'n credu ei fod e wedi cyrraedd rhyw binacl yn ei fywyd wrth garu 'da un o bobl ffeina'r ysgol, a ti wedi lando ar dy din, nagwyt ti?

Falle bod Duw yn iawn. Licen i 'sen i **yn** credu ynddo fe. Bydde fe'n help i ddeall beth sy'n digwydd i fi. Typical, on'dyw e, ma' popeth yn mynd yn grêt, canlyniadau TGAU derbyniol iawn, diolch yn fawr, cyrsiau lefel A wy'n enjoio, cwmni ffrindiau, cariad neis a beth sy'n digwydd? Ma' brîs bloc seis tip glo Llanwonno yn glanio arna i o uchder anhygoel a'n sgwasho i'n fflat fel cleren. Wel, diolch yn fawr iawn, byti! *This is* cosb *time*, Rhys, am enjoio tamed bach o bleser. Ond dwyt ti ddim yn credu'r crap 'na am gosb? O, ffyc it. Sori. Wy'n mynd i'r gwely. A dim ond hanner awr wedi wyth yw hi!

## Dydd Mawrth, Medi 19eg

Ma' Mam yn feichiog. Ei cid iw not. Mae fy mam sy'n 47 oed yn feichiog. Ma' Dad mewn trans.

**DAD**        But I've had a vasectomy.
**MAM-GU**   Scalpel must have been blunt.

Wy'n falch bod Gu yn gallu wherthin achos wy'n credu ei fod e'n blydi gwarthus. *For God's sake,* yn 'u hoedran nhw! Wy' ffili sgrifennu rhagor. Wy'n mynd mas i redeg. Llinos ddim yn ysgol heddi. Fi ddim wedi ffonio. *Go away, world, I want to die.*

### 11.00 p.m.

Dal ddim yn gallu cysgu. Pan gyrhaeddes i ben y mynydd o'dd Îfs mas yn rhedeg hefyd. O'dd e'n gallu gweld bod rhywbeth yn bod arna i. A wedes i wrtho fe, abythdi Mam a Dad. A whare teg, wherthinodd e ddim.

**ÎFS**       Pam ti mor *uptight* abythdi fe.
**FI**         Fyddet ti ddim yn y'n le i?
**ÎFS**       Na, sa i'n credu.
**FI**         Ond Îfs, ma' nhw'n ca'l rhyw yn eu hoedran nhw. Mae e'n frwnt.

Wedyn wherthinodd e.

**ÎFS**       Paid â siarad mor uffernol o hunangyfiawn. Beth, sdim hawl gyda dy fam a dy dad i gael rhyw achos ma' nhw dros bedwar deg pump, ond ma' perffeth hawl 'da ti achos wyt ti'n codi'n ddwy ar bymtheg?

Cnocodd e 'mhen i wedyn.

**ÎFS**       Hylô? O's rhywun gartre?
**FI**         Ti'n credu bod dy fam a dy dad di'n ...?
**ÎFS**       Wrth gwrs eu bod nhw! Ma' hyd yn oed y ci a'r blydi gath yn neud e! Yr unig un sy ddim yw fi – os nagyt ti'n cyfri neud e gyda dy hunan, hynny yw.

Fi wenodd wedyn.

**FI**        O's tam bach o hunandosturi man'na?
**ÎFS**       Na, ma' lot actshiwali!

A gwenodd e.

**FI**        Ti'n gwbod faint o ferched sy'n dy ffansïo di.

Wedodd e ddim byd, a thrwy weud dim byd, nethon ni
*quantum leap* yn ôl i flwyddyn deg a'i gyfaddefiad i fi. D'ŷn
ni ddim wedi siarad am y peth ers hynny. Wel dyw Îfs ddim
wedi ishe. Ond o'dd e 'na heno cyn sicred â'r tip o'dd yn ishte
tu ôl i ni fel pyramid.

**ÎFS**       Nid cael rhyw sy'n dy neud di'n fodlon. Bod yn
              hapus gyda phwy wyt ti sy'n allweddol.

O'dd e lan i fi wedyn.

**FI**        Îfs, plîs gwed 'tha i i gau 'mhen.
**ÎFS**       Cia dy ben.

Edrychodd e arna i gyda'r ddou lygad treiddgar 'na sy gyda
fe, â holl rym deallusrwydd deuddeg A serennog y tu ôl iddyn
nhw.

**ÎFS**       Pan fydda i ishe siarad, fe wna i. Diolch i ti am
              ddeall. Ond yn y'n amser i. O cê?

Wy'n gwbod bod y gair athrylith yn ca'l ei orddefnyddio –
wel dyw Gazza ddim yn athrylith ody fe – ond ma' Îfs. O
feddwl nôl, ma' fe wedi bod fel 'na ers o'dd e'n blentyn.
Defnyddio 'i ben e i sorto pethe mas. Nage bod bod yn glyfar
neu'n thic yn stopo chi deimlo'n ddwfwn – ond 'na'r ffordd
ma' fe'n delio gyda fe. Ac unwaith bydd e wedi penderfynu
siarad, neith rhagfarn, na meddyliau cul na dim byd arall ei
rwystro fe. Ma' fe'n ddyn – ishws. Ac achos 'y mod i yn

ymddwyn fel odw i (es i'n syth lan lofft ar ôl cyrraedd gartre heb siarad 'da Mam a Dad), mae'n gwbwl amlwg i'r byd a'i frawd taw plentyn bach pathetig odw i sy'n ymddwyn fel hyn achos beth sydd wedi digwydd yn 'y mywyd i. *God!* Pam na alla i fod mor aeddfed ag Îfs!! *I wish Sharon woz 'ere!* Bydde hi'n gwbod beth i weud wrtha i.

## Dydd Mercher, Medi 20fed

Creisis yn gwaethygu. Llinos yn pallu siarad gyda fi yn yr ysgol. Fi'n dod gartre yn pallu siarad gyda Mam a Dad. Wy'n credu dylen i weld seicolegydd.

## Dydd Iau, Medi 21ain

BOLYCS!!!!!

## Dydd Sadwrn, Medi 23ain

Am fastard o wythnos. Wy'n gorfod mynd i Spar i weithio trwy'r dydd heddiw. O hyfryd waith. Fe dria i sgrifennu fory.

## Dydd Llun, Medi 25ain

Wyns ypon ê teim ... Ma' Llinos wedi dod mla'n. 'Na pam o'dd hi'n absennol ganol wythnos. Dyw hi ddim eisiau siarad gyda fi o hyd. Ac ar un olwg alla i ddim â'i beio hi. Y frawddeg sy'n dal i atseinio wrth gwrs yw'r anfarwol: "Nage 'mai i yw e." Ody pobl yn cael eu condemnio am weddill eu bywyd ar sail un frawddeg a ynganwyd mewn panic? Wel, odyn actshiwali, Rhys. Yng ngeiriau yr hen Dudur Aled, 'Hysbys y dengys dyn o ba radd y bo'i wreiddyn'. Ma'r cwrs lefel A Cymraeg fel tase fe'n ffindo'r manne gwan yndda i gyda chwôts o'r beirdd canoloesol, sy'n berthnasol i ni nawr hyd yn oed!

Yng nghanol y trawma personol 'ma, ma' ymarfer Senghennydd lle ma'r Traethydd – fi – yn gorfod cysuro menyw sydd wedi colli 'i gŵr – ie, Llinos. Wel, all neb anghytuno gyda'r cyfarwyddwr, sbosib? A whare teg o'dd Llinos yn broffesiynol iawn. O'dd 'i llyged hi fel ffrij ond nethon ni fe. Spikey yn hyfryd o eironig,

**SPIKEY**   Dy, Rhys, ddim lot sy'n gallu grôpo *pieces* nhw *in public* ar y *stage*.

Diolch i Dduw bod Raz wedi glanio,

**RAZ**   Oi, Spikey ffansïo *a quick one* lan yn erbyn wal? Fi heb gael te fi eto!

Spikey ddim yn gwbod shwd i gymryd Raz, wedyn fe gilodd e'n lled gloi. Dath Billy ata i i ofyn am gyngor 'fel dyn priod'. AGH!!

Mae'n debyg bod croten o'r enw Kylie ym mlwyddyn deg wedi bod yn gwenu arno fe a gan fod y bet rhwngto fe a Dymps dal mla'n, am fod y ddou wedi methu ffindo rhywun, ma' Billy ishe cyngor ar shwd i dorri'r garw 'da'r Kylie 'ma. Yn anffodus o'dd meddwl Rhys ar fater bach arall.

**FI**   Jyst gof'nna iddi, Billy, er mwyn dyn. Paid â neud creisis mas o ddrama!

**BILLY**   Thenciw, Rhys. Dere di ata i unrhyw bryd ti moyn gair o gyngor.

A heno ar ôl dod sha thre, o'dd pow wow yn y gegin dros de. Y teulu i gyd.

**MAM**   Nawr, Rhys, ni'n gwpod bod y babi 'ma wedi dod fel sioc i ti.

**MAM-GU**    But to you more than anyone, Deryck, init?

Â gwên ar ei hwyneb.

**MAM**    Ond ni ffili deall pam wyt ti wedi cymryd yn y'n herbyn ni.

**SÊRA**    Ie, Rhys, fi'n falch wy'n mynd i gael whâr ne brawd achos pan ti yn coleg fydd neb 'da fi.

**DAD**    See, Rhys, men do things sometimes.

**MAM**    Deryck!

**DAD**    What again?

**MAM**    Nothin'. You carry on.

**DAD**    What I'm sayin' is, us men …

**FI**    Includin' me, are you?

**DAD**    Well, all my cylinders are workin', *mab*, as we know! I 'ope yours are too!

**MAM-GU**    Very subtle, Deryck.

**DAD**    What I'm tryin' to say is your mother and me have got a life too. You know. Everything doesn't break down once you've gone forty five!

**MAM-GU**    Some of us go on a damn sight longer too, Deryck!

**MAM**    Mam!

**MAM-GU**    Wel, shgwl di ar Betty Shivers, George Street, slawer dydd. Gas hi ei un diwetha ddi pan o'dd hi'n fifty four!

**SÊRA**    O'dd menyw wedi cael babi pan oedd hi'n pum deg pedwar, Gu?

**DAD**    But that was Betty Shivers, Muriel. She wasn't a woman – more like the neighbourhood watch.

**MAM-GU**    And then there was Martha Ann from Middle Row. She was famous for it. Twenty three children she had – buried half of them under the tree in the garden, mind, but she had twenty three. Five of them still alive now, well into their eighties.

**MAM**    Rhys?

**FI**    Wy'n sori 'mod i wedi acto'n blentynnedd. O'dd

|         |                                                                      |
|---------|----------------------------------------------------------------------|
|         | e'n sioc, chi'n gwbod. A wy'n becso amdanoch chi, Mam. Dŷch chi ddim mor ifanc â 'ny i gael babi eto. Ma' fe'n hawdd i Dad ... |
| **DAD**     | Yes it was, actually!                                             |
| **PAWB**    | DAD!!!!!!                                                         |
| **FI**      | Wel, sbôs beth wy'n trio gweud yw sori ag os ŷch chi'n hapus 'da fe, wy'n hapus hefyd. |
| **MAM-GU**  | Deryck, you should take lessons off of your son for being a diplomat. |
| **MAM**     | Cyd â negyw e'n cymryd *lessons* wrth 'i dêd am bethach erill!!  |

Tase nhw ddim ond yn gwbod! So ma'r creisis teuluol drosodd. Ond dwy' wir ddim yn gwbod beth i neud ynglŷn â Llinos. Hwn yw'r *major row* cyntaf ni wedi ca'l mewn bron i ddwy flynedd o fynd mas 'da'n gilydd. Wy'n credu 'mod i yn y cachu.

---

### Dydd Mawrth, Medi 26ain

Odw, wy' yn y cachu.

---

### Dydd Mercher, Medi 27ain

At fy ngwddwg.

---

### Dydd Iau, Medi 28ain

A drosodd.

---

### Dydd Gwener, Medi 29ain

Mae wedi gorffen gyda fi. Amser cino heddi, des i mas o

ymarfer Senghennydd a chwalodd 'y mywyd i, a dwy' ddim yn gor-ddweud. Nage bod yn blentynnedd yw siarad fel 'na. Dwy ddim yn gwbod beth i neud. Wy' ar goll. A dwy' ddim yn gwbod beth i neud. Sa i'n gallu byta, wy' ffili siarad 'da neb – wy' moyn Llinos a wy' ffili 'i chael hi. Ma'r sgwrs 'na'n mynd i 'nghreithio i am weddill 'y mywyd.

**LLINOS**    Wy'n gorfod siarad gyda ti a wy'n flin 'y mod i'n gorfod siarad gyda ti man 'yn yn yr ysgol.
**FI**    O leia ti'n siarad â fi. Ni'n ffrindie eto?
**LLINOS**    Nagyn, Rhys.

*Saib*

**LLINOS**    Dŷn ni ddim yn ddim byd dim rhagor. Wy'n gobitho gallwn ni fod yn ffrindie rywbryd pan fydd pethe'n well.

Do'dd dim blydi cliw 'da fi beth o'dd yn digwydd. Dechreuodd hi gerdded bant ond gydies i yn ei braich hi.

**FI**    Llinos, 'sgusoda fi am fod yn thic, ond beth yn gwmws wyt ti'n gweud 'tha i?

Ag edrychodd hi arna i gyda'r llyged glas 'na sy' wedi neud i 'nghoese i shiglo gymaint o withe ag o'n i'n gwbod. O'n i'n gwbod cyn i'r geirie ddod mas. Gwbod.

**LLINOS**    Wy' wedi cwpla gyda ti. Dŷn ni ddim yn mynd mas 'da'n gilydd rhagor. Mae e drosodd.

A cherddodd hi bant. O plîs, Duw, ble ma' Sharon nawr? O'dd e' fel bod mewn ffilm am weddill y dydd. O'dd gwersi Cymrag a Sisneg 'da ni, ond sa i'n cofio dim byd wedodd neb. O'dd e fel tase'r sŵn wedi pylu, ac o'n i'n bodoli mewn distawrwydd.

A wy' ar 'y mhen y'n hunan yn y'n ystafell i. A dwy' ddim yn gwbod beth i neud. O, Sha. Help!

## Dydd Sadwrn, Medi 30ain

Sdim pwynt dweud dim.

## Dydd Sul, Hydref 1af

Mae'n ganol nos. Wy' wedi bod yn Spar yn gweithio o 9 o'r gloch y bore tan 4 o'r gloch y prynhawn. Ma' gwaith cartref 'da fi neud. Ond wy' ffili. *I don't give a shit!* Wy' moyn marw. Ma' hyn yn stiwpid. Ddwy flynedd yn ôl buodd y'n ffrind gore i farw a wy'n siarad fel 'na, ond mae e'n deimlad mor uffernol. Ma'r teulu'n gwbod 'y mod i a Llinos wedi ca'l stŵr 'da'n gilydd ond wy' ffili gweud y gair 'gorffen'. Ma' fe'n rhy derfynol. Ma' hi bownd o weld y'n ishe i, nagyw hi? Bownd o? Ma' hi'n teimlo fel hyn, sbosib? O plîs, Duw, os wyt Ti'n gwrando, gad i Llinos deimlo fel hyn hefyd. Gad iddi hi deimlo'r gwacter wy'n teimlo nawr. Alla i ddim â byw hebddi. Alla i ddim!

### 5.00 a.m.

Wy' newydd ddod nôl i'r ystafell wely ar ôl siarad â Gu. Godes i i neud dishgled o de am dri o'r gloch achos do'n i ddim wedi cysgu winc, ag o'dd Gu 'na ishws yn yfed.

**MAM-GU**     Ffili cysgu wyt ti, bach?
**FI**     Na, Gu.
**MAM-GU**     Ne fi. Ma'r blydi riwmatics 'ma'n whare bêr arna i – ond dyw e ddim yn mynd i'n faeddu i. Rhwpath yn dy fecso di 'te, bach?
**FI**     O's Gu, yn ofnatw.

A 'na pryd ddechreues i lefen. O'n i'n ofnadw, o'n i jyst ffili stopid y'n hunan, fel babi. O'dd Gu'n wynderffwl. Dim ond cwtsho fi nath hi, cwtsho'n dynn, dynn fel tasen i yn fabi.

**MAM-GU**     Dere di, bach, llefa di. Ma' Gu 'ma.

Sa i'n siŵr am faint fues i'n llefen ond o'dd y tegil wedi oeri. A wedyn'ny, wedes i bopeth wrth Gu. O'dd ei chynneddf hi mor wych, mor garedig. Jyst gwrando rhan fwya a holi pan o'dd ishe.

**MAM-GU**   Ti'n dala iddi charu ddi, bach?
**FI**   Otw, Gu. Mwy na dim byd arall. Beth alla i neud?
**MAM-GU**   O, 'nghariad i, sai'n gwpod. Sai'n cretu bod dim byd gelli di neud.
**FI**   Ond, Gu, wy' ffili byw hebddi. 'Ma'r wthnos waetha yn 'y mywyd i.

(Mae'n siŵr 'mhen blynydde y bydda i'n darllen y geirie 'ma ac yn meddwl, *you melodramatic queen*. Ond y funud yma, 'na fel wy'n teimlo.)

**MAM-GU**   Ti'n gwpod Rhys, smo fi lot o sgoler …
**FI**   Nace'ch bai chi o'dd e y'ch bod chi'n gorffod gatel yr ysgol, Gu. Do'dd dim arian 'da'ch mam a'ch têd chi, o'dd e?
**MAM-GU**   Nego'dd, ag achos y'n bod ni gorffod talu am y'n llyfre pryn'ny, serch 'mod i wedi ennill sgolarship i'r cownti sgŵl, mês o'n i'n gorfod dod a mynd i was'naethu. Ond 'sdim ots am 'ny nawr. Beth wy' moyn gweud 'tho ti yw … a tithe'n fachan sy'n lico llyfre a darllen …
**FI**   Otw.
**MAM-GU**   'The art of our necessities is strange,
That can make vile things precious.'
Wy'n sori 'i fod e yn Sisneg ond do'dd dim ysgolion Cwmrêg i fi, twel bach.
**FI**   Shakespeare yw hwnna, ontife?
**MAM-GU**   Ie, bach. King Lear yn whilo am le i gwato yn y storom a fe mor gyfarwydd â bod mewn palas trwy'i fywyd a'i ddwy ferch wedi shoto fe mês ar y clwt. Dwy fitch os buws erio'd!
**FI**   Smo Llinos yn *'vile'*, Gu.
**MAM-GU**   *Good God*, negyw, mae'n groten biwtiffwl. Ond

|        |                                                         |
|--------|---------------------------------------------------------|
|        | ma' beth ŷt ti'n twmlo nawr yn 'vile' on'dyw e?         |
| **FI** | Mega.                                                   |
| **MAM-GU** | Ond fe basiff e, twel, a byddi di wedi dysgu rhywbeth am y frwydr 'ma ni'n 'i alw'n fywyd |

Gwenes i wedyn a fi roiodd gwtsh i Gu.

|        |                                                         |
|--------|---------------------------------------------------------|
| **FI** | Wy'n sori am fod yn blentynnedd.                        |
| **MAM-GU** | Nace bod yn bletynnedd yw dangos dy deimlade. Bod yn ddyn wyt ti. |

A nawr wy'n mynd i drio cysgu am ddwy awr cyn mynd i'r ysgol. Wy'n mynd iddi wynebu ddi a beth sy' wedi digwydd. Dyn.

---

## Dydd Llun, Hydref 2ail

---

Do'dd e ddim yn hawdd, ond wy' wedi torri'r garw, a wy'n credu 'mod i'n teimlo'n well o neud 'ny.

---

## Dydd Mawrth, Hydref 3ydd

---

Nagw ddim – wy'n teimlo'n gachu.

### *Wedyn*

Ffonodd Llinos fi i weld shwd o'n i. Hapus? Na. Bwdes i gyda 'i. Ei galw hi'n bopeth am feiddio gorffen gyda fi. Rhoies i'r ffôn lawr arni. I CAN NOT BILÎF IT!!!! O'n i'n meddwl 'mod i tamed bach yn aeddfetach nag o'n i ym mlwyddyn deg ond mae'n amlwg 'mod i'n deall y gair 'retro' yn well na neb. Neu efalle bod dyfyniad oddi wrth Miss Esyllt 'I love your eyes' ap Einion yn well: 'myned yn iau wrth fyned yn hŷn'. *That's me folks!*

O's rhywbeth arall yn digwydd yn yr ysgol yn 'y mywyd i? Wel, obfiysli, o's *but do I give a shit* ar y funud? Na.

## Dydd Mercher, Hydref 4ydd

Wy'n bôro'n hunan erbyn hyn.

## Dydd Iau, Hydref 5ed

Ma' Îfs wedi rhoi shwd bolacin i fi heddi, o'n i'n meddwl taw
Sharon o'dd 'na. Amser cino o'dd e, a mae'n debyg bod Dom
'Trainspotting' Criws wedi dweud wrth Îfs i bido boddran
dod â fi i'r ymarfer ar gyfer y ddrama achos bod y'n actio i
mor uffernol bydde'n well 'da fe neud hebdda i! Diolch, Syr!

Dath e lan ata i yn yr Uned jyst cyn cino a gofyn os o'n i'n
ffansïo mynd mas i'r caff am *change*. Wel dim ond amser
gwersi rhydd ŷn ni'n neud 'na fel arfer achos amser cino ma'
Andrew 'I want to be a Jew and live in Israel rîli' Bechadur
yn paradan y ffinie fel pe bai e'n efelychu Seithennyn bach
unig ar fur y castell. (Rhaid 'mod i'n gwella – wy'n cymryd y
*piss* mas o Andrew Bechadur eto.) Wel mas ethon ni ac Îfs
yn talu ond nagon i moyn dim byd i fyta.

| | |
|---|---|
| **ÎFS** | *Grow up,* Rhys. |
| **FI** | Sori. |
| **ÎFS** | Glywest ti. |
| **FI** | Os wyt ti wedi dod â fi mas 'ma i bregethu arna i – *forget it*. |
| **ÎFS** | Wy' wedi dod â ti mas i weud wrthot ti dy fod ti'n neud prat o dy hunan, a bod pobl yn dechre mynd yn *pissed off* 'da ti. |

(Wy'n cofio edrych arno fe. Pobl yn *pissed off* 'da fi? 'Da
fi!!? *Gorgeous* Rhys ma' pawb yn hoffi?!!!!)

| | |
|---|---|
| **ÎFS** | Sdim byd yn bod ar dy gluste di. |
| **FI** | Pwy sy'n dechre mynd yn *pissed off* 'da fi? |
| **ÎFS** | Raz! |
| **FI** | *Get off*. |
| **ÎFS** | "Wel, Îfs, fi wedi gweld *smacked arses* 'apusach |

|      |                                                          |
|------|----------------------------------------------------------|
|      | na'r gob sy ar fe ers i Llinos gwpla 'da fe."            |
| FI   | Sa i wedi gweud wrth neb bod Llinos wedi cwpla 'da fi.    |
| ÎFS  | Ym, esgusoda fi, Rhys!!!!! Dou lygad, dwy glust … Dŷn ni ddim yn fud a byddar nac yn ddall! |
| FI   | A wedodd Raz 'na.                                         |
| ÎFS  | Spikey, *"E's doin head* fi mewn. Fi cael digon ohono fe." |
| FI   | Wedodd Spikey "ohono fe"?                                 |

Chwerthinodd Îfs wedyn.

|      |                                                          |
|------|----------------------------------------------------------|
| FI   | Beth am Billy?                                            |
| ÎFS  | "Blydi ffys dros ddim byd – ishe iddo fe ga'l gwd ffîd o *fish* a *chips*." |
| FI   | A beth amdanot ti?                                       |
| ÎFS  | Wy' 'ma, nagw i?                                         |

A wedyn, am y tro cynta ers i Llinos gwpla gyda fi, bystodd y bybl bach o hunandosturi o'n i wedi creu o 'nghwmpas i a chwerthines i, o ansicrwydd siŵr o fod i ddechre.

|      |                      |
|------|----------------------|
| FI   | Sori.                |
| ÎFS  | Ti'n côpo gyda fe?   |
| FI   | Ddim 'to.            |
| ÎFS  | Pam gwploch chi?     |
| FI   | Fi o'dd e. Nage hi.  |

Whare teg i Îfs, ma' fe'n gwbod yn gwmws faint o gwestiyne i ofyn.

|      |                                                          |
|------|----------------------------------------------------------|
| FI   | O'n i'n meddwl bod Llinos yn feichiog a wedes i taw nage mai i o'dd e. |
| ÎFS  | A!                                                       |
| FI   | Yn gwmws. Bydden **i** wedi cwpla 'da fi 'sen i wedi gweud 'na. Ond ti'n gwbod Îfs, un frawddeg o'dd |

|       | hi! Un camgymeriad a phenderfynodd hi gwpla gyda fi. Hwnna wy' ffili derbyn. |
|-------|------------------------------------------------------------------------------|
| ÎFS   | Ond beth o'dd y frawddeg 'na'n gynrychioli o'dd yn bwysig, nage fe – nage'r frawddeg ei hunan. |
| FI    | Sori? |
| ÎFS   | O't ti'n cachu mas, nagot ti? Panico yn yr eiliad 'na o argyfwng. |
| FI    | Wel, o'n, ond bydde pawb wedi. |
| ÎFS   | Na, fydde pawb **ddim** wedi. Nage fel 'na ymatebest ti ym mlwyddyn deg. |
| FI    | Na, sbôs. O, cach. Wyt ti'n trio awgrymu o'dd mwy o egwyddor 'da fi pryd 'ny na sy gyda fi nawr 'te? Beth sy'n digwydd i fi, gwed? |
| ÎFS   | Ti ddim ishe fi i ateb y cwestiwn 'na rîli, wyt ti? |

Shigles i 'mhen yn negyddol.

| ÎFS | Ma' cyfrifoldeb yn mynd law yn llaw â pherthynas, Rhys. A plîs paid â meddwl 'mod i'n trio rhoi *guilt trip* i ti à la Andrew Bechadur, ond tasen i'n ddigon lwcus i ffindo rhywun o'dd ishe mynd mas 'da fi a 'ngharu i, y peth pwysica bydden i'n gorfod brwydro yn ei erbyn fydde pido â chymryd y person 'na'n ganiataol. |
|-----|------------------------------------------------------------------------------|

Ac mewn un gair o'dd Îfs, yr athronydd addfwyn, wedi bwrw'r hoelen ar ei phen ac ar ei thro'd ac ym mhobman arall perthnasol – 'CANIATAOL'. 'Na beth o'n i wedi caniatáu iddo ddigwydd rhyngto i a Llinos. O'n i wedi ei chymryd hi yn ganiataol. A'r funud 'ma wy'n teimlo fel gymaint o *shit* wy' ishe mynd draw i'w thŷ ac ymddiheuro iddi. Hi gymerodd y cyfrifoldeb am atal cenhedlu. Hi o'dd yn gwneud bwyd pan o'n i'n mynd 'na. O ie, o'n i'n cynnig wysg 'y nhin ond, yn y bôn, o'n i'n disgwyl iddi wneud popeth fel sy'n digwydd yn y tŷ 'ma. O'n i wedi dechre troi mewn i 'nhad! O, mei God! O, MEI GOD!!!!!!!!!! Beth wy' newydd weud?!! Now ddat is e thôt sy'n troi fy stumog! Sori, ma' hwnna'n horibl i Dad. Ma' fe'n grêt a phopeth ond … Fi fel Dad? Plîs, Duw – na. Dŵ not let ddat 'apn! Ac ar ôl meddwl a meddwl a bod yn onest 'da'n hunan wy'n teimlo'n well. Diolch, Îfs. A gethon ni *get away* 'da mynd nôl mewn i'r ysgol heb fod Andrew 'Mae Duw a fi yn llond pob lle' Bechadur yn y'n dala ni.

## Dydd Gwener, Hydref 6ed

Wy' wedi ymddiheuro i Llinos. Derbyniodd hi. Ni'n *sort of* ffrindie. Wy'n gallu hanner côpo gyda hwnna. Gwelodd Spikey fi'n gwenu ar ôl siarad gyda 'i amser egwyl.

| | |
|---|---|
| **SPIKEY** | *Well, thank God for that,* bachgen! Fi wedi gweld *'appier lookin wet farts* na dy wyneb di'n ddiweddar. |
| **MISS** | Cymhariaeth sawrus iawn, Spikey. Unrhyw ffordd gallet ti ymgorffori hwnna yn dy ysgrif greadigol. |
| **SPIKEY** | Dy, Miss. Chi'n bafflo fi gyda gyd o'r *big words* yna!! |

Wy' nôl ar dir y byw. Spar heno. Ymarfer Senghennydd drwy'r dydd fory o 10 y bore tan 6 o'r gloch. Wy'n credu bod y cynhyrchiad dal yn un da.

## Dydd Sul, Hydref 8fed

Ma' Senghennydd yn egselent! Sori 'mod i wedi gadel i bethe lithro ond wir ma' fe'n arbennig. Ma'r grym emosiynol sydd yn y corws yn anhygoel! WOW!!! Mae'r hen Dom 'Pam nagw i'n bennaeth ein sianel fach gartrefol' Criws wedi taro ar rywbeth arbennig man hyn. A phwy bynnag yw Emyr Edwards ac Eirlys Gravelle, *they can come to my party any time!* Spans sy'n whare Edward Shaw, rheolwr y pwll glo lle lladdwyd 439 o goliars 'yn marw mewn pwll o dân', ac ar ôl ymchwiliad swyddogol i'r drychineb ym 1913 cafodd e ddirwy o £24!!! Allwch chi gredu 'na? Bod yn gyfrifol am ladd 439 o bobl a chael dirwy fel 'na! Ath Gu yn *ape* pan wedodd Sêra a fi wrthi amser te dydd Sadwrn.

| | |
|---|---|
| **MAM-GU** | Manijers, shgwl 'ma! |
| **DAD** | Mam-gu, I'm a manager remember. Careful what you say! |
| **MAM-GU** | What about the owners, Deryck. Lewis Merthyr Collieries. What did those bastards … |
| **MAM** | Mam! Iaith! |
| **MAM-GU** | O, wy'n sori, Peg, ond ma' meddwl am y *wasters* 'na yn codi'n *blood pressure* i. Shgwl 'ma. Ma'n nhw'n lwcus 'mod i'n *seventy four*. |
| **DAD** | O, aye! Admitted the truth finally, is it? |
| **MAM-GU** | A nage *forty four* achos bydden i mas 'na heddi. |
| **DAD** | Thank God for small mercies. |
| **SÊRA** | Smo chi'n lico'r bosys, odych chi, Gu? |
| **MAM-GU** | Nêgw i, bach, byth wedi. O'dd dy Dacu di'n un o'r gwithwyr. O'n i'n un o'r gwithwyr a cheson ni'n trin fel baw 'da'r bosys. |
| **DAD** | I thought you said you enjoyed being a maid in Eton, Muriel. |

Dath y jam off y wal yn rhwydd ar ôl ca'l rhagor o ddŵr twym, ond dim ond jyst miso pen Dad nath y ddishgil! Ma' yffarn o dymer 'da Gu os yw hi'n dechre!!!

Ma' 'nghydwybod i'n 'y mhigo i tam bach heno. Dath Dymps a'i ffrind e, Elins, mewn i Spar heno i nôl fideo, ag o'dd Hazel 'na. Dechreuon ni siarad a co Dymps, yn hollol ddiniwed, yn dweud gan dynnu coes:

| | |
|---|---|
| **DYMPS** | Hoi, Rhys, fi ddim yn deall sut ti'n gallu gweithio mewn siop heb Gymraeg ar y posteri. |
| **HAZEL** | Racha maintafalal rach amalŵ! |
| **DYMPS** | Sori, Hazel, didn't catch that! |
| **HAZEL** | Richantasmachantallewost. |
| **DYMPS** | Iechyd da, Hazel! |
| **HAZEL** | Hei, I can speak it too, mind! |
| **DYMPS** | *Mad*, hi yn. |

**FI**  Mae'n olreit, ti'n gwbod

**DYMPS**  Ond beth fi'n dweud, Rhys, yw bod y Pioneer yn Porth a phopeth yn ddwyieithog *and by 'ere* dim ond Saesneg. A ti'n aelod o Gymdeithas yr Iaith *and all that,* a ti'n cael go i ni abythdi seto lan cell Cymdeithas yr Iaith yn yr ysgol.

**FI**  Oi, Dymps, dim ond ers y cwrs haf ti wedi dechre siarad Cymrag 'da pawb. Paid trio neud i fi deimlo'n euog.

**DYMPS**  Na fi ddim, byt. Paid cael fi'n rong. Fi ag Elins rîli diolchgar ti wedi agor llygaid ni a phopeth ond … ti'n gwybod, jyst od fel.

A whare teg, Dymps yw un o'r bobl garedica yn y chweched a'r cachwr tyrds mwya yng Nghymru! Dwy stôn ar bymtheg ag yn tyfu o garedig. Ma'r bet rhyngto fe a Billy off achos sdim un ohonyn nhw wedi llwyddo i 'pwlo' ond ma' Dymps wedi cyflawni un rhan – codi hanner stôn a mwy!!! Er wedodd Raz wrtha i bod y Kylie 'ma grybwyllodd Billy dal ar y sîn rywffordd a rhaid i fi weud o'n nhw'n siarad lot gyda'i gilydd yn yr ymarfer. Shytyp, Rhys, *engage brain.*

Ond ma' Dymps wedi neud i fi feddwl. Ddylen i fod yn neud rhywbeth am unieithrwydd Saesneg Spar lle wy'n byw? Ma' taith o fil o filltiroedd yn dechre ag un cam – wy' wedi dechre casglu dywediadau ers i Llinos gwpla gyda fi, ma' llyfr bach sbeshal gyda fi. Ife fi ddyle fod yn gyfrifol yn y 'nghymuned y'n hunan? Shwd bydde Hazel yn ymateb i hwnna? Dyw hi ddim yn gallu siarad yr iaith ond mae'n amlwg ei bod hi'n ei charu ddi. Ar ôl y ddrama a hanner tymor, wy'n mynd i alw cyfarfod yn y chweched i drio dechre cell Cymdeithas yr Iaith.

Colli Llinos o hyd. Ysgrifennes i gerdd gynne. Sneb yn mynd i weld hon byth. Wel cân yw hi mewn gwirionedd ond wy' ffili sgrifennu cerddoriaeth. O'n i moyn sgrifennu englyn achos mae Miss Esyllt 'wy'n mynd i achub yr iaith *if it kills me'* ap Einion wedi ennyn fy niddordeb, ond ma' hwnna tu hwnt i fi ar hyn o bryd. *So,* y *crap* 'ma yw fy mynegiant:

Fe est i ffwrdd a 'ngadel i
Yn crio am dy gael
Y torri trist – heb eiriau cas
A'r llygaid mwyn fu'n sail
I ffydd ddiysgog ynot ti
I hyder am y dydd
Y caem fod gyda'n gilydd fyth
Heb ofni bod yn rhydd

CYTGAN

Diflannaist ti o 'mywyd i
Fel tes ar doriad dydd
Ehedaist fry i'r golau
Heb ofni bod yn rhydd

Bu'r dyddiau o dy golli
Fel cyllell yn y cnawd
Atgofion fu'n dragwyddol
Ond bywyd nawr yn dlawd.
Ysu eisiau clywed llais
Y llais fu'n olau clir
Mewn môr o gyffredinedd llwm
Ti oedd fy nghariad gwir

Fe dreuliodd dyddiau hiraeth
Fel llwch ar lwybr gwynt
Fe bylodd poen dy golli
Dim crio – fel oedd cynt.
Fe droes y nabod cyflawn
Yn gysgod o'r hyn a fu
Mor greulon nawr yw gofyn
Fy ffrind – pwy ydwyt ti?

Wel, ar y funud wy'n credu bod hwnna'n adlewyrchiad llwyr o 'nheimladau i. Mewn pum mlynedd bydda i'n ei weld e fel y *crap* gwaetha wy' wedi sgrifennu, siŵr o fod. *At least* 'sdim rhaid i Gerallt Lloyd Owen fecso ar hyn o bryd!

Absoliwtli dim un eiliad i sgrifennu. Ymarferion, mwy o ymarferion a mwy o ymarferion! Perfformiad cyntaf nos yfory. Andrew Bechadur *is a twat – it's official.* Disgwyl i'r chweched gyflawni dyletswyddau amser cinio etc. etc. a bod yn y ddrama. Mewn gair FFYC OFF!

Llinos a fi'n siarad. Stiff ond ni'n siarad. Ond y newyddion hiwj piwj ... MA' BILLY A KYLIE YN EITEM!!!! Dalodd Spikey nhw'n snogo ar y llwyfan.

**SPIKEY**     I 'ope your tounge's touchin' her tonsils, Billy!

Ma' gweld Billy yn rhedeg yn rhyfeddod parhaus a fyddai'n gwneud i David Attenborough lyncu 'i boer!!! Rhedodd e ar ôl Spikey ar hyd a lled y set a'i ddala fe ar lefel y rheolwyr sydd bythdi saith troedfedd o'r llawr.

**SPIKEY**     Nawr, Billy, cwlo fe ody fe? Fi'n *proud* o ti, myn!

A 'na le o'dd y rhan fwyaf o'r cast islaw yn edrych i fyny ar gysgod Billy yn gwthio Spikey yn agosach agosach at ymyl y dibyn.

**SPIKEY**     Billy! Fi ddim esiau actio Llywelyn *in Builth Wells by 'ere* a cholli pen fi!!!

**BILLY**      O'n i'n meddwl 'mod i lico bwyd, Spikey, a 'se ti wedi dod rhyngto i a *chip sandwich*, byddet ti wedi marw, ond ti jyst wedi dod rhyngto fi a'r profiad mwyaf bendigedig wy' wedi ca'l ers y crîm cêc cynta ges i'n dair oed. *Prepare to meet thy doom!!!!!*

Wedyn dripodd Spikey a chwmpo. O'dd e'n lwcus, ei sbôs, y'n bod ni gyd wedi estyn ein dwylo a'i ddala fe cyn iddo fe fwrw'r llawr. A 'na le o'dd y carwr mawr (yn llythrennol), Billy, a Kylie yn hongian off ei wefus fel spot, uwch y'n penne ni a Spikey mewn bwndel bach esgyrnog ar y llawr yn edrych lan yn dal i herio fel ma' fe wastod:

**SPIKEY**     Hoi, Kylie, pan ti'n ffeindo wili Billy dan bola fe, *give us a shout!* Hei clywed 'na, bois? 'Wili Billy!' Fi'n *a* bardd!!!!

Wherthin! Onest tw God, o'n i'n meddwl 'mod i wedi anghofio beth o'dd e.

## Dydd Llun, Hydref 16eg

Perfformiad 1. Mam, Dad, Gu a'r tylwth yn y gynulleidfa.

## Dydd Mawrth, Hydref 17eg

Dito.

## Dydd Mercher, Hydref 18fed

Ag eto.

## Dydd Iau, Hydref 19eg

Ma' 'nheulu i mor *embarassing!* O'n nhw 'na heno 'to, peder gwaith ma' nhw wedi bod, plys pawb o'dd yn perthyn o fewn trydydd cefnder *twice removed* o'dd yn perthyn i hanner brawd Tacu o ochor y Gwyddelod teip o deulu. Ond o'dd Gu heno! Wy'n credu bod ishe'r dynion yn y cote gwyn. Ar ddiwedd cân y pedwar cant tri deg a naw o goliars, a fi o'dd yn gorffen y frawddeg olaf, 'Methu â deall yn lân,' dath y llais 'ma, yn gwbwl hyglyw,

**MAM-GU**       Bastards.

Ond sboilodd e mo'r perfformiad o gwbwl achos peth nesa glywes i o'dd:

**CYNULLEIDFA**  Yes, bastards!

Mae'r chwyldro ar y gorwel! O'dd pawb mor drist ar ddiwedd y perfformiad olaf, pawb yn llefen a chwtsho a chwtshodd Llinos fi heb unrhyw fath o embaras ar ei rhan hi na fi. O'dd Spikey hyd yn oed wedi cwtsho Billy. Na, ma' hwnna'n gelwydd, cofleidiodd Billy Spikey a diflannodd Spikey i fôr cnawd Billy.

**SPIKEY**      *Thank you,* Billy. Ti'n gallu gadel fi mas nawr? Billy, plîs, *I am suffocating.*
**BILLY**        Ishe *toungin',* Spike?
**SPIKEY**      GEROFF!!!!!!!

Wedyn cofleidiodd Billy a Dymps ei gilydd. Wy' wedi gweld SWMO Cwmrâg! *Brilliant.* Ond cyhoeddodd Billy o fla'n pawb ei fod e' nawr yn mynd ar ddeiet – am y tro cyntaf yn ei fywyd. Ag o'dd Kylie 'na'n gwenu hefyd. Dath Miss Esyllt 'gwnewch bopeth yn Gymraeg' ap Einion aton ni gyd a'n llongyfarch ni. Ac wrth gwrs y Shad – *boring man* er gwaetha'r ffaith mai depiwti Shad o'dd e, ma fe'n Shad newydd nawr a ma fe'n *boring*. Ffaith bywyd. Nid yw'n bosib i brifathrawon fod yn ddiddorol. A'r pinacl wrth gwrs o'dd ymddangosiad arallfydol Andrew Bechadur gefn llwyfan. *The man is a nerd.*

**AB**        Llongyfarchiadau i bawb. Perfformiad ardderchog. Teilwng o'r ysgol.

Cofiwch chi, galle fe fod wedi gweud wrthon ni y'n bod ni newydd ennill y loteri, yr un fydde'r effeth. Gwên ffals wedi 'i gludo i'w lle gan barch gorfodol tuag at athrawon! Ych. *Go away and find a hole, Andrew, and expire in it.* Pênffwli plîs!!!
A fory yw diwrnod ola'r hanner tymor a wedyn wythnos

stonc o ymlacio a joio a dal lan ar y pocsi gwaith wy' wedi'i esgeuluso ers wythnose. O, *aye*, wedodd Dom 'mae lle i wella ar bob perfformiad' Criws bod rhywun o Lundain wedi dod i'n gweld ni heno ynglŷn â'r posibilrwydd o fynd i Lundain i berfformio. 'Sneb yn deall am beth mae e'n siarad. Falle 'i fod e ar ddrygs! Nos da, fyd annwyl.

---

## Dydd Mercher, Hydref 25ain
### (hanner ffordd trwy'r hanner tymor)

---

Ife fi yw'r person mwya *boring* yng Nghymru? Gès beth wy' wedi bod yn neud trwy'r hanner tymor i gyd, gan gynnwys dydd Sadwrn a dydd Sul diwethaf? Syrfo yn Spar.

Wy'n gwbod, pathetic on'dyw e? Er, ma' dros ganpunt 'da fi yn 'y mhoced – ond wy' mor *bored!!!!* Ma' Hazel am bump diwrnod dilynol yn naddu'r nerfe hyd yn oed. A ma'n iaith i wedi mynd mor gwrs â'i hiaith hi! Ma' cwpwl o ferched lleol sy'n mynd i'r ysgol cyfrwng Saesneg top y cwm yn y'n ffansïo i. Nawr nid fi sy'n dweud 'na ... Hazel.

**HAZEL**    They been in 'ere four times a bloody hour on the hour for the last four days. No bastard woman got a period that heavy!

Ie. Dod mewn i brynu tampacs o'n nhw, a wastod yn neud yn siŵr bod Hazel yng nghefn y siop a fi ar y til. Fel pe bawn i'n *embarassed* ne rywbeth. Pidwch â 'nghamddeall i nawr, ond ma' nhw'n *dogs!* Ma' hwnna mor secsist a wy'n flin 'mod i wedi 'i weud e mewn gwirionedd, achos ma' hwnna'n bradychu agwedde ych a fi yndda i ond ma' ishe'u gweld nhw i ddeall beth wy'n gweud. Eu henwe i ddechre – JENISTA! NIKITA! KYLDAN! (sef cyfuniad o Kylie a Danny *as in* Minogue! – Nid cyfansoddi ydw i!) ac ANGELICKA (CK? Ie, Calvin Klein). Ma'u gwallte nhw wedi pentyrru ar dop eu penne fel tas wair, a chymint o glustdlyse sa i'n gwbod shwd ma' nhw'n gallu cadw eu penne'n syth. Dath JENISTA at y cownter heno.

**JENISTA**   My friend thinks you gor a lovely arse and she wants to shag you.

Nawr shwd ŷch chi'n ateb hwnna am hanner awr wedi naw acha nos Fercher?

**FI**   Well thanks for the compliment but I've got a steady girlfriend.

**JENISTA**   We'll kill 'er.

A mynd mas a gweiddi,

**JENISTA**   E's two timin' you – e's go' someone else!!

Sdim *logic* yn y peth, wy'n gwbod. A ma' Hazel wir yn od abythdi'r merched 'ma.

**HAZEL**   Bloody trollops. Give women a bad bastard name.

A hyn oddi wrth y fenyw sy'n gofyn i fi os wy' wedi ca'l rhyw 'da 'nghariad neu gyda'n hunan!!! Tu hwnt, achan, tu hwnt! Ond yfory sydd ar y gorwel, a wy' wedi trefnu cwrdd ag Îfs a Rhids a Raz a Spikey yng Nghaerdydd. Ma' fe wir yn od pido cynnwys enw Llinos. Ond dyw hi ddim yn teimlo y bydde 'i phresenoldeb hi yn gwneud i'r diwrnod lwyddo. Wel sbôs bod ni'n dou yn gyfrifol am hwnna. Ond dyw hi ddim yn dod. Billy? Sori, mae'n debyg bod Kylie a Billy yn treulio'r diwrnod gyda'i gilydd!!!!! A ma' fe dal ar y deiet!

A nawr gan 'y mod i angen help i fynd i gysgu, falle bydd rhaid i fi afel yn awenau'r dyfodol a llithro i anghofrwydd pur ym mreichiau dychymyg!!!!!!!!

---

## Dydd Iau, Hydref 26ain

---

Ma' Spikey yn gwneud i fi anobeithio ynglŷn â dyfodol y genedl. Ma' Spikey yn gwneud i fi anobeithio ynglŷn â dyfodol y ddynol-ryw!!! Canol Caerdydd, ar fin mynd mewn i'r myltiplecs i weld ffilm. Na, Spikey ishe cwrw gynta. Wel, ŷn ni gyd yn itha cŵl ynglŷn ag yfed. Ni lico fe, ond dŷn ni ddim yn mynd mas o'n hwynebe. Sa i'n gwbod pam, dyw e ddim fel tasen ni fel grŵp wedi dod i unrhyw benderfyniad chwyldroadol, ni jyst yn enjoio diod a nage gadel i'r ddiod y'n enjoio ni! *Not* Spikey. Nawr mae 'i ga'l e mewn i dafarne wastod yn broblem achos ei fod e'n edrych mor ifanc. Whare teg, mae e'n ifanc yn ei flwyddyn wedyn ma' fe'n dishgwl lot yn iau na'r un ar bymtheg yw e lle ŷn ni gyd erbyn hyn, er nagyn ni'n ddeunaw, yn gallu mynd mewn yn gwbl ddidrafferth. Wel, a dweud y gwir, ma' Raz yn edrych yn ddigon hen i fod yn fam i ni yn y gole iawn!

Wel ta p'un, gwrthododd y bownser adel i Spikey ddod mewn heb ID, a do'dd dim un 'da fe. Nawr yn lle cerdded bant (dyw e ddim fel tase prinder tafarndai yng Nghaerdydd), ma' Spikey yn penderyfnu dadle. Not ê gwd idea!!

**SPIKEY**  You tosspot, I gor a right to go in. I'm eighteen.
**BOWNSER** And I'm Kate Moss. Now piss off before I land one on you.

Hollol resymol o'n ni gyd yn meddwl. Ddim Spikey. Driodd e fwrw fe. Ma' hyn yn anghredadwy ond fe driodd y stribed o lyngyren o ffrind sy 'da ni fwrw'r bownser o'dd o leia'n ddeunaw stôn o gyhyr. Ac wrth gwrs, fel fydde'n digwydd o dan amgylchiadau o'r fath, fe dorrodd Spikey fys bach ei law dde. Edrychodd y bownser arno fe gyda'r olwg 'na o dosturi sy'n cael ei gadw'n arbennig ar gyfer y sâl eu meddwl.

**BOWNSER** Bois, take 'im to an 'ospital – a fuckin' mental 'ospital.

So, yn lle enjoio ffilm yn y myltiplecs, 'na le o'n ni yn Ysbyty'r Waun yn dala llaw – ddim yn llythrennol – y *terminator*.

**SPIKEY**  Oi, bois, fi methu helpu fe, fi'n cael *temper*.

Raz o'dd yr un gall.

**RAZ**     Wel ma fe'n *bloody good job* dyw dy gorff di ddim r'un seis â dy dymer di, Spikey, *or we'd all be up shit creek!*

Ond y peth gore am y sefyllfa *boring* o'dd fi'n weindo Spikey lan a phawb yn 'y nghefnogi i.

**FI**     Ti'n gorfod ca'l tetanus yn dy din achos 'sdim dal beth o'dd ar ddillad y bownser.

**SPIKEY**     Rhys, *even* fi'n gwybod ti dim ond yn cael tetanus os yw ci wedi cnoi ti.

**RHIDS**     Neu'r ci'n cael e os ti wedi cnoi'r ci *like*.

**SPIKEY**     Shut up, Rhids.

**FI**     Ond dyw e ddim yn rhoi lo's, wy'n cofio o flwyddyn deg!

Dechreuodd e gerdded mas a gorfod i Îfs ei stopid e.

**ÎFS**     Ble ti'n meddwl ti'n mynd, ti heb ga'l y bandej eto!

**SPIKEY**     Fi ddim yn cael rhywun yn stico *huge needle* lan *arse* fi.

**ÎFS**     Yng nghyhyr y tin mae'n mynd Spikey nage yn yr asgwrn.

**SPIKEY**     Ny! *No way. Anyway* fi ddim yn gwishgo cegs.

Dwy' ddim yn credu o'dd e'n bwriadu dweud wrthon ni ond dath e mas mor glou o'dd e'n rhy hwyr iddo fe wadu.

**RAZ**     *What?* Ti ddim yn gwisgo rhai glân?

Trio gwneud y gore o'r sefyllfa wedyn.

**SPIKEY**     Na, Raz, fi ddim yn gwisgo dim ar y *week-ends*. Fi dim ond yn cael *five pairs* a Mam fi'n gorfod washo nhw erbyn dydd Llun.

Yr eiliad 'na dath y nyrs ond bob cam nôl ar y trên a'r bws, 'na gyd nath Raz o'dd trio rhoi ei dwylo ar goese Spikey i weld os oedd e'n dweud y gwir ne bido. Ond pan gyrhaeddon ni'r Porth ag o'n i'n gorfod trosglwyddo o'r trên i'r bws, beth welson ni'n cerdded lawr y stryd o'n bla'n o'dd Raz gyda phâr o nicers ar ei phen.

**RAZ**        I've come out in sympathy with Spikey!!

Wel, 'na'r arwydd i ni gyd, ife! Ond diolch i ryw fath o drefen o'dd cop car ar wilod yr hewl so gethon ni'n harbed. Ond y peth stiwpid yw, wy'n siŵr y bydden ni gyd *en bloc* wedi neud yr un peth â Raz. Gallech chi ddychymygu wyneb y Shad yn darllen y papur lleol, **'SIXTH FORM PUPILS OF WELSH SCHOOL CAUGHT WITH THEIR PANTS ON THEIR HEAD!'** Ac Andrew Bechadur! Hei! Now ddat's e gwd idea!!!!

---

### Dydd Gwener, Hydref 27ain

---

Spar.

---

### Dydd Sadwrn, Hydref 28ain

---

Spar.

---

### Dydd Sul, Hydref 29ain

---

*I am goin' spare in Spar.* Bydde hwnna'n dwtsh bach neis o gynghanedd ond ei bod hi'n proestio. W!!!!!!! *Who's a swot then?!!!!*

Tra bydd anal yn 'y nghorff i, twll yn 'y nhin i – plîs, plîs, plîs peidied neb â gadel i fi fod yn athro, a deffinitli bydde'n well 'da fi sleido lawr *razor blade* a iwso'n *testicls* fel *brakes* yn hytrach na bod yn athro Ysgrythur! *The man is brain dead!*

Amser cinio heddi, alwes i gyfarfod yn yr Uned i drafod y syniad, jyst y syniad o agor cell Cymdeithas yr Iaith. Nawr fi, yn fy niniweidrwydd, yn meddwl, wel Ysgol Gymraeg, falle bydde'r athrawon yn browd y'n bod ni, aelodau penchwiban y chweched dosbarth, yn ymlafnio yn y winllan, yn trio'n gore i gadw i'r oesoedd a ddêl y glendid a fu, trwy godi ymwybyddiaeth ein cyd-ddisgyblion o bwysigrwydd cynnal y Gymraeg ar bob lefel o ymwneud cymdeithasol. Buasai pisho mewn corwynt yn fwy effeithiol! Fel ym mhob cyfarfod cyhoeddus yn yr Uned rhaid gwahodd dau aelod o'r staff i fod yn bresennol; un hen aelod ac un aelod newydd. Wel digon teg, wy' o blaid democratiaeth. A phan welodd pawb Esyllt 'Saunders Lewis woz e good lookin man rîli!' ap Einion, bron nad oedd tafode'r ddraig yn glafoerio yn y fan a'r lle. Y cyfryw wrthrychau a sychodd yn grimp wrth weld presenoldeb rhagrithiol Andrew 'fi ysgrifennodd y Beibl mewn gwirionedd ac mae hawl 'da fi i ddehongli fe fel sy'n gymwys ag anghenion y dwthwn hwn' Bechadur yn y drws.

| | |
|---|---|
| **AB** | Mae Cymdeithas yr Iaith yn fudiad tor-cyfraith. |
| **FI** | Esgusodwch fi, Syr, mae Cymdeithas yr Iaith yn fudiad di-drais sy'n ymgyrchu dros barhad yr iaith. |
| **SPIKEY** | Hwn yn ysgol Cymraeg nady fe, *Sir?* |
| **MISS** | Mae'n braf gweld aelodau'r chweched dosbarth yn dangos y ffasiwn gonsyrn dros ddyfodol yr iaith. |
| **AB** | Fe fyddai yr un mor braf cael clywed aelodau'r chweched dosbarth yn dangos consyrn dros yr iaith wrth ei siarad hi'n gywir Miss Einion, neu ei siarad hi o gwbwl. |

Wel ie, OK, mae'n anodd anghytuno gyda rhesymu'r tamed diwetha. 'Sneb wedi achub yr iaith drwy siarad Sisneg, ond edrychodd e'n syth at Spikey gyda'r crac ynglŷn â'i "siarad hi'n gywir." Ath e'n wath wedyn

**SPIKEY**    Oi, *Sir*, fi'n thinco fe'n good idea cael cell *Welsh Language Soceity* in ddis ysgol cos ni'n needo helpo Welsh like, nadyn ni?

Tristwch Andrew Bechadur yw dyw e ddim yn gwybod pryd ni'n cymryd y *piss* neu ddim.

**AB**    Glywsoch chi yna, Miss Einion? Disgybl sy'n dilyn cwrs lefel A Cymraeg. Rwy'n siŵr bod y cwmwl tystion yn troi ar echel eu beddau wrth glywed hwnna.

Man a man 'se fe wedi siarad Hindwstani – ddeallodd neb yr un gair ddwedodd e. Wedyn dechreuodd Îfs.

**ÎFS**    Ar ba sail cyfansoddiadol ŷch chi'n dweud na allwn ni sefydlu Cell Cymdeithas yr Iaith, Syr?
**AB**    Cyfansoddiadol?
**ÎFS**    Dwy' ddim yn arbenigwr, Syr, ond mae rhyddid politicaidd yn rhan hanfodol ac yn wir annorfod o ddehongli'r Cyfansoddiad Prydeinig rŷn ni gyd, ysywaeth, yn rhwym wrtho fe ar hyn o bryd.

Wel, o'dd Raz a Spikey erbyn hyn yn gegrwth achos ma' Cymrag gorau, gorau a gwawd Îfs gyda'i gilydd yn bartneriaeth i'w hofni.

**SPIKEY**    Dy! I's like a foreign language, init?
**AB**    Ydych chi'n awgrymu, Ifan, bod y cyfansoddiad Prydeinig yn berthnasol i ddigwyddiadau'r ysgol hon?
**ÎFS**    Yn ddiymwâd, Syr, cyn belled â bod rhyddid yr

unigolyn yn y cwestiwn. Buaswn i'n maentumio bod hawl gan bawb i fynegi eu daliadau.

Wy'n credu bod Andrew ar yr eiliad honno yn sylweddoli ei fod e'n suddo dan y don, ac fel pob athro gwan dyma fe'n trio siarad lawr â ni (roedd e mor amlwg bod Îfs ben ac ysgwyddau yn fwy galluog na fe heddi!) ac medde fe:

**AB**        O, diar, diar. Sôn am droi pob dŵr i'ch melin y'ch hunan, dosbarth chwech.

**MISS**      Rwy'n dueddol o gytuno gydag Îfs.

Os oes un peth ma' Andrew 'Mat, Marky, Lukey a Johnny' Bechadur yn ei gasáu, yna athrawon yn galw disgyblion wrth eu llysenwau yw hynny. Mewn prin eiliad, fe sgorodd Miss 'Dafydd ap Gwilym sucks my toes' Einion filiwn a hanner o frowni points gyda ni.

**LLINOS**    Syr.

Trodd Andrew at Llinos a gwenu arni fel pe bai'n ei chynnig ei hunan iddo fe ar blât, a hithau y disgybl mwyaf disglair yn yr ysgol – yn ôl Andrew. Ro'dd y ffaith bod Îfs wedi cael yr un canlyniadau yn gwbl amherthnasol iddo fe wrth gwrs!

**AB**        Llinos.

**LLINOS**    Pe baem ni yn agor cell Cymdeithas yr Iaith tu fas i'r ysgol ac yn cwrdd yn yr Uned i gynllunio gweithredu uniongyrchol, a fydden ni wedyn yn torri ar draws unrhyw bolisi ysgol?

**DYMPS**    Spin on that.

**AB**        Beth?

**DYMPS**    Bin yn dda i'r Uned, Syr!

O'dd Dymps yn agos iawn man 'na ond gas e *get away*.

**AB**        Y cyfan wn i, Llinos, a dyma 'ngair olaf i ar y mater, yw hyn. Tra bydda i'n Bennaeth ar y chweched dosbarth yn yr ysgol hon, fydd 'na ddim Cell Cymdeithas yr Iaith yn cael ei sefydlu.

Nawr gallen i gofnodi yr holl regi ddigwyddodd ar ôl iddo fe fynd mas ond beth yw'r pwynt? Efallai mai Raz grisialodd y cyfan,

**RAZ**    *He's scared of us. Scared* o beth gallwn ni neud.

Efallai ei bod hi'n iawn. Wy'n gwbod mai dim ond 17 oed odw i a phrin 40 yw Andrew Bechadur ond ma' Gu yn 74 a ma' mwy o dân ynddi hi nawr na sy gyda'r prat 'na. Beth sy'n digwydd i bobl pan ŷn nhw'n cyrraedd eu canol oed? Ody parchusrwydd yn mynd yn drech na nhw neu beth? Ar ddiwedd y cyfarfod es i lan at Llinos a dweud wrthi ei bod hi wedi siarad yn dda.

**LLINOS**    Ti alwodd y cyfarfod. Ti'n OK?

A lwyddes i i ddweud 'y 'mod i. Ac a dweud y gwir ma'r boen yn llai, er wy'n colli siarad gyda hi yn uffernol. A diwedd y gân yw y'n bod ni, er ei waetha fe – *scaredy poop pants* – wedi penderfynu sefydlu cell o'r Gymdeithas yn yr ysgol ond heb ddefnyddio hysbysfyrddau'r ysgol ac ati. Mae mwy nag un ffordd o gael Wil i'w wely! Ac fel wede Sharon, "Who is this Wil who's always in bed then?!"

---

## Dydd Mercher, Tachwedd 1af

Sdim byd i weud. Boring!

---

## Dydd Iau, Tachwedd 2ail

Mwy boring.

Wel diolch i Dduw am Guto FFOWC. Neu diolch i Dduw am Dad!

**DAD**  Rhys, is Sêra tellin' me the truth that 'is name in Welsh is Guto Ffwc?

Lwyddes i i gadw wyneb streit.

**FI**   Yes, Dad.
**DAD**  Bit close to the mark, init?
**FI**   Doesn't mean the same in Welsh, Dad.
**DAD**  O, there war then. Still 'e tried to get rid of those bastards in Parliament so 'e can't 'ave been all bad. Peg! Guto Ffwc forever!

O'dd wyneb Mam a Gu yn bictiwr!!
Sbôs bod coelcerthi yn iawn yn eu lle pan chi'n ddeuddeg a iau, nhw yw popeth. Ond do'n i wir ddim ishe cael 'y nhynnu mas i fancyn y mynydd lle o'dd y stryd wedi uno i greu rhyw fath o arddangosfa a byta sosejys llugoer a byrgers wedi llosgi. Wy'n cofio gweld Dad yn stopo Mam rhag byta un o'r sosejys – wir o'n nhw'n hollol ffiedd, digon i 'ngwneud i'n llysieuwr (na, lwyddodd Llinos ddim i 'nhroi i!)

**DAD**  Better not, Peg ... the baby.

A 'na'r tro cynta ers i ni gael y pow wow fel teulu ma'r babi wedi bod yn rhan o'n feddwl i. Sa i'n gwbod os wy' wedi gorfodi'n hunan i beidio â meddwl amdano fe neu hi neu *it* neu *thing!* ond wir dyw e ddim wedi 'mygo i. A gan 'mod i'n gwisgo Walkman i fynd i gysgu bob nos, galle Mam a Dad fod yn hongian o'r wardrôb, nele fe ddim gwanieth i fi. Y syniad o'dd e ta p'un a fi sy â'r broblem 'na. Wy' ffili dirnad neu hyd yn oed 'ca'l fy mhen rownd' y syniad o gael brawd neu whâr fydd un deg saith mlynedd yn iau na fi! Os af i i'r coleg, bydd e neu hi, *it* neu *thing* yn siarad erbyn i fi ddod nôl! Sbêsd allan, ddyn! A whare teg 'sdim ffys yn tŷ, prynu dillad na nonsens fel 'na a dim ond yn achlysurol wy'n clywed Sêra yn dweud rhywbeth wrth Gu. Ma' nhw gyd fel 'sen nhw wedi derbyn na ddylen nhw siarad am y peth yn 'y ngŵydd i. Fel Llinos sbôs. Mae ei henw hi'n angofiedig nawr ar ôl bod yn rhan gyson a pharhaol o'n bywyd teuluol. Mankin, nagyw e? Rhywun yn gymaint ran o bopeth un diwrnod a whap, diwrnod nesa ma'r tâp emosiynol wedi ei ddiffodd a'r hen hormonau yn gorfod gwneud â help llaw yn hytrach na ...!!!

Prat.

Traethawd drama, 'Sut mae Ibsen yn *Tŷ Dol* yn portreadu rôl y fenyw?' 'Sdim problem 'da hwnna ond geiriau Spikey cyn gadael ysgol dydd Gwener o'dd,

**SPIKEY**     Roll as in roll in the hay like, Sir?

Beth ysgrifeniff e, dyn yn unig a ŵyr. Teimlad rîli od heno – gwag. Tasen i'n berson sy'n lico meddwi, meddwen i'n gachu heno. Ddim 'y mod i ishe, jyst er mwyn y profiad.

Llinos! U gor ê lot 2 ansyr 4 bach!!!!!!

---

## Dydd Llun, Tachwedd 6ed

---

Ma' Billy wedi cael *'mare'*. I'r anniwylliedig yn ein plith, *'mare'* yw'r gair am *'nightmare'* ond ma' e'n ca'l 'i dalfyrru i *'mare'* i ddisgrifio'r hyn sy'n wirioneddol erchyll. A beth yw'r erchyllbeth yma?

Mae Kylie a fe, oherwydd ei absenoldeb ef ymhen tair wythnos (odyn, ma' nhw'n marco'r dyddie off ar galendr), yn ffili dygymod â'r syniad o beidio â gweld ei gilydd bob dydd! Can iw bilîf it? Ma' Billy a Kylie (*she is not a dog, puppy* falle a allai dyfu yn *dog*, ond yn dderbyniol ar hyn o bryd) ... mae Billy a hi fel pethe gwyllt! Dyw e ddim i'w weld amser cino nag egwyl a diolch i Dduw 'sdim gwersi rhydd 'da blwyddyn deg. OND y peth gwaethaf a thristaf yw bod Kylie wedi perswadio Billy i fynd ar ddeiet – sîriys! Nage esgus o ddeiet sy'n para nes gaiff e'r Mars bar nesa ond haleliwia o ddeiet. Amser cino heddi, ges i ofan.

**RAZ**       Hoi, Billy, *you turnin' into* a cwningen *or what?* Beth yw'r blydi letys dail 'na ar dy blât di, bachan?
**BILLY**     'Ma beth wy' moyn i fyta, Raz.
**RAZ**       Bolacs! 'Na beth ma' Kylie moyn ti fyta. *Ger a grip boy*, ydy fe?

Cyrhaeddodd Spikey wedyn gyda phlât o fwyd gode gywilydd ar gawr. Falle 'i fod e mor dene â sgimren gachu mewn caets bwji, ond mae e'n gallu byta fel caseg fagu.

**RAZ**       Sytl iawn, Spikey.
**SPIKEY**    Beth fi wedi neud nawr, *for God's sake?* W, ma'r blydi *chips* 'ma'n edrych yn biwtiffwl. Unrhyw un moyn un?

(Ma' fe'n hael iawn whare teg.)

**BILLY**     Dagen i.

Sylwodd Spikey ddim fod Billy wedi siarad achos erbyn hyn o'dd e'n claddu 'i ffordd trw'r twmpath 'ma o fwyd.

**SPIKEY**    Dost, Billy, ydy fe?

Dymps yn ishte gyda dou gino.

**DYMPS**     O's lle i un bach 'ma?
**RAZ**       Billy'n cael *mare*, Dymps.

Gwelodd Dymps blât Billy wedyn

**DYMPS**     Aghaghaghaghaghagh!!!!!!!!!!!!!!!! Glou, cer i nôl y nyrs. Billy, ti'n olreit, bachan? Beth sydd wedi digwydd i chwi?

**BILLY**      Gallwch chi wherthin faint chi moyn, neud faint o sbort chi moyn, ond wy' wedi neud penderfyniad. Nace ar fwyd yn unig y bydd dyn fyw.

**SPIKEY**     But a good toungin' from Kylie's a help, init?

A hynny heb godi ei ben o'i blât. A rhaid cyfaddef, falle nagodd Spikey yn gynnil ond o'dd e'n dweud y gwir. Stormodd Billy off wedyn fel se tân yn ei din e. Ma' fe'n ymddwyn yn sili yn rhedeg ar ôl ... Wy' jyst wedi stopo'n hunan ac ailddarllen hwnna. Sa i'n credu bod unrhyw hawl o gwbl gyda fi i weud gair am neb parthed eu perthynas â merched. No, Rhys, shyt your festerin stiwpid ffês!

Edrych mla'n at y cwrs chweched dosbarth Cymraeg. 'Sneb yn gwbod beth i ddisgwyl. Ma' Miss Esyllt 'Robert ap Gwilym Ddu' (bardd obsciwyr o'r 19g mae hi'n lico) ap Einion wedi ca'l syniad. *Sort of* teithio o gwmpas y gogledd er mwyn ymweld â llefydd enwog lle o'dd arweinwyr y genedl arfer byw ac ysgrifennu. Ffrancli, gallai Miss Esyllt 'plîs rap your lips arownd mei mywth' y'n harwain ni i uffern a nôl a bydden ni'n ei dilyn!

Sy'n f'atgoffa i am y wers farddoniaeth gethon ni gyda 'i heddi. O diar! 'Etifeddiaeth' oedd y gerdd – Gerallt Lloyd Owen, ontife, enwog feuryn a bardd etc. etc. etc. Nawr ma' Spikey wedi bod yn cymryd nodiadau yn y gwersi lefel A fel pe bai ei fywyd yn dibynnu ar lanw ffeil A4! Dechre'r wers, pen lawr wrth y ddesg, pensil mas. O'dd Miss Esyllt 'cynghanedd traws fantach ddisgynedig drychwch ar 'y nghytseiniaid i' ap Einion newydd ddweud enw'r bardd mawr a co fe wrthi ...

**SPIKEY**     Beth 'di *surnames* nhw, Miss?

**MISS**       Sut?

**SPIKEY**     Fi yn eistedd! Ha! Sori, Miss. Na, *surnames* y bardds, like. Gerallt *what?* Lloyd *what?* Ac Owen *what? So* fi gachllu ca'l *reference points* yn swoto fi, *like.*

**MISS**       Wel un person 'di 'o. Dyna'i enw o.

| | |
|---|---|
| **SPIKEY** | *What?* Un dyn gyda *three Christian names?* |
| **MISS** | Ie. |
| **SPIKEY** | Tha's ridiciwlys. Fi'n gobitho bod e'n *good* bardd then! |

'Na'r tro cynta ers dechre'r tymor wy' wedi ei gweld hi yn gobsmacd. O'n i'n siarad am y gerdd 'da Gu amser te.

| | |
|---|---|
| **MAM-GU** | Gwed y pennill cynta 'to. |
| **FI** | 'Cawsom wlad i'w chadw, Darn o dir yn dyst ein bod wedi mynnu byw.' |
| **MAM-GU** | Jiawl wy' lico 'na. O'dd e'n goliar, y bardd 'ma? |
| **FI** | Negodd, Gu. |
| **MAM-GU** | O'dd coliars yn feirdd slawer dydd, twel. |
| **FI** | O'n, wy'n gwpod. |
| **MAM-GU** | Ma' fe'n swno fel se fe'n caru Cymru. |
| **FI** | Oty, wy'n cretu 'i fod e. Ma' fe dal yn fyw, chi'n gwpod. |
| **DAD** | Who's this 'ere poet you're on about then? |
| **FI** | Gerallt Lloyd Owen, Dad. |
| **DAD** | O? Gog is it – with a name like that. |
| **FI** | Yes. But he's a good poet. |
| **DAD** | On about bloody sheep, I s'pect. |
| **MAM** | Deryck, curb your tounge! |
| **FI** | No 'e's on about Wales, Dad. Shall I translate a bit for you? |
| **DAD** | Go on then, food's not ready yet. |
| **FI** | It might be a bit rusty mind, the English. |
| **DAD** | Like your granny's hips then. |
| **MAM-GU** | Nothing wrong with my tounge, Deryck, so watch it! |
| **FI** | 'We were given a country to keep A piece of land as evidence that we were determined to live.' |
| **DAD** | Aye. That all? |
| **FI** | 'And we were given a language Although we didn't want her, |

|         |                                                                        |
|---------|------------------------------------------------------------------------|
|         | Because the thrill of her was in the earth already                     |
|         | And her uneasy power on the mountains.'                                 |
| **DAD** | A Gog writin' like that?                                                |
| **FI**  | Yes.                                                                    |
| **DAD** | Well e's talkin' sense at least. What was that bit about 'uneasy …'     |
| **FI**  | '… uneasy power on the mountains'. It's not as good in English of course. |
| **DAD** | Course not. Bloody mongrel language as it is.                          |
| **MAM** | Deryck, your swearin' is gettin out of control.                        |
| **MAM-GU** | Like your sex drive!                                                 |
| **MAM** | Mam!                                                                    |
| **MAM-GU** | Beth gwetas i 'to?                                                   |
| **DAD** | This poet's work been translated real, Rhys?                          |
| **FI**  | Not that I know, Dad.                                                   |
| **DAD** | Ger on your computer, *bach*, and stretch your Henglish A level. I wouldn't mind 'avin' a read of that. |

A dath Mam â chino i'r ford, diolch i'r drefen. So yn y'n amser sbâr, wy'n mynd i gyfieithu dwy gyfrol Gerallt Lloyd Owen i 'nhad!! *Like hell!*

---

### Dydd Mawrth, Tachwedd 7fed

Andrew Bechadur a'r chweched cyfan ar *collision course!* Ma' fe'n *mental*. Shwd ma' rhywun fel 'na'n ca'l dysgu, *God only knows*. Ma' pŵer wedi mynd iddi ben e.

Dechre tymor, wel, diwrnod cynta'r tymor, wedodd e nagodd y chweched fod i fynd mas i'r siop etc. Wel, cymrodd pobl gymaint o sylw o hwnna â ma' condom yn 'i gymryd o nodwydd. Ni gyd wedi bod yn joio mynd mas bron â bod yn ddyddiol. 'Sdim hasl. Pawb yn ymddwyn. 'Sneb wedi colli gwersi. O'dd pawb ar y fford nôl heddi reit, ein gang ni i gyd gan gynnwys Billy a gafodd botel o ddŵr byrlymus (bybls i'r cyffredin!) a 'na le o'n i yn dod nôl mewn trwy giât y cefn a Dymps a Raz gyda'u trwyne mewn cafn o fag plastig llawn danteithus bethau (gwd Welsh, nady fe!!!!!) ag o'n i ar fin troi'r gornel i fynd mewn i Uned y Chweched pan lamodd – ei cid iw not – llamodd Andrew Bechadur allan o gilfach a gweiddi,

**AB**     Rwy' wedi eich dal yng nghanol eich pechod!!!!

Do'dd dim bwriad 'da Raz i boeri hanner *eclair* hufennog drosto fe, ond diawl erio'd beth o'dd y dyn yn dishgwl a hithe yng nghanol ei hecstasi! O'dd Dymps yn fwy darbodus. Lyncodd e 'i borc pei e gynta cyn ei beswch e nôl lan mewn cawod o ddarne pinc – eto'n ystyriol iawn dros Andrew Bechadur.

**AB**       Moch! Moch Gadarah!
**SPIKEY**   My God, 'e's a madman disguised as a teacher!
**AB**       Beth wedes i? Beth wedes i ddechre'r tymor am fynd mas i'r siop? Yh? Beth wedes i?

Pidwch â mesan 'da Îfs mewn mŵd sarcastig.

**ÎFS**      Wel, os wy'n cofio'n iawn, Syr, ar Fedi'r chweched, fe grybwyllwyd rhywbeth mewn cyhoeddiad annelwig yn y gwasanaeth cyntaf na ddylai'r chweched fynd i'r siop yn ystod eu gwersi rhydd ond heddiw, ar Dachwedd y seithfed, dyma'r tro cyntaf y mae neb wedi'n cwestiynu ni, wedyn fe fuon ni'n ddigon aeddfed neu ffôl i feddwl bod y gwaharddiad yna wedi'i anghofio.

O'dd Raz wedi adennill digon o wynt i ddweud,

**RAZ**      Bechadur's gonnw blow!
**AB**       Dewi, dwy' ddim yn siŵr os oedd hwnna fod i swnio mor wawdus â hynny ond ga i awgrymu eich bod chi'n tymheru'ch iaith?
**ÎFS**      Cewch, Syr. Diolch.

A dim ymddiheuriad ! Blydi hel, ma Îfs yn hedfan yn agos at y dibyn withe.

**AB**           Nawr rwy'n dweud hyn unwaith eto a dyma'r unig dro rwy'n mynd i'w ddweud e y tymor hwn neu'r flwyddyn hon. Does dim caniatâd i'r chweched fynd allan i'r siop yn eu gwersi rhydd nac unrhyw gyfnod arall. Nawr ydy hynny'n glir?

Distawrwydd.

**AB**           Achos os nag yw hynny'n glir, efallai y bydde fe'n werth i bob un ohonoch chi ystyried eich sefyllfa erbyn mis Mawrth pan fyddwn ni'n ethol Prif Swyddogion a swyddogion llawn.

A gyda hynny, fe giliodd.

**SPIKEY**    Woz dda a threat?
**RAZ**          Yes.
**SPIKEY**    Twat!
**RHIDS**      Falle bod pwynt gyda fe.

Sa i'n credu bod y fath unfrydedd wedi bod yn erbyn aelod o'r gang erioed. Troion ni gyd i edrych ar Rhids.

**RHIDS**      Falle **bod** *point* gyda fe. Os ni'n mynd i sefyll fel Prif Swyddogion a swyddogion y senedd ni gorfod dilyn y rheolau, nagyn ni?
**RAZ**          *You are talkin' through your arse,* bachgen!
**SPIKEY**    Ti'n mynd yn sofft yn y pen neu beth?
**RHIDS**      Jyst yn meddwl ni'n gorfod dangos arweiniad – fe yw'r Pennaeth.
**DYMPS**    A fi yw'r blydi Ayatollah! No way! No way!
**FI**            Rhids, wyt ti'n cofio shwd siaradodd e am Sharon?

Wy'n gwbod o'n i'n bwrw bilô ddy belt man 'na .

| RHIDS | Odw. |
| FI | A ti'n meddwl rhoi eiliad o barch i ddyn fel 'na? |
| RAZ | Dream on. |

A nawr wy'n gorfod mynd i Spar. Rhwng cadw'r dyddiadur, gwaith cartref a Spar mae fy mywyd bach yn llawn iawn.

### 11.30 p.m.

*Shit!* Cachu rwtsh! Cachu'r hwch a phob math arall o gachu. Ges i'n rhoi ar y spot yn uffernol heno. Dath Dymps ac Elins a Spans mewn i nôl fideo. Wel, ma' Hazel yn gadel iddyn nhw gael 18's os ŷn nhw moyn – ma' hi'n wath na neb. Ond ar y ffordd mas fe wedodd Dymps,

| DYMPS | Cymdeithas yr Iaith yn effeithiol iawn yn cael Cymraeg i'r lle 'ma, Rhys. |

'Na gyd. A do'dd e ddim yn ei feddwl e'n gas. Ma' fe wedi bod mewn cyfarfod cell hefyd. Ond wrth gwrs ma' fe'n iawn. Ma' fe'n berffeth iawn. Ymhle ma' rhywun yn dechre amddiffyn yr iaith? Ar y'n rhiniog y'n hunan wrth gwrs. A does dim gair o Gymraeg yn Spar er bod rhai archfarchnadoedd mawr lawr y cwm ac yng Nghaerdydd yn gwbl ddwyieithog. O, *shit* a cachu brics, beth naf i?

---

## Dydd Iau, Tachwedd 9fed

---

Ma' Gu yn dioddef o alseimyrs, neu fersiwn ohono fe. Mae wedi ffindo 'ffrind'!! Saith deg *whatever* a mae wedi ffindo toi boi!! Wel, ody, ma' fe'n chwe deg tri ond toi boi iddi hi yn ei hoedran hi! Byta te heno.

| MAM-GU | Peg, Deryck, blant. |
| DAD | Good God Almighty, what's this 'ere *parch*, Mam-gu? Goin' to read the will or what? |

| | |
|---|---|
| **MAM-GU** | You've got no need to worry about the will, Deryck, cos I'm not leavin' nothin' to you! |
| **DAD** | That's better, gyl. |
| **MAM-GU** | Wy' moyn gweud 'tho chi – wy' wedi cwrdd â rhywun. |
| **MAM** | Beth chi'n meddwl, Mam? |
| **MAM-GU** | Rhywun. |
| **DAD** | Yes, yes. Who is this 'rhywun'? |
| **MAM-GU** | Someone, Deryck! |
| **SÊRA** | Chi wedi ffindo sboner newydd, odych chi, Gu? |
| **DAD** | Sêra, stop talkin' nonsense. |

O'dd tawelwch Gu a llygaid Dad yn gyfuniad diddorol.

| | |
|---|---|
| **MAM** | Mam?! |
| **MAM-GU** | Nawr smo fi wedi anghofio dy dêd! Nêgw! Tra bydd anal yndo i, anghofia i ddim o dy dêd. Ond smo fi'n mynd tamed yn iou, otw i, a nawr wy' wedi cwrdd â rhywun. |
| **DAD** | So you've said. Whoever 'e is, e's after your money! |
| **MAM-GU** | I aven't got no money to talk of after buyin' this place with you, you dull apeth, and I'm bloody sure e's not after my pension. |
| **DAD** | Well 'e's after your body then! |
| **MAM** | Deryck! Mam's tryin' to be serious. Otych chi moyn i'r plant fynd lan lofft, Mam? |
| **MAM-GU** | Nêgw. Ma' cystal hawl 'da nhw â chi i wpod. Clive yw 'i enw fe. Cwrddes i â fe yng nghlwb yr henoed. Ma' fe'n dod o'r Bargoed. |
| **DAD** | Bargoed! O, Muriel bach, you can't expect anything good to come from Bargoed, myn! Different valley to ours! |
| **MAM-GU** | Ond o'dd ei fam a'i dêd e'n dod o'r Rhondda, Deryck. |
| **DAD** | O. Right there we are then. 'Is roots are safe at least. |

| | |
|---|---|
| **MAM** | Which is more than can be said for your tongue, Deryck. Wel, otych chi'n waco? |
| **DAD** | O, dear God, not bondage at your age! |
| **SÊRA** | What's bondage, Dad? |
| **MAM** | Deryck, I am warning you now! |
| **DAD** | Well what's 'waco' then? |
| **MAM-GU** | Walkin' out together. |
| **DAD** | O? |
| **MAM-GU** | Like what you and Pegi done. Wel, mewn ffordd o wilia, Peg. Otyn. Ond dim byd sîriys, ti'n deall. Jyst tam bach o gwmpni. |

*Am I gobsmacked or am I gobsmacked?* O'n i'n meddwl bod y ffaith bod Mam a Dad yn cael rhyw yn 45 oed yn ffiedd (wel, dwy' ddim nawr, dim rhagor, sa i'n credu), ond nawr ma' *hormones* Gu wedi mynd yn *berserk* a ma' hi dros ei saith deg! Mae'n rhaid bod rhywbeth rîli wiyrd yn ein gennynne ni fel teulu. Beth sy'n mynd i ddigwydd i fi pan wy'n saith deg. *God*, fi yn saith deg!! Wy'n ca'l trawma wrth feddwl bydda i'n ugen mewn dwy flynedd a naw mis! Ugain! Ac os yw e'n wir bod dynion yn cyrraedd eu hanterth rhywiol yn un deg wyth, ac mai *down hill* ma' popeth o fan 'na mla'n, dim ond naw mish sydd ar ôl 'da fi? *I'd better get a move on!*

---

## Dydd Gwener, Tachwedd 10fed

---

Pidwch â wherthin. Ma'r gang cyfan wedi bod yn y ganolfan chwaraeon heno. Gang cyfan – gan gynnwys Billy! Ma'r busnes 'ma 'da Kylie yn dechre mynd mas o reolaeth. O'dd e'n gwishgo tracwisg heno o'dd yn dangos beth gath e i gino ddo! *Meat and two veg time* neu beth?! O'dd Raz 'na hefyd yn gwishgo crys T fydde wedi ffito Pafaroti ag o'dd dal lle ynddo fe i Spikey a Rhids, a 'na le o'dd Llinos yn edrych yn absoliwtli *stunning* mewn leotard a siorts.

Ma' Billy ar feic disymud yn olygfa werth can mil o bunne. Ar ôl pum munud o'dd pwll o chwys ar y llawr o'i gwmpas e.

| | |
|---|---|
| **SPIKEY** | Ody crac o *arse* ti'n gwynto eto, Billy? |
| **BILLY** | Ody. Licet ti wynto fe dy hunan? |
| **RHIDS** | Bill, dyw hi ddim gwerth e. |
| **RAZ** | Yes, I blydi am! |

A ' na le o'dd Raz ar y peiriant rhedeg, ond taw cerdded o'dd hi – wel, rhoi un cam o fla'n y llall yn rhyfeddol o araf – hyd nes i Spikey wasgu bwtwn arbennig. Wedyn dechreuodd y mat gerdded acha rât megis.

**RAZ**    *You bastard,* Spikey. Ti'n mynd i farw.

Wel o'dd Dymps wedyn yn gorfod mynd gam ymhellach nagodd e. Gwasgodd e'r bwtwn fel ei fod e'n mynd i raglen rhedeg. No ei cid iw not – ma' gweld Raz yn rhedeg yn weledigaeth wyrthiol dros ben. Dwy fŵb gyfoethog o hael yn bownso megis pêl fasged.

**RAZ**    *O, my God,* fi'n *blind!!!!*

Wel dros dro o'dd y dallineb achos ei bronne o'dd yn dod rhyngddi hi â'r drych.

**RAZ**    *For God's sake,* rhywun stopo fe, neu fi'n mynd i gael *black eye!*

Ond erbyn hyn o'dd pawb yn wan! A phwâr dab â hi, tase hi ond wedi codi'i thraed i ochor y peiriant bydde hi wedi bod yn iawn, ond y peryg yw wrth gwrs y bydde hi wedi hyrtlo trwy'r awyr megis comed Hale Bop ar sbid. Llinos o'dd y Samariad Trugarog yn y diwedd ac arafu'r peiriant. O'dd Spikey a Dymps eisoes wrth y drws. Dath Raz off y peiriant a sa i wedi gweld neb â'u coese nhw'n shiglo fel 'na a'u *chest* nhw'n codi a disgyn megis tonnau anferth yr atlantic mewn tymer!

**RAZ**    Spikey, I 'ope you've been in a sperm bank, *bachgen,* cos i's the end of the road for you!

A gyda hynny 'ma'r waedd 'ma yn codi ohoni fel tase llwyth o Frodorion America'n ymosod a dyma hi'n rhedeg ar eu hôl nhw. O, mei God, wherthin! Erbyn diwedd y nos wrth gwrs o'dd rhyw fath o drŵs wedi'i gytuno, ond nid cyn i Raz gitsho yng ngherrig Spikey mae'n debyg. Dim ond ymyrreth un o bobl y ganolfan achubodd e.

**SPIKEY**     She go' my balls! She go' my balls!!!
**RAZ**        Grapes Spikey! I 'ave 'ad bigger grapes in my hand, *bachgen!*

Wy'n siŵr y'n bod ni'n mynd yn wath fel ni'n mynd yn hŷn! Duw a ŵyr shwd beth fydd y'n ymddygiad ni yn y coleg os ŷn ni fel hyn nawr. Wedyn dros ddishgled ym mar y ganolfan, dath y *bomshell.*

**ÎFS**        Wy'n fodlon gweithredu yn erbyn Spar. Ma' fe'n anodd i Rhys, ma' fe'n gwitho 'na.
**FI**         Nagyw. Dyw hwnna ddim yn neud unrhyw wanieth.
**DYMPS**      So ti'n mynd i neud rhywbeth hefyd.
**FI**         Odw. Os yw Îfs, wy' 'ed.
**LLINOS**     A fi.
**DYMPS**      Egselentws!
**RAZ**        Pam?
**FI**         Achos do's dim Cymrag o gwmpas y lle.
**SPIKEY**     So?
**ÎFS**        Wel dyle fod.
**RHIDS**      Ie, ond chi ddim yn mynd i dorri dim byd.
**FI**         Na.
**DYMPS**      Beth chi'n mynd i neud 'te.
**LLINOS**     Ysgifennu 'Cymraeg' ar y *shutter* mewn paent coch 'da Thafod y Ddraig wrth ei ochor e.
**SPIKEY**     Chi'n *mental.*
**RAZ**        Shut it, ti. Mae fy nwylo gweigion yn ysu eisiau cwmni!
**RHIDS**      Ond chi methu – ma' hwnna'n fandaleiddio.
**DYMPS**      Fi 'da chi.

| | |
|---|---|
| **FI** | Ni'n gorfod gweithredu dros y'n egwyddorion. |
| **SPIKEY** | Pam? |
| **FI** | Wel os ti'n gorfod gofyn y cwestiwn, Spikey, ti ddim yn mynd i ddeall yr ateb. |
| **ÎFS** | Nos Sul 'te? |

Ac mae'r penderfyniad wedi 'i wneud. Wy'n mynd i dorri'r gyfreth nos Sul. Wy'n cachu mwy o frics nawr nag o'n i cyn aros am 'y nghanlyniade TGAU! O, mei God!!!

## Nos Sul, Tachwedd 12fed

Ges i'n rhyddhau o orsaf yr heddlu awr yn ôl. Ma' Mam yn gwrthod siarad gyda fi. Ma' Dad yn browd. Ma' Gu hefyd. Wy'n credu wy' yn y cachu.

## Dydd Llun, Tachwedd 13eg

Mae'r ysgol yn ystyried y'n diarddel ni. Mam yn wirioneddol grac – yn gwrthod siarad. Dad a hi wedi cwympo mas nawr. Wy' yn y stwff brown hyd at fy 'ngwddwg. Er mwyn Cymru?

## Dydd Mawrth, Tachwedd 14eg

Mae pethau'n gwella. Wy' wedi cael y sac o SPAR.

## Dydd Mercher, Tachwedd 15fed

Dŷch chi wir ddim ishe gwbod.

## Dydd Iau, Tachwedd 16eg

O cê, Duw – you win!

## Dydd Gwener, Tachwedd 17eg

!!!!

## Nos Sul, Tachwedd 19eg

Mae wedi bod yn wythnos anodd. Licet ti aralleirio hwnna yn fwy addas, Rhys? Mae wedi bod yn wthnos ffycin uffernol!!!!!!!!!!!!!!! Ble i ddechre?

Ethon ni gyd – Îfs, fi, Llinos, Billy, Spikey, Rhids, Dymps, Elins, Spans a Raz, gyda thun o baent a dou frwsh tu fas i Spar am chwarter wedi deg nos Sul diwethaf. O'n ni'n edrych fel y blydi SAS yn y'n cote tywyll a Spikey'n cwyno drwy'r amser,

**SPIKEY**    Fi ddim mynd i neud dim byd! Fi ddim mynd i neud dim byd!

**RAZ**    Spikey, *I'll* neud *you* os ti'n cadw mlaen, bachgen!

Dewison ni chwarter wedi deg achos o'dd e'n rhoi tri chwarter awr dda i ni cyn amser cau'r tafarne. So 'na le o'dd y chwyldroadwyr Cymreig a Chymraeg yn sefyll tu fas i Spar gyda dou frwsh paent a thun o glòs coch.

**BILLY**    Beth ni'n neud nawr?

Wel o'dd e'n hollol amlwg i'r byd a'i frawd mai peintio o'dd y cam nesaf, ond o'dd e'n brofiad mor wiyrd, chi'n gwbod – torri'r gyfreth yn fwriadol. Do'dd e ddim fel torri rheol yn yr ysgol – mynd mas i'r siop neu beth bynnag – man 'yn o'n ni ar fin croesi'r ffin rhwng bod yn ddinasyddion ufudd, gwasaidd, a gwneud safiad dros yr iaith. O'dd pawb yn cachu brics.

Îfs odd yr un dewr eto. Cydiodd e mewn brwsh a thynnu'r clawr off y tun a dechreuodd e ysgrifennu CYFIAWNDER I'R IAITH ar y *shutters*. Citshodd Llinos yn y brwsh arall a dechre gwneud llun tafod y ddraig a wedyn gymres i'r brwsh off Îfs i gwpla'r slogan, a thrwy'r amser o'dd Spikey fel sylwebydd.

**SPIKEY**     Chi yn y *shit* nawr. Chi off y'ch penne. Ni'n siarad Cymraeg, snyff, nagyw e?

Wedyn o'dd pawb arall fod i ddod yn eu tro i wneud llythyren. 'Na pryd sylwon ni ar ole'r tortsh yn disgleirio arnon ni.

**PLISMON**  Dim gwersi *art* i ga'l yn y'ch ysgol chi, o's e?

Plismon Puw fel ŷn ni'n ei nabod e – yr unig blismon Cymrag yn y ffrigin Rhondda ar ddyletswydd y noson honno. 'Na gyd welon ni o'dd tin Spikey yn rhedeg bant.

Dath y fan i fynd mewn â ni gyd o'dd 'na, ond dim ond Llinos, Îfs a fi gafodd y'n haresto achos ni gyfaddefodd i'r troseddu. Triodd Billy weud ei fod e wedi hefyd, ac achos eu bod nhw'n gwrthod gwrando arni ynglŷn â'r peintio wedodd Raz ei bod hi wedi shopliffto rhywbeth pan o'dd hi'n ddeg! Ond gan mai dim ond ni o'dd â phaent ar y'n dwylo, do'dd dim ishe Sherlock Holmes i weld pwy o'dd yn gyfrifol.

Mam a Dad o'dd yr ola i gyrraedd. O'dd rhieni Llinos ac Îfs yn edrych yn galed ond yn weddol o gall. Gas Mam *mare* balistic yn y *cop shop*. Sa i erio'd wedi 'i gweld hi fel 'na yn 'y mywyd.

**DAD**     Pegi, 'e asn't killed anyone. It's only a bit of paint.
**MAM**     E's a criminal. That's what 'e is – a criminal.

'Na'r siwrne car waetha wy' wedi ca'l erio'd. Odych chi wedi bod mewn sefyllfa lle ma'r awyrgylch cynddrwg chi'n credu'ch bod chi wedi stopo anadlu? *That's it!* O'dd Gu ar lawr pan ethon ni mewn.

**MAM-GU**     Ti'n olreit, bach?

**MAM**     Pam ŷch chi'n wilia 'da fe, Mam? Criminal! Criminal!

**MAM-GU**     Pegi, ma'r crwt wedi bod yn sefyll lan dros rywbeth w!

Not ê gwd idea, Gu!

**MAM**     Wel, cyd â'i fod e dan y'n to ni, ma' fe naill yn dilyn y'n rheole ni neu 'sdim croeso iddo fe 'ma.

**DAD**     Now, 'ang on, Peg. You're over-reactin' a bit.

O'dd Sêra wedi clywed y gweiddi erbyn hyn a dath hi lawr yn llefen achos mae'n casáu clywed Mam a Dad yn arthio ar ei gilydd.

**MAM**     Listen to me, Deryck, and listen good. I have not brought my children up to break the law. Welsh language or no Welsh language. He is nothing but a bloody vandal.

A dyw Mam ddim yn rhegi – byth. Rhedodd hi lan llofft wedyn yn llefen, ag o'dd Sêra'n *hysterical* erbyn hyn. Dath hi i ga'l cwtsh 'da Gu ag o'dd Dad yn hollol cŵl.

**DAD**     Leave it till the mornin', *mab*. Well, for a couple of hours, init, seein' it's four o'clock now.

**FI**     I'm sorry I've upset you, Dad.

**DAD**     You 'aven't upset me, *mab*. It's your mother we've got to convince. Go and have a lie down now.

Do'dd Mam ddim 'na amser brecwast *and so to school*. Do'dd Spikey ddim ar y bws a fel o'n ni'n tri yn cerdded mewn trwy'r gât o'dd Andrew Bechadur yno yn edrych fel y pechod yw e mewn gwirionedd yn y'n hysbysbu y byddai'r Prifathro yn hoffi gair, nawr. Wy'n siŵr o'dd y bastard yn gwenu. Wel, o'n i'n meddwl bod y Shad newydd yn Gymro cadarn. Ydy bag papur mewn corwynt yn rhoi'r ddelwedd iawn i chi? O'dd e'n cachu mwy o frics na ni! Enw da'r ysgol, synnu y'n bod ni o bawb, arweinwyr, enw da'r teulu, enw da'r ysgol, enw da'r ysgol eto fyth. A thrwy hyn i gyd dim un blydi gair am y'n cymhellion ni yn gweithredu fel hyn. Dim un blydi gair am yr iaith o'n ni wedi mynd mas i drio achub tam bach ar ei cham hi yn y'n bro y'n hunan. Rhagrith. Blydi ffycin rhagrith. Ac wrth gwrs o'dd yn rhaid i Andrew Bechadur gael gwerth dwy ginog.

**AB**     Mae cydymffurfio â rheolau yn rhan o ym-ddygiad cymdeithas wâr …

… ag *on* ag *on* ag *on*.

O'n i jyst moyn gofyn iddo fe, "Beth, fel y cydymffurfiodd Iesu yn chwalu byrddau'r newidwyr arian yn y deml? Fel y torrodd Iesu y rheolau ynglŷn â'r Sabboth Iddewig?" DDY MAN IS A RHAGRITHIWR!!!!! Ma' oedolion *so called* parchus fel 'na jyst yn iwso rheolau i siwto eu hanghenion nhw. Dŷn nhw ddim yn gweld y patrwm ehangach.

Gwers Gymraeg o'dd y wers gynta. Spikey yn wyrthiol wedi cyrraedd! Esyllt 'Llywellyn ein Llyw Olaf' ap Einion yn gofyn iddo fe ddarllen y bore 'ma. 'Gwinllan a roddwyd i'm gofal yw Cymru fy ngwlad …' Spikey ddim yn sylweddoli arwyddocâd y darlleniad, wrth gwrs, ond bathodyn Tafod y Ddraig gan Miss yn amlwg iawn, iawn ar ei blows wen.

Drama ail wers, a Billy yn gosod ni'n tri i sefyll gefngefn wrth boster TRI PENYBERTH a Spikey yn dod mewn a phawb arall yn gwneud sŵn ieir yn gori. Ath e mas yn hollol fud. Ag o'n i wir yn teimlo'n flin drosto fe. Ma'n rhaid i bawb weithredu yn eu ffyrdd eu hunain. Dyw e ddim gwath na gwell Cymro nag un ohonon ni oherwydd beth sydd wedi digwydd.

Amser egwyl. Y Shad yn y'n ca'l ni nôl iddi stafell e' ac yn dweud bod cyfarfod arbennig o'r Llywodraethwyr yn cwrdd i benderfynu a ddylen ni gael ein diarddel. Dad, y noson honno, yn mynd yn *absolutely ballistic apehsit.*

**DAD**      It's a bloody Welsh school, for God's sake. 'In they proud of what you three done?

**MAM**     Deryck. Don't you even think of condonin' what this criminal ...

**DAD**      And stop usin' that word.

**MAM-GU**  You can both stop it now. It's like being in Bosnia 'ere.

Dydd Mawrth o'n ni'n gorfod ymddangos yn y llys. Dath Dad 'da fi a mam a thad Îfs a Llinos. O'dd y gwrandawiad yn Saesneg. Ath Dad yn apeshit a thorri ar draws gweithgareddau'r llys.

**DAD**          My son wants his case to be heard in Welsh.

**CADEIRYDD Y FAINC**  And if you do not, whoever you are, respect this court you will be fined for contempt of it!

Gath Dad ddirwy o hanner can punt.

**DAD**          It was worth it. Stuck up Tory git!

Pan glywodd Mam am Dad fe gerddodd hi mas. A ma'n achos ni'n tri wedi ei ohirio i gael adroddiadau cymdeithasol a dod o hyd i ynad Cymraeg. *My God, what a mess!* A 'na gyd o'n i moyn neud o'dd achub yr iaith!

---

## Dydd Llun, Tachwedd 20fed

---

Ma' taith dosbarth chwech, blwyddyn deuddeg, i'r gogledd gyda Miss Esyllt 'Tri Penyberth for Duw' ap Einion a Dom 'Che Guevara' Criws wedi'i gohirio am gyfnod amhenodol gan nad yw staff hŷn yr ysgol yn credu y gellir ymddiried yn y disgyblion i ymddwyn mewn ffordd sy'n gydnaws ag amcanion a delfrydau'r ysgol.

FFYC OFF, PRATS!!!!

Mae fy niffyg parch tuag at rai aelodau'r staff yn dechre troi'n gasineb. O'dd Miss yn blydi ffantastig pan roiodd hi'r memo mas i ni. Ie, memos sydd yn y'n hysgol ni – dyw pobl ddim yn siarad â'i gilydd.

**MISS**       Mae pobol yn gorymateb weithiau. Ddôn nhw at eu coed, gewch chi weld. Cadwch y ffydd.

Pŵar dab â hi hefyd. Mae hi'n gorfod byw a gwitho 'da nhw bob dydd! Ych!

So heno wy' bach yn ddigalon. Ma'r adrenalin o'dd yn 'y nghadw i i fynd yn dechre pylu a chanlyniadau ein gweithred fach yn dechre sinco mewn. Y cwestiwn wy'n gofyn i'n hunan yw shwd o'dd pethe yn y chwedege a'r saithdege pan o'dd ymgyrchoedd mawr Cymdeithas yr Iaith ac Ymgyrch y Sianel yn eu hanterth? Arglwydd, mae'n rhaid ei fod e mor gynhryfus i fyw yn y cyfnod 'na. Jyst herio'r bygythiad 'ma i'n bodoleth ni.

Wy'n gorfod gweud dyw'r ffordd ma' pobl yn ymddwyn tuag ata i ddim wedi neud i fi deimlo'n euog. Wy'n flin uffernol bod Mam dal yn ypset. Mae ffili edrych arna i yn y'n llyged o hyd, ond wy'n gwbl sicr bod beth wnes i'n iawn – wy'n credu. Ac os rhywbeth wy'n teimlo'n fwy eithafol nag o'n i. Rhywun wrth y drws.

*Wedyn*

Sêra o'dd 'na.

| | |
|---|---|
| **SÊRA** | Ti'n mynd i fynd i'r carchar? |
| **FI** | Nagw. Ga i ddirwy, siŵr o fod. |
| **SÊRA** | Beth yw dirwy? |
| **FI** | Bydda i'n gorfod talu arian am beth wnes i. |
| **SÊRA** | Ond 'sdim job 'da ti nawr. |
| **FI** | Nagos! Falle bydd rhaid i fi fynd i'r carchar 'te! |

**SÊRA**    Gelli di ga'l beth sy 'da fi yn swyddfa'r bost. Sa i moyn i ti fynd i'r carchar, Rhys.

Dechreuodd hi lefen wedyn so gafodd hi gwtsh.

**FI**      Af i ddim, Sê. Jocan o'n i. Ffinda i'r arian o rywle.
**SÊRA**    Pam wnest ti beth gwnest ti 'te?
**FI**      Achos wy'n credu bod gwneud pethe i dynnu sylw at yr iaith Gymraeg yn bwysig.
**SÊRA**    Ond 'sneb lot yn siarad Cymrag lawr wrth Spar, o's e?
**FI**      Ond nage 'na'r pwynt Sê. Ni moyn i'r iaith fod ym mhobman, nagyn ni? Ti'n gwbod fel ti'n ei gweld hi yn Pioneer yn Porth a Tescos yn Ponty?
**SÊRA**    Ie. Ond o's rhaid ti beinto ar *shutters* Spar i ga'l hwnna i ddigwydd 'te?
**FI**      Sbôs. Dyw pobl ddim yn gwrando ar sens, odyn nhw.

Ma' Sê wastod yn neud i fi deimlo'n well. Wy' ishe cadw ddi rhag unrhyw boen, chi'n gwbod. A wy' ishe sefyllfa yng Nghymru lle na fydd rhaid iddi hi wneud beth wy'n neud. Rhys U R 17! Wy'n swno fel Saunders Lewis ar sbîd!! Get a grip, cid.

---

### Dydd Mawrth, Tachwedd 21ain

---

Ma' Mam yn yr ysbyty. Mae wedi colli'r babi. *Miscarriage.* 'Y mai i yw hyn i gyd. Wy' moyn marw.

---

### Dydd Mercher, Tachwedd 22ain

---

Ma' Mam yn mynd i fod yn olreit, ond mae wedi gorfod cael trallwysiad gwaed. Ma' Dad mewn sioc. Wy' dal moyn marw.

Ma' Mam gartre o'r ysbyty. Mae'n edrych yn welw, ond mae'r doctoried yn gweud mae'n ffein. Wy' ffili edrych arni a sdim cliw 'da fi beth i neud. Ma' Gu yn gwbod pa mor uffernol wy'n teimlo achos dath hi lan lofft ata i, a dyw hi ddim yn neud 'na'n amal erbyn hyn achos ma' crydcymale'n poeni tam bach arni. Dath hi mewn.

| | |
|---|---|
| **MAM-GU** | Jiw, ma'r rŵm 'ma'n fwy o seis na'r nall, on'dyw hi? |
| **FI** | Oty, Gu. |
| **MAM-GU** | Oty ddi'n ddicon twym? |
| **FI** | Oty. |
| **MAM-GU** | Ti wedi mynd off 'y nghwcan i, wyt ti? |

Gu sy' wedi bod wrthi drwy'r wythnos, ond wrth gwrs, wy' ffili byta.

| | |
|---|---|
| **FI** | Nê, Gu. Dim lot o whant 'to, chi'n gwpod? |
| **MAM-GU** | Otw, bach, wy'n gwpod. Nêci dy fai di yw beth ddigwyddws. |
| **FI** | Ie. |
| **MAM-GU** | Wedi siarad 'da'r doctoried, wyt ti? |
| **FI** | Nê, ond ma' fe mor amlwg â hoel ar bost, nêgyw e, Gu? 'Sen i ddim wedi neud beth netho i 'da Cymdeithas yr Iaith, 'se Mam ddim wedi colli'i thymer a chwmpo mês a 'se'r babi 'ma'n fyw nawr. |
| **MAM-GU** | A ti'n siarad trw dy din. O jiw, rheces i nawr? |
| **FI** | Wy' wedi cliwed gwath! |

Ma' Gu mor cŵl.

| | |
|---|---|
| **MAM-GU** | Rhys, o'dd dy fam a dy dêd yn gwpod beth o'dd y risg o drio catw'r babi 'ma yn ei hoetran hi. |
| **FI** | Ie, ond … |

**MAM-GU**    Nawr, gwranda ar dy Gu bêch, mae'n gwpod
mwy na ti am fabis.

Ac er gwaetha'r clôs shêfs 'da Llinos, o'dd Gu yn iawn wrth
gwrs.

**MAM-GU**    Gallsa dy fam fod wedi bod yn cysgu yn gwely,
yn watsho teledu, yn grando ar brecath neu'n
drifo'r car. Dyw e ddim yn neud gwanieth. Natur
cymrws ei gwrs e. A do'dd 'da ti ddim byd i neud
â'r peth, wetyn'ny ma'n rhaid ti stopid tortyrsho
dy hunan. Beth yw hwnna'n Gwmrêg?
**FI**    Arteithio.
**MAM-GU**    Jiw ie, o'n i'n canu fe yn capel nos Sul diwetha.
Ma'n gof i'n dechre mynd.
**FI**    Wy' moyn cretu 'na, Gu, achos wy' ffili dishgwl
ar Mam ar y finad.
**MAM-GU**    A shwd wyt ti'n cretu ma' hwnna'n neud iddi hi
deimlo? Ti yw ei chyntaf-anedig "yn yr hwn y
mae'n fodlon".
**FI**    Ond taw *'feet of clay'* sy 'da fi.
**MAM-GU**    Fel ni gyd 'te bach. Fel ni gyd.
**FI**    Naiff hi fadde i fi, Gu?
**MAM-GU**    O, *Good God Almighty*, mae wedi ishws, grwt.
**FI**    Beth am Gymdeithas yr Iaith?
**MAM-GU**    Unig ffaeledd dy fam, a dries i ei macu ddi'n
wanieth, yw 'i bod hi'n rhy barod i fecso beth
ma' dinon erill yn meddwl amdeni a'i theulu. O'n
i wastod yn meddwl 'bugger it' naf i beth sy'n
iawn, nace beth ma' dinon moyn ifi gretu sy'n
iawn.
**FI**    Wy' moyn i'r iaith fyw, Gu.
**MAM-GU**    A fi, bêch! A fi! A wy' 'da ti! A ma' dy fam. Ond
mae 'i ofan. O'dd dy dacu … Nê well i fi bido
dechre 'to.
**FI**    Nê, gwetwch, Gu.
**MAM-GU**    Bythdi *nineteen sixty four* o'dd hi, o'dd streic wedi
bod blwyddyn cyn 'ny ac o'dd blacleg yn y pwll.

99

|  | Ti'n gwpod beth yw blacleg? |
| **FI** | Otw, rhywun o'dd yn gwitho pan o'dd y streic mlên. |
| **MAM-GU** | Ie. Wel êth pawb nôl maes o law a'r dinon wedi penderfynu rhoi'r bachan 'ma yn Coventry – ti'n gwpod, pido wilia gyta fe. Ond êth rhai mhellach na 'ny – o'n nhw'n trio neud niwed iddo fe. A nethon nhw. Rhoison nhw sprag yn ei dram e pwy ddiwrnod a chês e 'i ddala dano fe a thrapo'i gôs e. A 'na le o'dd y coliars yn wherthin am 'i ben e. Nes dêth dy ddacu 'na. Jiw o'dd natur 'da fe unweth o'dd e'n dechre. Ma' fe'n mynd at y blacleg a siarad â fe i drio'i gysuro fe – fe o'dd y cinta i wilia 'da fe ers y streic a ma' Tommy Two Streets yn trio 'i stopid e! Os do fe. Ma' dy ddacu yn rhoi clec dan 'i ên e nes o'dd e'n corco. Gas e lonydd wetyn'ny i dynnu'r bachan mês o dan y dram a mynd â fe i wyneb y pwll. Gas e i 'hunan 'i roi yn Coventry wetyn'ny am wthnos – ond do'dd dim tamed o wanieth 'da fe. O'dd bywyd y bachan 'na, er gwaetha beth nêth e, yn bwysicach na phido wilia on'dodd e? |

Rhoies i gwtsh iddi wedyn. Sa i moen iddi farw. Mae fel craig. Wy'n mynd i siarad â Mam nawr. Nôl wedyn.

*Wedyn*

| **DAD** | I'll go out, Peg. Oreit, *mab*? |
| **MAM** | Stay, Deryck. |

A Dad yn ufuddhau am y tro cyntaf yn ei fywyd. Shwd odych chi'n dweud sori wrth y'ch mam am achosi gofid iddi? Am neud iddi boeni cymint nes colli babi yn 47 oed?

| **FI** | Shwd ti'n twmlo, Mam? |
| **MAM** | Oreit. |
| **DAD** | Wan a cup of tea, Peg? |

| | |
|---|---|
| **MAM** | Quiet, Deryck. |
| **DAD** | Yes. Quiet. |
| **FI** | Mam, beth wy' moyn gweud yw sori, ond ma' fe'n swno'n pathetig. Wy'n gwbod 'mod i wedi rhoi lo's a tasen i'n gallu swopo llefydd 'da'r babi 'na bydden i'n folon i 'ny. |

A 'na pryd dorres i lawr. Wy'n cofio Mam yn cwtsho fi a Dad yn dweud.

| | |
|---|---|
| **DAD** | You dull bugger. |
| **MAM** | Stop swearin', Deryck. |

Ond 'na gyd sy'n aros nawr yw'r teimlad o ryddhad nagon nhw moyn 'y nhaflu i mas o'r tŷ. Wy'n gwbod 'y mod i'n gorymateb mewn gwirionedd achos fydde hynny ddim wedi digwydd, ond pan ŷch ch'n teimlo fel pishyn o gachu, withe, bydde fe'n well bod ar y stryd na gweld y llyged 'na'n y'ch cyhuddo chi. A'n wath wrth gwrs, y'ch cydwybod y'ch hunan yn y'ch cyhuddo chi.

| | |
|---|---|
| **MAM** | Nace dy fai di yw e 'mod i wedi colli'r babi 'ma, Rhys. |
| **DAD** | No. |
| **FI** | Chi jyst yn gweud 'na, Mam. |
| **MAM** | Nêgw, bach. Weten i ddim celwdd wrthot ti. |
| **DAD** | No. |
| **MAM** | A smo ni moyn i ti dwmlo'n euog. |
| **FI** | Ond wy' yn. |
| **DAD** | No, myn. |
| **MAM** | Deryck, I'm talkin' for a minute. |
| **DAD** | Yes, my darling. |
| **MAM** | Wy' yn grac abythdi Cymdeithas yr Iaith. |
| **DAD** | Peg … |
| **MAM** | Deryck! 'Senough! A wy' ffili deall pam o't ti moyn neud shwd beth. |
| **FI** | Galla i drio esbonio os chi moyn i fi. |
| **DAD** | Aye. |

| | |
|---|---|
| **FI** | Ma' fe'n lot o bethach, Mam, ond y peth pwysica yw siarad Cwmrêg. |
| **DAD** | Aye, myn. |
| **FI** | Chi a Dad wastod wedi dangos pwy mor bwysig yw'r iaith, wedi 'nghodi i a Sêra i barchu'r iaith … |
| **DAD** | Indeed to God. |
| **FI** | A wy'n cretu fel wy'n mynd yn hŷn ei fod e'n bwysicach fyth bod yr iaith yn cael ei defnyddio a'i gweld ym mhobman yng Nghymru. |
| **MAM** | Hyd yn o'd yn Spar Tylorstown? |
| **DAD** | Well yes, Peg, even more important by there, init? |
| **MAM** | Ond 'sneb lot yn wilia Cwmrêg yn Tylorstown. |
| **FI** | Ond ŷn ni, nagyn ni? Ma' Dymps a Raz a'r gang? Ni'n cownto, nagyn ni, Mam? Ac os ŷn ni'n folon derbyn nagyw'r iaith werth cael ei gweld mewn llefydd fel 'na, fydd hi ddim yn hir nes bod rhywun yn gweud dyw hi ddim gwerth ei gweld mewn llefydd erill yng Nghymru. Dim ond yn y llefydd le ma'r mwyafrif yn ei siarad hi. |
| **DAD** | Dear God, we'll make a politician out of you yet, *mab*. It's like being back in the strike in '84. Don't stop now, Rhys, *bachan*. |
| **MAM** | A ti'n gweud bod fandaleiddio *shutters* y Spar yn mynd i helpu'r iaith a cha'l dy dowlu mas o'r ysgol, ti a Llinos ac Îfs. |
| **DAD** | Very bloody likely, Peg, that school's goin' to chuck out three of their brightest pupils! Over my dead body. If that school had any bloody guts the headmaster would have been out with them paintin'! |
| **FI** | Mam, wir. Sa i'n cretu taw fandaleiddio o'n i. Torri'r gyfreth, o'n. Ond sdim un gyfreth ddrwg wedi ca'l ei newid os nagyw pobl yn fodlon gweithredu. |
| **DAD** | If Scargill had a medal, Rhys, I'd give it to you. Bloody marvellous speech. Well done, *mab*. |

| MAM | So that's it then, Deryck, is it? We are now going to condone the breaking of the law. |
|---|---|
| **DAD** | No, Peg. Only unjust laws. |

Es i mas wedyn, achos o'dd Mam yn dishgwl fel 'se hi wedi blino'n ofnadw a rhoies i gusan iddi. Hwnna'n wiyrd. Ni ddim yn deulu cwtshi fel 'na. Ond o'dd e'n rhywbeth o'n i jyst moyn neud. Dath Dad lawr llawr wedyn.

| **MAM-GU** | I'ope you kept your negotiating skills out of that little lot, Deryck? |
|---|---|
| **DAD** | Muriel, I am a man of peace. Until I'm stirred. |
| **MAM-GU** | Milk in after the tea for me, please. Very considerate. |
| **DAD** | *Myn yffarn i*, can't say a word 'ere gone. |
| **MAM-GU** | Mam yn olreit? |
| **FI** | *Sort of,* Gu. |
| **MAM-GU** | Daw hi rownd. Rho amser iddi. |

A nawr ma' rhyw fath o gadoediad anesmwyth yn y tŷ. Ni'n gorfod wynebu'r Shad a'r llywodraethwyr, y ddirwy ni'n bownd o gael 'da'r llys. O diar. Mae bod yn Gymro yn anodd, ydy fe?

---

### Dydd Llun, Tachwedd 27ain

---

Wy'n haeddu medal am ddiplomasî. Dath Billy ata i heddi eto a gofyn am 'y nghyngor i.

| **BILLY** | Rhys, alla i wilia 'da ti am rywbeth personol? |
|---|---|

Wel, 'na'r tro cynta ma' Billy wedi bod yn ddifrifol mewn tair blynedd so wedes i bydde'n well i ni fynd mas o'r Uned a rownd yr ysgol am dro. O'dd rhywbeth yn ei flino fe.

| **BILLY** | Paid â meddwl 'mod i'n busnesan nawr plîs a ma'n rhaid ti weud 'tha 'i os wy'n gofyn gormodd. |
|---|---|

| FI | Poera fe mas, Bill. |
| BILLY | Reit. |

Llyncodd ei boer e fel gobsmacyr.

| BILLY | Y busnes caru 'ma. Nawr ma' mwy o glem 'da ti abythdi fe na sy 'da fi. |
| FI | Os anwybyddi di'r ffaith 'mod i wedi colli 'nghariad. |
| BILLY | Ond bod dwy flynedd o brofiad 'da ti. Ag at hwnna wy'n dod. Ma' Kylie a fi ... Ma' fi a Kylie ... |

O'n i'n gallu gweld ble o'dd y sgwrs yn dirwyn nawr ac, o boy!, er gwaetha 'nghariad mawr i tuag at Billy, o'n i jyst â marw ishe wherthin.

| BILLY | Wel, yn blwmp ac yn blaen, Rhys, sa i cweit yn siŵr shwd i neud y mŵf cynta. |
| FI | Beth, o gwbwl? |
| BILLY | Wel ffymbls ti'n gwbod. Jiawl ma' pawb yn gwbod ble ma' dilo fod i fynd, ond beth wy'n neud nesa? Rhys bach, wy'n ddwy ar bymtheg, dwy stôn ar bymtheg a wy'n fyrjin. 'Na ni. 'Co fi wedi gweud e. A man a man i fi weud 'tho ti'n streit. Wy' gymint o ofan, wy'n cachu brics fel *breeze blocks!* |
| FI | Ma' pob bachgen, Billy. |
| BILLY | Odyn nhw? Hyd yn o'd Dong? |
| FI | Wel falle ddim Dong, ond faint o bobl sy â'u breins yn eu coce? |
| BILLY | *Point taken*. Beth naf i, Rhys? |

O'dd y sefyllfa mor ddelicet, achos o'dd hi'n gwbl amlwg bod Billy ar ddibyn trawma bach personol.

| FI | Wel, Bill, odych chi'ch dou wedi trafod pwy mor bell chi moyn mynd? |

| | |
|---|---|
| **BILLY** | Arglwydd mawr, wyt ti fod i neud 'na? |
| **FI** | Wel sdim rheole, ti'n gwbod, ond withe ma' fe werth siarad o fla'n llaw. 'Sdim byd gwath na cholli'r ffordd yn y goedwig o's e a ffili ffindo'r ffordd nôl. |
| **BILLY** | Bach yn Freudian, bachan! Ma' ishe trafod 'te. Wel ni wedi siarad, *sort of*, ti'n gwbod. Ond jiawl, ma caru 'da rhywun yn gam mawr nagyw e? *Commitment* fel 'na. |
| **FI** | O'n i'n pathetig pan ddechreues i garu 'da Llinos. |
| **BILLY** | Nawr, granda, sa i moyn busnesan. |
| **FI** | Na, wy'n gwbod. Ond wy'n ymddiried ynot ti. 'Sneb yn gwbod hyn. Tro cynta o'n i a Llinos wedi caru, fi o'dd ar goll. |
| **BILLY** | *Good God.* |
| **FI** | Ie. Ni gyd wedi darllen digon, nagyn ni. Y llyfre iawn, y jôcs anghywir, y ffilmie gwaetha'. Ond o'dd cyrraedd y pwynt, Billy, fel neud bynji jymp heb raff. |
| **BILLY** | O coc y gath! Wy'n credu droia i'n fynach! |
| **FI** | Na, na paid â gadel i fi dy roi di off. Nage 'na beth wy'n gweud. O'dd y tro cynta'n wael, ond o'dd e'n bwysig y'n bod ni wedi trafod o fla'n llaw. O'n ni'n saff, o'dd atal cenhedlu gyda ni. A helpodd Llinos fi i gopo gyda'n ofn. Achos 'na beth o'dd e … ofn. Ac os gelli di ddod i ben â hwnna, gall pethe witho mas i chi. |
| **BILLY** | O, thenciw, Rhys. Ma' hwnna'n help mawr. Gadwa i di *up to date* ! |

Sa i'n gwbod os wedes i'r peth iawn, ond dim ond 'y mhrofiad i sy 'da fi. A nath hwnna i fi feddwl am Llinos – lot. Pam gwplon ni? O'n ni'n dda gyda'n gilydd! O'n i'n dda iddi hi a hi i fi. A stopa siarad bolycs, Rhys!

Pan es i nôl i'r Uned gyda Billy o'dd Raz wedi bod wrthi yn 'addurno'. O'dd hi wedi neud Sha i ni. Ar bob wal, lle mae'r athrawon yn cerdded mewn a mas drwy'r dydd rywben neu'i gilydd, o'dd hi wedi rhoi posteri enwogion y byd.

**MARTIN LUTHER KING –**
*Herio apartheid America trwy dorri rheolau.*

**NELSON MANDELA –**
*Herio grym gwyn De Affrica trwy dorri rheolau.*

**GHANDI –**
*Herio awdurdod Prydain trwy dorri rheolau.*

**RHYS/LLINOS/ÎFS –**
*Herio awdurdod Lloegr trwy dorri rheolau.*

Ma'n rhoi ni'n tri ar yr un lefel â saint y byd bach ofer ddy top, a dweud y lleiaf! Ac wrth gwrs, cyn diwedd amser cino o'dd yr hen Bechadur, 'mae Duw yn noddfa a nerth i mi', wedi dod mewn i sicrhau bod pawb wedi ymlwybro i wersi'r prynhawn. Nid oedd yn Indian Hapus. Mynnodd e gael gwybod pwy o'dd yn gyfrifol a whare teg i Raz gyfaddefodd hi'n syth. Ond ddigwyddodd dim byd. Trodd e ar ei sawdl a mynd nôl mas.

| | |
|---|---|
| **RAZ** | *Now bloody then*! Un yn y llygad i fe! |
| **SPIKEY** | Raz, e's just afraid of your tits! |
| **RAZ** | Spikey, gair i gall, *my friend*. Nid fe yw'r unig un *who should be afraid of my tits!* |

Ac ar y gair, gymrodd hi ei bronnau yn ei dwylo a cherdded draw at Spikey a'u shiglo nhw fel dwy dorth o does bara yn ei dwylo.

| | |
|---|---|
| **RAZ** | Spikey!!! Come to Raz!! |
| **SPIKEY** | Ger off, Raz!! Pervert!!! |

Mam yn dda iawn heno. Hi sy wedi neud te, a Dad wrth ei fodd ei gweld hi o gwmpas ei phethe. Wel ŷn ni gyd, wrth gwrs. Wy' ffili dadansoddi 'nheimlade i o hyd. Ma' neud lôs iddi hi yn wath poen na thorri'n llaw bant. Ond wy'n gwbod nawr, pe bai hi'n dod yn fater o weithredu dros rywbeth wy'n argyhoeddiedig sy'n iawn, boed yn Gymdeithas yr Iaith neu'n unrhyw fater arall, a bod hynny'n ypseto Mam, gweithredu dros yr egwyddor honno nelen i.

Ma' hwnna mor fastardaidd, on'dyw e? Wy'n gwbod allwn ni ddim â byw ein bywyde ni er mwyn y'n rhieni ni. Ac am gyfnod masif o'n bywyde, ni'n cydymffurfio gyda'u dyheadau nhw a'u gobeithion nhw. A wedyn, ma' rhywbeth yn digwydd – annibyniaeth bydde rhai yn ei alw fe, ac ŷn ni'n diolch iddyn nhw am yr holl flynydde o gariad a gofal trwy wneud yn gwmws beth ŷn ni'n dewis – nid beth ma' nhw moyn!

Busnes coleg a phrifysgol – sa i'n gwbl siŵr 'mod i ishe mynd reit, ond wy'n gwbod nawr o'r siarad dyddiol rownd y ford te bod Mam a Dad a Gu yn erfyn i fi fynd. Ond beth os nagw i ishe? Shwd mae wynebu'r siom a'r boen ma' hwnna'n mynd i achosi iddyn nhw? I HÊT CYFRIFOLDEB! *Wel it's a bloody certainty* – smo fi'n mynd i gael plant. Wy'n credu gaf i fasectomi pan wy'n ddeunaw ac, yn wahanol i Dad, naf i'n siŵr bod awch ar y scalpel!!

## Dydd Mawrth, Tachwedd 28ain

Wy' mas o'r ysbyty.

## Dydd Gwener, Rhagfyr 1af

Mae e mor *embarassing* wy'n credu bod gormod o gywilydd arna i i gofnodi'r digwyddiad ond fe dria i. Mewn i'r Uned bore dydd Mawrth. Yng nghornel bella'r Uned, Dong 'Fi sy â'r twlsyn mwyaf yn yr ysgol ond y *brain* lleiaf – pwy sy 'nesa yn y ciw' yn ishte 'da'i fraich rownd Llinos a hithe wrth ei ffrigin bodd yn derbyn y maldod.

Rhys yn cerdded mas o'r Uned.

Rhys yn dyrnu wal frics yr ysgol yn ei dymer pathetig plentynnaidd cenfigennus.

Rhys yn torri migwrn *(knuckle)* ei fys bach.

Rhys yn mynd i'r ysbyty.

Rhys yn dweud celwydd ei fod e wedi cwympo'n lletchwith.

Rhys yn gwybod bod Gu yn gwybod bod Rhys yn dweud celwydd.

Rhys yn teimlo fel twat mwya Cymru drwy'r wythnos.

Llinos a Dong yn mynd allan yn swyddogol.

Rhys yn chwilio am seicolegydd yn Yellow Pages i drio delio gyda'i nwyd naturwyllt.

Rhys yn mynd i gysgu.

### 1.00 a.m.

Rhys yn methu cysgu. Onest tw God, beth sy'n bod arna i? Ni wedi cwpla ers mishodd. Do's dim unrhyw argol y'n bod ni'n mynd i fynd nôl at y'n gilydd a ma' perffeth hawl gyda 'i i weld pwy mae'n dewis pryd mae'n dewis. Ishe gwybod y gwir, Rhys? Na. O cê – co fe. Ti ffili stopo dychmygu fe yn cysgu gyda 'i. *Piss off*, byti. O cê. Ond 'na'r gwir. Wy'n cofio popeth nethon ni gyda'n gilydd a wy'n gwbod nawr ei fod e'n mynd i wneud yr un peth. A wy' mor genfigennus! Fi sy bia 'i!! Ma' hyn yn dŵo 'ead fi mewn!

A beth am Llinos? Alla i ddim â chredu bod rhywun mor hollol alluog â hi yn mynd mas 'da fersiwn bwtsh o Brad Pitt widdowt ddy brain! Rhys, sgiws mî, unrhyw un gartre heddiw? 'Na pam mae **yn** mynd mas 'da fe. Mae e'n uffernol o *good looking*. A dwy' ddim odw i? Secs apîl! Hwnna yw e. Ti ddim cael ef. Fe yn cael ef. Wel, man a man i fi fynd abythdi'r lle â 'mhen mewn sach neu, wrth gwrs, safio i ga'l estyniad ar 'y nghoc.

---
### Dydd Llun, Rhagfyr 4ydd
---

Wy'n drewi. Achos y plaster ar 'y mraich i wy' ffili mynd i'r gawod bob dydd – dim ond *strip wash* o ryw fath. Yng nghanol drama heddi, gwers ymarferol, dyma Raz yn dechre gwynto 'i hunan.

| RAZ | *I'm sure* fi wedi rhoi nicers glân bore 'ma. Ti'n gallu gwynto fi, Rhys? |
|---|---|
| BILLY | Wel, pidwch disghwl arna i! |
| SPIKEY | Oi, Billy, ni'n gwybod ti'n *permanent Lynx man* achos Kylie. |

Dath Îfs ata i wedyn ymhen munud a diolch iddo, fe wedodd e:

| ÎFS | Byt, ti yw e. |
|---|---|

O'n i mor *horrified* achos ma' glanweithdra yn rhywbeth wy' wastod wedi cyfri'n bwysig.

| ÎFS | Sori taw fi sy'n gweud. |
|---|---|
| FI | Na, wir, diolch yn fawr i ti am weud. |

Wel, am weddill y wers 'na gyd wnes i o'dd cadw 'mreichiau'n dynn am 'y nhorso ac osgoi pawb. Wrth gwrs, o'dd gweddill y diawled yn drewi ei gilydd a chyhuddo 'i gilydd o wynto fel ffwlbartiaid.

| RHIDS | Spikey, ti yw e. Ti wedi fflyffo a dyw e ddim wedi escepo o cegs ti a ma' fe'n permîeto'r amgylchfyd. |
|---|---|
| SPIKEY | *I'll perm your 'ead* mewn munud, Rhidian. *If I had fluffed you would know!* |
| DOM CRIWS | Os nagyw e'n berthnasol i'r gwaith byrfyfyr chi'n paratoi, beth yw'r pwynt? |
| SPIKEY | *Reputation* fi, Syr. Fi'n gachllu clirio unrhyw stafell yn yr ysgol os fi wedi cael curry noson cyn. |
| RAZ | *We know! God help* pwy bynnag sy'n cysgu gyda ti yn y caban yn Llangrannog. |
| BILLY | Chi'n dod i Langrannog 'da blwyddyn saith mis Ionawr, Syr? Ma'r pennaeth blwyddyn moyn swyddogion i fynd. |
| SPIKEY | *Aye*, fi'n ffansïo hwnna. |
| RAZ | Swyddogion, not ffantom ffarters! |

**DOM CRIWS**     Ydy hwn yn arwain at rywbeth gyda'r
                  gwaith byrfyfyr?
**SPIKEY**        Na ddim rîli, ni jyst yn joio ca'l *chat*. Beth
                  am y blôc 'na oedd wedi dod i weld
                  Senghennydd, *Sir*. O Chllundain. Fe wedi
                  siarad â chi eto?

Dyw Spikey ddim mor ddiniwed â'i wên. O'dd e'n gwbod
yn union beth o'dd e'n neud yn agor y trywydd 'ma. Gobeth
Dom 'mae actio yn fy mêr chi'n gwybod' Criws yw y bydd y
National Theatre yn Llundain, sy'n cynnal y gystadleuaeth
yma ar y cyd gyda rhyw gwmni masnachol, yn dewis ein
perfformiad ni i fynd i ddangos ein gwaith yn y National
Theatre yn Llundain. Wrth gwrs, gobaith hollol wag yw e,
mae cannoedd yn trio – ac ers pryd ma' rhywbeth Cymraeg
yn mynd i gael unrhyw gyfiawnder yn Lloegr? Ond mae
Spikey yn gwbod bod Dom 'Hollywood' Criws yn lico
breuddwydio.

**DOM CRIWS**     Wel, Spikey, dwy' ddim wedi anobeithio eto.
                  Cyn diwedd y tymor wedon nhw.
**SPIKEY**        Bron bod diwedd tymor ddo, *Sir*. Dim ond
                  tair wythnos i fynd.

Dechreuodd Billy glapo wedyn fel peth gwyllt.

**RAZ**           You 'avin a mare, Billy?
**BILLY**         Ma' Spikey newydd weud brawddeg gyfan
                  heb gamdreiglad!!!!
**SPIKEY**        Billy, *stop bein' a woman*. Fi'n neud lefel A
                  Cymraeg. *I know when to* threiglo os fi
                  eisiau! Oi, Rhys, pam ti'n eistedd *over by
                  there*. Dod draw man 'yn i gael *chat* gyda
                  *Sir*.
**FI**            Syr, ody e'n olreit os af i at y nyrs, ma'r llaw
                  yn brifo tam' bach.

A mynd at y nyrs es i. Mae hi'n fenyw ffantastig. Dyle pob

ysgol gael un. O'dd pawb ar ryw bwynt yn mlwyddyn saith yn mynd ati i lefen achos o'dd rhywbeth yn bod. Mae fel ail fam heb yr hasls! Wps! Wedes i ddim 'na.

Ta p'un, esbonies i beth o'dd y broblem a gadawodd hi i fi ga'l *wash* yn y fan a'r lle yn yr ystafell breifat. A'r peth yw, wy'n gwbod na weliff yr hanes 'na ole dydd gyda neb. Mae e fel ca'l offeiriad pabyddol yn yr ysgol – cyffesu popeth a dim ond hi a chi sy'n gwbod. Lysh. Ma'r plaster 'ma'n dod bant diwedd yr wthnos, *thank God*. Ma'r migwrn yn gwella'n gynt nag unrhyw asgwrn arall yn y corff i fod. O, mae bywyd yn galed!!

---

## Dydd Mawrth, Rhagfyr 5ed

---

Dong a Llinos wedi eu gweld yn cusanu'n gyhoeddus yn yr Uned. *I am going to kill him*.

---

## Dydd Mercher, Rhagfyr 6ed

---

Heb ffindo'r dryll eto. Gwers Gymrag heddi yn trafod perthynas Siwan a Llywellyn eto!

**SPIKEY**    Fe'n *old man*. Fe methu cael e lan. Dim *wonder* hi'n mynd *gyda young bit of flesh*.

**MISS**    Dwy' ddim yn siŵr mai fel hynny basa Saunders Lewis wedi dadansoddi'r peth, Spikey.

**SPIKEY**    O Miss! Beth fe'n gwybod? Chi wedi gweld chlluniau ef? Fel *chicken*.

**LLINOS**    Ma' cenfigen yn camlywio synnwyr on'dyw e, Miss?

**MISS**    Ydy.

**LLINOS**    Beth mae Llywelyn yn dangos yw ei gariad yn ei dymer, ond dyw e ddim yn gallu mynegi ei gariad mewn ffordd dyner.

**FI**    So'r ffordd ore o wneud hynny yw crogi cariad

|       |                                                                 |
|-------|-----------------------------------------------------------------|
|       | dy wraig a'i charcharu hi a pheidio siarad gyda 'i am flwyddyn. *Very new age man*, ontife? |
| **ÎFS** | Dyw synnwyr ddim yn rhan o'r hafaliad pan ŷch chi'n sôn am rym mor bwerus â chenfigen. Dyw rheswm ddim yn rhan o'r patrwm. Gallwn ni gyd gofio bod yn blant – wel ddim Spikey achos mae dal yn … |
| **SPIKEY** | Hoi, byti, watch your step! |
| **ÎFS** | Ond wy'n gallu cofio cwmpo mas 'da ti, Rhys, yn yr ysgol feithrin dros *action man!* |
| **FI** | Wyt ti? |
| **ÎFS** | Odw. O'n i ishe fe, ag o't ti'n whare 'da fe ishws, ac es i'n hollol gynddeiriog. O'dd rhaid i'r athrawes feithrin fynd â fi mas o'r ystafell. |
| **RAZ** | *Aye*, ond ti'n peder oed ar y pryd, Îfs. |
| **SPIKEY** | Llywelyn yn *fifty seven*. |
| **LLINOS** | Yr un emosiyne. |
| **SPIKEY** | O, hwn yn *boring* nawr, Miss. Siarad am *dead people*. |
| **BILLY** | Wel 'na gyd wy'n gwpod yw, tase dam gwd plated o *fish* a *chips* 'da nhw pryd 'ny, bydde Gwilym Brewys ddim wedi bod yn danso *on thin air* y diwrnod nesa! Gwd ffîd yn sorto lot o bethe mas. |

A gyda'r sylw aeddfed 'na, daeth y wers i ben. A wedodd e Dong ddim gair trw'r cyfan – jyst ishte 'na'n rhythu ar Llinos. *I hate him.*

---

## Dydd Gwener, Rhagfyr 8fed

---

Ma Îfs wedi safio 'mywyd i a Dong. Arhoses i yn ei dŷ fe nos Iau. (Gyda llaw ma'r plaster bant – es i i'r ybsyty heddi.) Ma'n llaw i'n ffein so *look out* heno! Mae fy rhwystredigaeth rywiol wedi bod yn adeiladu fel llosgfynydd!

Do'n i ddim wedi trefnu aros ond o'dd e'n gallu gweld wrtha i yn yr ysgol drwy'r dydd 'mod i ar fin ffrwydro so wedodd e jyst cyn y wers olaf, sy'n rhydd 'da ni'n dou ar ddydd Iau, i ddod gartre 'da fe i ga'l te. Mae 'i fam e mor cŵl. Tase byddin yn glanio 'na yr un fydde'r ymateb "Heia, lyfli dy weld ti. Bydd bwyd ar y ford mewn munud nawr." Biwtiffwl.

Ethon ni mas am wac lan y mynydd tu cefn iddi dŷ fe, er ei fod e'n tywyllu mor gynnar – wy'n casáu'r gaeaf. Wy'n lico gweld yr haul. Wrth gyrraedd pen y bancyn, ac edrych lawr ar y cwm yn y gwyll a'r miloedd o oleuadau a'r miloedd o fywydau o'dd yn mynd yn eu blaenau y funud honno wedodd e:

| | |
|---|---|
| **ÎFS** | Ni ddim mor bwysig ag ŷn ni'n credu, odyn ni? |
| **FI** | Be ti'n meddwl? |
| **ÎFS** | Wel, y'n bywyde ni sy'n bwysig i ni, ma' popeth sy'n digwydd i ni yn dyngedfennol, ŷn ni'n credu. Ond ma'r un peth yn wir am bawb yn y cwm y funud 'ma, nagyw e. Ma' nhw gyd r'un peth â ni. |
| **FI** | So? |
| **ÎFS** | Dim byd – dim ond meddwl am berspectif 'na gyd. Am y'n hunan os wy'n becso am draethawd neu ddysgu darn o waith. |
| **FI** | Dim byd llai nag A hyd yn hyn os wy'n cofio'n iawn! |
| **ÎFS** | Ffliwc. Ond se'n i'n ffindo mas fory 'mod i'n dost 'da cancr … |
| **FI** | Paid gweud rhywbeth fel 'na, Îfs! |
| **ÎFS** | Na, sa i'n dymuno 'na, ond tase rhywbeth fel 'na'n digwydd i fi neu ti, bydde'r pethe dyddiol, *boring* a'r emosiyne sy'n y'n drysu ni yn llithro i ryw fath o wyll di-ddim, fydden nhw? |

A 'na beth o'dd e'n trio neud. Siarad fi rownd. O'dd e'n gwbod faint o ddryswch emosiynol o'dd yn cwrso trwydda i o hyd ynglŷn â Llinos a co fe 'to – fy ffrind yn gweld trwydda i fel gwydr.

Noson honno, o'n ni'n dou yn gorwedd ar ei wely fe (o'n i'n meddwl bod stafell fawr 'da fi yn y tŷ newydd ond ma' stafell Îfs fel ogof o fawr), ac yn gwbl ddirybudd dechreues i lefen. 'Na gyd ddigwyddodd o'dd bod CD yn whare cân y Beatles – retro wy'n gwbod! Y gân oedd 'Yesterday'. A dorres i lawr yn llefen. A beth nath y'n ffrind gore i sy'n ddwy ar bymtheg? Cwtsho fi. *God*, o'dd e' mor neis cael cwtsh. A do'dd e na fi ddim yn *embarassed*. Achos wrth gwrs, dyw dynion ifanc ein hoedran ni ddim fod i wneud pethau fel 'na, odyn ni – dangos teimladau?! Sa i'n cofio am faint fues i'n llefen ond wy'n cofio dihuno tua hanner awr wedi un y bore ag o'dd Îfs yn para i gwtsho fi a'r miwsig wedi tawelu. Ymddiheures i a wedodd e wrtha i i bido. A wnes i ddim. Es i i'r gwely wedyn ac yn y bore ces i fentyg pans a socs glân wrtho fe – wel ma' Mam wastod yn gweud, "falle gei di ddamwen!".

A nawr wy'n mynd i gloi drws fy stafell wely am hanner awr – falle tri chwarter! Ac, os wy'n lwcus, awr gyfan o ymdrybaeddu trachwantus pleserus hunanol llawn trythyllwch! (re: trythyllwch, gweler 'Hamlet' cyfieithad J T Jones. Dom 'Shakespeare' Criws feri big mewn i gyfieithiadau Cymraeg o'r bardd-ddramodydd o Loegr!!!)

---

## Dydd Sadwrn, Rhagfyr 9fed

*10.00 a.m.*

Gyda'r post y bore 'ma daeth llwyth o gardie yn dymuno hwyl yr ŵyl a hysbysiad Cymraeg gan Lys Ynadon y Rhondda y bydd dedfryd yr achos yn cael ei chyhoeddi ar 23ain Rhagfyr! Nadolig Hapus iawn, Rhys, oddi wrth y gyfundrefn gyfreithiol. Ffones i Îfs ag o'dd e wedi cael r'un peth. Llinos? Well i ni ffono Dong, glei! Ni fod i gwrdd yng Nghaerdydd fel gang. Se'n well i fi ddechre safio 'ngheinioge i dalu'r ddirwy. O'dd Gu fel arfer yn bril amser brecwast.

| | |
|---|---|
| **MAM-GU** | Faint o ffein ti'n meddwl gei di 'te? |
| **FI** | Lot. |
| **MAM-GU** | Bydd rhaid fi fynd lawr i Bute Street i drio gwerthu'n hunan! |
| **MAM** | Mam! |
| **DAD** | Didn't know they let guide dogs into Bute Street, Muriel! |

| | |
|---|---|
| **MAM-GU** | Less of it, Deryck. |
| **SÊRA** | Ble ma' Bute Street? |
| **FI** | Caerdydd. |
| **SÊRA** | Pam chi moyn mynd i werthu'ch hunan yn Bute Street, Gu? |
| **DAD** | Get out of that in one piece, Mam-gu! |

I'r anwybodusion yn ein plith, Bute Street yw'r ardal yng Nghaerdydd lle o'dd puteiniaid ddechre'r ganrif neu rywbeth yn gwerthu eu hunain. Ma'r ddelwedd o Gu yn gwerthu ei hunan …!!!!!!!!!!

| | |
|---|---|
| **MAM-GU** | "Come on now then, boys, all miners half price. No Conservatives and all proceeds to my grandson's fund to pay his fine." Wel, Sêra, o'dd menywod slawer dydd yn gorffod ca'l dou ben llinyn ynghyd… |
| **MAM** | Byddwch chi'n gercus man 'na, Mam! |
| **MAM-GU** | Wy' yn, Peg! Slawer dydd, o'dd arian yn fring, a withe bydde menyw yn gorffod neud rhywbeth ofnadw i gael arian i brynu bwyd i gadw'r plant yn fyw. |
| **SÊRA** | Hy! Susan Slapper 8E yn neud e am ddim! |

Do'dd dim bwriad 'da Dad i ail-liwio'r papur wal 'da'r llond ceg o de o'dd gyda fe ar y pryd, dim mwy nag o'dd Mam ishe torri'r fowlen ffrwythe tseina o'dd yn ei dwylo, a 'na'r tro cynta erio'd weles i ddannedd dodi Gu yn slipo mas o'i phen – er o'dd hi'n ddigon hirben i gwato nhw 'da'i nished yn syth.

| | |
|---|---|
| **SÊRA** | Beth wedes i 'to? |
| **DAD** | What did you just say? |
| **SÊRA** | What? About Susan Slapper 8E? |
| **DAD** | *O, Iesu Gwyn o'r Dowlais.* I don't believe this, myn! |
| **SÊRA** | Dad, get a grip is it and chill out! I am in the *ysgol gyfun.* You learn a lot there. |
| **MAM-GU** | Yes, chill out, Deryck! |

| | |
|---|---|
| **DAD** | Rhys, this is your fault! |
| **FI** | What's it got to do with me? |
| **MAM** | Mam, chi ddechreuodd hyn. |
| **MAM-GU** | Wy'n cretu ef i nôl i'r fflat nawr. |
| **DAD** | What are we doing rong, Peg? Is it my fault for walkin' round *porcyn* after havin' a bath or what? |

Gadewes i nhw ar yr eiliad 'na, a ma'r ddau dal wrthi. Pwynt yw ma' Sêra yn hollol *streetwise* erbyn hyn. 'Sdim cliw 'da'n rhieni pa mor brofiadol ni'n gallu bod mewn dim amser oherwydd yr is-ddiwylliant sydd mewn ysgolion. *God*, wy'n cofio yn yr ysgol gynradd, dangosodd Susan Francesca bopeth o'dd gyda 'i pan o'dd hi'n wyth!! A dim ond whare doctors a nyrsus o'n ni! Symudodd hi bant ym mlwyddyn 9 i ardal yn Lloegr, ond dwy' ddim yn credu bod creithiau emosiynol parhaol ar fy ymennydd sensitif achos weles i 'na yn yr oedran 'na! Dim mwy nag yw Sêra siŵr o fod – nage ei bod hi fel Susan Francesca. Wel, am wn i, ontife!!!!!! Ond wy'n nabod y'n whâr, a mae'n cŵl a sysd. Yn wahanol iawn i'w brawd aeddfed a hŷn. So wy' nawr yn mynd i Gaerdydd i gwrdd â'r gang. R'un man gwario popeth fydd ddim gyda fi 'mhen tair wythnos.

### Nos Sadwrn

Pe bai Andrew 'Arglwydd Gad Im Dawel Orffwys' Bechadur wedi mynd â fi heddi i wrando ar bregeth 'da rhyw Fethiwsiwla o'dd wedi marw, a wedyn i edrych ar enghreifft-iau cynnar o sgroliau'r Môr Marw yn yr Amgueddfa bydden i wedi enjoio mwy. O'dd Llinos 'na gyda Dong. Ma' Raz wir yn dod yn rhan annatod o'r grŵp.

| | |
|---|---|
| **RAZ** | Fi ddim yn ffansïo gwario trw'r blydi dydd gyda hŵfer lips in tow. Unrhyw un yn gêm i roi'r slip iddyn nhw? |

A fe gytunon ni gyd i whare sili bygers yn hanner rhedeg trwy arcêds Caerdydd er mwyn 'colli' Llinos a Dong. Ar un pwynt wy'n cofio meddwl, 'Rhys, 'ma'r ferch y byddet ti wedi marw drosti llynedd a nawr ti'n rhedeg bant wrthi hi.' O'dd y sefyllfa mor *bizarre*. Ond lwyddon ni. Wel pwy o'dd yn teimlo fel lwmpyn o gach wedyn achos yn ysgol dydd Llun, wrth gwrs, ni gyd yn mynd i orfod wynebu'r ddau ohonyn nhw a dweud celwydd. So 'na le o'dd Rhids, Spikey, Raz, fi ac Îfs – 'na gyd ohonon ni o'dd! Billy? Wel, *come on*, dydd Sadwrn rhydd? Hylô, Kylie!

**SPIKEY**   O bois, fe'n cael e *bad*.

... a phawb wedi gwasgu mewn i siop gacennau a capwchino yn un o arcêds Caerdydd.

**RHIDS**    Byddi di r'un peth pan ti'n ffindo rhywun.
**SPIKEY**   Oi, Rhidian, the day I betray my friends is the day I die.
**RAZ**      Beth yffarn nest ti tu fas i Spar 'te? Helpu nhw?

Ma' tafod Raz mor siarp â chyllell bwtshwr withe.

**SPIKEY**   O'dd hwnna'n *different*, wy'n meddwl am *wazzy girls*.
**RAZ**      Oi, fi'n *wazzy girl*.
**SPIKEY**   Na, ti yw Raz. Ti fel bachgen, *like!*
**RAZ**      Well seein' I don't know how to take that, Spikey, I will now *cysuro fy hunan gyda* thumpin' big cream cake *arall*. Oi, love, another chocolate toffee puff please – fast!
**SPIKEY**   Beth wy' wedi dweud nawr *again*?

A phan ddath yr anghenfil o gacen, o'dd gwên Raz yn drech nag unrhyw anghynildeb o'dd gyda Spikey.

**RAZ**      *Bechgyn*, I am tellin' you now ...

(... rhwng cegaid o hufen a charamel diferol)

**RAZ**      … if I 'ad to choose between this and an orgasm, I know where my vote goes!

Yr eiliad 'na, trodd menyw ganol oed o'dd yn edrych mor barchus y galle hi fod yn aelod yng nghapel y Tabernacl (poshest capel yng Nghaerdydd!) a dweud, "Ac yn 'y mhrofiad i, 'nghariad i, ar ôl deng mlynedd ar hugain o fywyd priodasol, byddech chi wedi gwneud y dewis cywir!" O'dd hi'n amlwg wedi bod yn gwrando ar bopeth o'n ni wedi dweud.

**SPIKEY**     Dy, not bloody safe to speak Welsh in your own country anymore, myn!

Cofiwch ffêsodd hwnna ddim o Raz. O na. 'Na un peth ni gyd wedi dysgu ers dechre'r tymor a hi'n cymysgu 'da ni, pidwch â dod rhwng Raz a'i bwyd. Mae hynny yn gam-gymeriad. A mae rîli yn ferch fowr, ond mae rhywbeth gosgeiddig amdani hefyd ac mor annwyl. Nawr tase Billy a hi yn sorto pethe mas rhyngtyn nhw – nele fe sens. O'n ni gyd yn cerdded nôl tuag at yr orsaf ar ôl gweld ffilm shiti o'r enw *Con Air* (crap!), a 'na le o'dd y ddau gariad yn snogo dan oleuadau'r steshon, yng ngŵydd y byd a'i frawd, a'i whâr a'i blydi cefndryd. Ag o'n i'n gallu teimlo'r tymer yn codi yndda i. So gerddes i at yr arosfan bysys yn lle 'ny a dath Îfs, whare teg, gyda fi – er gwaetha'r ffaith bod hynny'n golygu dwy filltir o gerdded iddo fe ar ôl cyrraedd y cwm gan nad yw'r bws yn mynd heibio ei ffordd e. Wrth gwrs fe dynnodd e'r colyn o gasineb unwaith o'dd y bws yn teithio. Ma' Gu wastod yn gweud mai ca'l y'n teulu ŷn ni, ond dŷn ni ddim yn haeddu'n ffrindie. Wot ê man!

A'r funud yma wy'n twmlo yn y mŵd shiti ofnadwy yna rhwng bod yn ddi-ddim a di-dda. Sa i'n gwbod ble wy'n mynd na beth wy'n neud! Edryches i ar y'n hunan yn y drych ar y wardrôb gynne wrth i fi newid i fynd i'r gwely. Ma' corff neis gyda fi, ma' natur wedi bod yn hael mewn mannau strategol (os yw 7 modfedd yn hael! Ie wy'n gwbod, ma' bechgyn yn pathetig eu bod nhw'n gorfod mesur ei seis e, ond fel 'na ŷn ni. Ma' fe'n rhywbeth Ffreudaidd ynon ni, ansicrwydd siŵr o fod), dwy' ddim yn hyll, ma'n zits i dan reoleth dda iawn y rhan fwyaf o'r amser (ar wahân i'n nhin i sy'n dioddef ffrwydrad achlysurol ond gan mai dim ond fi sy'n gweld hynny os droia i 'ngwddwg acha ongl amhosib, sdim lot o ots), ma' ngwallt i'n weddol o neis, wy'n gwisgo dillad gweddol ffasiynol, wy'n trio peidio â bod yn *boring*, wy'n gwbod mod i'n cydymffurfio y rhan fwyaf o'r amser, dwy' ddim mewn i gyffuriau o gwbl, wy' lico meddwi'n achlysurol – so pam ddiawl odw i mor anfodlon ar y'n hunan?

## Nos Sul, Rhagfyr 10fed

Er gwaetha pob addewid i'r gwrthwyneb wy' dal yn neud 'y ngwaith cartref ar nos Sul. Ac arlwy yr wythnos yma?

'Thomas Hardy's style reflects the austerity of his environment. Discuss.'

Diolch, hybarch Bennaeth Saesneg.

'Pa elfennau o'r Traddodiad Barddol sy'n cael eu hadlewyrchu yn y cerddi a astudiwyd gennych hyd yn hyn.'

Pwâr dab â Spikey!

'Mae'r gwrthdaro rhwng serch a chariad yn *Siwan* yn thema ganolog i bob un o ddramâu Saunders Lewis, ond ydy hyn yn ei dro yn theatr dda? Trafodwch.'

Y cwestiwn yw, *do I give a shit* am unrhyw un o'r gofynion aruchel, uchel ael siwdo 'ma? A'r ateb yw, odw i hel!? Diolch i Dduw bod parti'r chweched wythnos nesa.

### Hwyr iawn

Spikey ar y ffôn gynne – dyw e byth yn ffono fel arfer, bron â bod yn ei ddagrau. Ddim hyd yn oed yn deall y cwestiwn Cymraeg, a'r cwestiwn drama wedi bafflo fe'n llwyr. O'dd e ffili ffindo cyfeiriad at Siwan unrhyw le yn Blodeuwedd! O diar! Wy' wedi trio'i helpu fe gymaint ag y galla i. Sbôs, bydd rhaid i ni gyd roi'n ysgwydd dan y faich fory a'u hysgrifennu nhw iddo fe – ddim yn rhy dda wrth gwrs, jyst digon i dwyllo.

Traethodau Spikey wedi eu gwneud erbyn diwedd prynhawn a chyn y wers benodedig. Miss Esyllt 'Llywarch Hen was a dirty old man' ap Einion yn synnu gweld dwy ochor A4 i draethawd Spikey! Wps! Rhaid ni fod yn fwy darbodus 'da'r nesa. Osgoi Llinos a Dong y rhan fwyaf o'r dydd a nhw'n y'n hosgoi ni. GWD!

Prifathro ishe gweld Tri Penyberth dydd Mercher – *scare tactics*. Ma' fe'n gwbod bod yr achos llys ar y ffordd. Ma'n rhaid i fi ac Îfs siarad â Llinos ond, ar y funud, wy' jyst ishe bwrw Llinos. Mae'n anodd iawn ffeindio ffrynt unedig megis! Gwely'n gynnar heno achos wy'n *bored shitless*.

Do'n i ddim wedi bwriadu dadle gyda 'i. Dwy' ddim yn gwbod nawr shwd ddechreuodd y siarad. Ond 'na'r pethe casa wy' wedi'i weud erio'd wrth neb. Yn y llyfrgell mewn gwers rydd, fi'n hunan. Neb arall. Llinos yn dod mewn.

Tensiwn? Jyst a tad. Wy'n ei chofio hi'n gofyn ai chwilio am lyfre mapie ar ddaearyddiaeth strydoedd Caerdydd o'n i – o'dd yn dangos ei bod hi'n gwbod beth nethon ni dydd Sadwrn diwethaf yn glir. A wy'n cofio ateb nôl y galle hi edrych yn y Gwyddoniadur *(encylopedia)* am yr adran ar ymddygiad slwtaidd. Os do fe!

| | |
|---|---|
| **LLINOS** | Pwy yffarn wyt ti'n meddwl wyt ti i weud 'tha i shwd i fyw 'y mywyd? Y coc oen bach hunangyfiawn. |
| **FI** | Ac 'wrth bwy ddysges i i fod yn hunangyfiawn, Llinos? Dylet ti gynnig gwersi! |
| **LLINOS** | Be sy wir yn dy ladd di yw 'mod i wedi dewis rhywun sydd mor wahanol i ti. |
| **FI** | Diolch am y compliment. Wy'n trio pido meddwl 'da 'nghoc. |
| **LLINOS** | 'Na beth yw e, ife? Cynddaredd cenfigen! |

| FI | Neis i dy weld di'n adolygu Saunders! *Get a life*, Llinos. Bydde'n rhaid bod rhywbeth 'na i fi fod yn genfigennus ohono fe yn y lle cynta. |
|---|---|
| **LLINOS** | O, ma' rhywbeth 'na, boi. Lot mwy nag o'dd 'da ti i gynnig i fi! |
| **FI** | 'Na beth yw gwerth y'ch perthynas ife – wyth modfedd o gnawd? |
| **LLINOS** | Naw modfedd o gyhyr – nid cnawd! |
| **FI** | 'Sdim rhyfedd bod gwên ar dy wyneb di! |
| **LLINOS** | Mwy na roiest ti erio'd. |
| **FI** | Pam wyt ti'n siarad fel hyn? Nage ti sy'n gweud y pethe 'ma. Fe yw e. Ma fe'n effeithio ar dy frein di. |

Am eiliad fach wedyn, fflicodd rhywbeth ar draws ei llyged hi. Nage difaru ond ... jyst am eiliad fer, o'n i'n gwbod 'mod i wedi taro nerf yn rhywle.

| **LLINOS** | Ma' fe'n effeithio ar fwy na'n frein i, Rhys, a wy'n dwlu arno fe. |
|---|---|
| **FI** | Ma' ishe i ti weld doctor. |
| **LLINOS** | Wy'n byw 'da dou – ti ddim yn cofio? |

Ac wedyn o'n i'n hollol aeddfed:

| **FI** | Ffyc off, Llinos, jyst ffyc off. |
|---|---|

Da ontife. On'dodd hwnna'n dangos aeddfedrwydd a gallu geiriol rhyfeddol?

Ma' gweddill y dydd yn angof pur. A fory bydd y tri ohonon ni yn sefyll o fla'n y Shad. I wish ei woz ten agên!

---

### Dydd Mercher, Rhagfyr 13eg

| **ÎFS** | Syr, cyn i chi ddweud dim byd, ga i siarad ar ein rhan ni'n tri? |
|---|---|

Shad ac Andrew Bechadur yn glafoerio. *Guilt trip* ar y ffordd. Plant bach drwg. Slap slap slap. Ni wedi ennill.

ÎFS        Ni'n deall bod yr ysgol yn anghymeradwyo ein gweithred ni ar ran Cymdeithas yr Iaith rai wythnosau nôl. Wel bydded felly. Ond ŷn ni'n tri yn ddiedifar ynglŷn â hynny o hyd.

Gwenau yn slipo megis mwyafrif y Ceidwadwyr yn etholiad '97!

ÎFS        Serch hynny, yr un bobl ydyn ni heddiw ag oedden ni ar Awst y 24ain pan, rhyngon ni, fe lwyddon ni i gynrychioli'r ysgol hon, heb ddymuno swnio'n hunandybus, ond yn eithaf da gyda 30 o raddau A serennog, pedair gradd A a dwy radd B. Rŷn ni'n tri yn teimlo hefyd ein bod ni wedi cynrychioli'r ysgol yn anrhydeddus dros y pum mlynedd cyntaf – yn gymdeithasol, yn eisteddfodol ac yn gystadleuol gyda rotari cwis llyfrau ac yn y blaen. A'n gobeth ni'n tri o'dd ennill graddau lefel A teilwng i fedru mynychu Prifysgol a gwneud hynny'n ddiogel yn y wybodaeth mai'r ysgol hon oedd yn gyfrifol am ein llwyddiant.

O'dd y ddou yn pysld iawn erbyn hyn a Llinos a fi yn gostwng ein llygaid.

ÎFS        Mae'n fater o ofid enbyd ein bod ni'n tri, fel tri Penyberth gynt ...

(Cŵl 'ead, Îfs. Paid mynd yn rhy bell!)

        ... yn gorfod gadael y gymuned hon o ysgol a chael ein haddysg mewn coleg chweched dosbarth Saesneg ei chyfrwng.

Y ddau yn dal clêr. *Yes! We got them!!* ...

> ... Ond er mwyn arbed embaras i chi ac i'r Llywodraethwyr rŷn ni'n tri wedi penderfynu gadael.

Gorfod i'r Shad ishte! Trodd Andrew 'god help mî nawr!' Bechadur at ble o'dd y Shad ond ei fod e droedfedd neu ddwy yn is yn ei gader. Ac fe sefodd Îfs 'na fel pe bai e newydd ddarllen llith o'r Beibl. Blydi stoncin marfylys. Wrth gwrs o'dd e'n risg ond cyn wired â bod Radio Cymru yn llwyth o gach *boring* ar ddydd Sul, ymhen hanner awr ceson ni'n tywys unwaith eto i'r cysegr sancteiddiolaf – ystafell y Shad, a'r Shad 'na ar ei ben ei hunan.

**SHAD**    Tra nad yw'n bosib i'r ysgol gymerdwyo eich gweithred o dor-cyfraith mewn unrhyw fodd, y mae hi'n deall eich cymhellion. Mae hi hefyd yn derbyn y ffaith bod eich rhieni yn eich cefnogi. Ac i'r perwyl hwnnw, ni fydd y Llywodraethwyr yn gorfod cwrdd i drafod y mater. O ganlyniad felly, mae'r drws ar agor i chwi aros yn Ysgol Gyfun Glynrhedyn.

Do'dd hwnna ddim yn ddigon i Îfs. Arglwydd, mae e fel blydi Icarus withe!

**ÎFS**    Wel, Syr, mae hynny yn newyddion calonogol iawn. Un broblem fach sydd gyda ni o hyd.
**SHAD**    Ifan ...
**ÎFS**    Etholiadau i'r senedd a'r Prif Swyddogion ym mis Mawrth. Dywedodd Pennaeth y Chweched y gwaherddir hynny i ni oherwydd yr hyn a ddigwyddodd. Teimlo oedden ni, oherwydd ein hawydd i weithredu ar ran yr ysgol, a fyddai modd ailystyried y gwaharddiad hwnnw?

Ma'r twitsh 'ma ar ochr wyneb Shad pan yw e ar fin ffrwydro.

**SHAD**      Rwy'n siŵr, Ifan, yr ystyrir popeth yn ei dro.

Shwd gethon ni *get away* 'da hwnna! Yn yr Uned wedyn 'na le o'dd pawb rownd i ni.

**SPIKEY**    *You jammy gits.* Cael *get away* gyda fe.
**RAZ**       Spikey, ti ddim yn mynd i dympo *three of the brainiest people* yn yr ysgol wyt ti?
**SPIKEY**    Ie ond os oedd fi wedi neud e!
**PAWB**      Which you didn't.
**SPIKEY**    Stopo pigo ar fi! *They'd chuck me out on my ear!!*

Ag wrth gwrs o'dd pwynt 'da fe. Wharaeon ni'r gêm heddi. Risgi fel ag yr o'dd e. Ond y'n breins achubodd ni, ontife, a rhagrith cynhenid y Shad ac Andrew 'Mea Culpa' Bechadur. Ac mae hwnna'n annheg.

O'dd y tensiwn rhyngdda i a Llinos yn uffernol. Wy'n hollol argyhoeddiedig ei bod hi wedi colli rhywbeth ar hyd y daith. Mae'n bihafio fel slag. *God*, alla i ddim â chredu 'mod i wedi ysgrifennu hwnna. Ma' cariad newydd gyda 'i, mae'n mwynhau'r berthynas a'r rhyw a wy' yn 'y nghenfigen yn ... O, pam fi, Duw? (9"? Bolycs. Dim ond doncis sy seis 'na!)

---

## Dydd Sul, Rhagfyr 17eg

---

O diar! Mae hangofyrs, ac mae balistic hangofyrs. Parti'r chweched nithwr. Hyll. Hyll iawn. Hyll iawn, iawn. Anobeithiol ac ysbaddedigaethus o hyll. Ymhle y cychwynnir ar y daith ... "antur enbyd ydoedd hon ond Îfs a'n deil o fron i fron!!!!!"

*Now bloody then.* Ma' hwnna'n arwydd o shwd ath pethe. Ma' traddodiad yn y chweched bod pawb, *as in* pawb, yn *rat arsed* yn cyrraedd y clwb lle cynhelir yr *orgie* – sori, y parti. Ag ystyried bod Spikey dal yn edrych fel pe bai e ym mlwyddyn naw, mae mynychu tafarndai gweddol barchus ein cwm yn amhosib – wedyn rhyw dramwyo ar hyd y strydoedd cefn megis er mwyn ffindo rhywle i iro'r syched gwyllt a'n goddiweddodd. A hyn oddi wrth grŵp o gyw-oedolion nad ŷn nhw fel arfer yn mynd yn *ape* dros alcohol.

Gwenodd Spikey pan gas e fynediad i'r Brit, sef y dafarn yn Tylorstown na fydde unrhyw yfwr â pharch at ei ysgyfaint na'i ddillad yn tywyllu 'i ddrws e – ac eithrio mewn argyfwng.

**SPIKEY**　　See, bois, fi'n matiwro, nady fi?

Wedyn, o'r bagie plastig o gwmpas ein person fe dynnwyd y poteli amrywiol oedd wedi eu prynu rhag blaen! (Wel do, fe brynon ni beint yr un i dawelu'r dyfroedd ond, o olwg y bachan tu ôl y bar, do'dd dim lot o wanieth 'da fe 'sen i wedi bod yn hifed pisho. Gweud y gwir, wrth flas y lager, wy'n ame mai 'na beth o'n ni'n hifed!)

O'dd Dymps wedi clymu – ei cid iw not – deuddeg can o Stella o gwmpas ei fola gyda stribed o blaster. Ie, ond y peth anhygoel yw, do'dd dim un ohonon ni wedi sylwi ar unrhyw wahanieth ynddo fe wrth gerdded tuag at y dafarn!! Wedodd Raz,

**RAZ**　　Dymps, I think we may be developin' a weight problem?
**DYMPS**　　Ie fi'n gwybod, ond fi'n cael tonic 'da'r doctor fory i drio cael *appetite* fi nôl.

Wedyn co Billy yn tynnu potel o Malibu (ych pych, Malibu, *for God's sake*) a'i hifed e yn y papur brown dros geg y botel.

**SPIKEY**　　Hoi, Billy, fi wedi gweld alcîs yn yfed fel 'na yn Caerdydd.

Ac ateb Billy? Dala'r botel yn uwch na'i dalcen i gael y diferyn olaf.

**FI**　　Ti ddim wedi hifed potel gyfan o hwnna?

| | |
|---|---|
| **BILLY** | Os wy'n gorfod bod noson gyfan heb Kylie ma'n rhaid i fi ga'l cysur. |
| **RHIDS** | Beth am dy ddeiet? |
| **BILLY** | *Night off.* |

A wedyn, dynnodd e botel arall mas o'r bag Tesco o'dd wrth ei dra'd e!!!

| | |
|---|---|
| **BILLY** | Ar beth ŷch chi'n dishgwl? |
| **RAZ** | A sump! |

Wel erbyn i ni adael fan 'na a cherdded lawr i'r clwb nos lle o'dd y parti go iawn yn cael ei gynnal, roedd y llwnce wedi eu hiro yn weddol o loyw! Wy'n cofio mynd i barti ym mlwyddyn deg ar ôl AGI! AGI! AGI! a phawb yn dweud fel nagon nhw'n rîli lico lager ond ein bod ni gyd yn ei brynu fe jyst i gydymffurfio â'r ddelwedd! A nawr, bron i ddwy flynedd yn ddiweddarach, ŷn ni'n dal i gydymffurfio, ond sa i'n credu y'n bod ni lico'r stwff damed yn fwy!! Aeddfed iawn, ynte, blantos bach!!

Wy'n cofio'r wal o sŵn 'ma'n y'n bwrw ni. Wal, yn llythrennol. A'r gwres anhygoel yma a drewdod chwys wedi cymysgu gyda phob math o chwystrelli drewi ffein – rhyw gymysgfa od iawn rhaid dweud.

| | |
|---|---|
| **SPIKEY** | Bois, fi'n deffinitli'n mynd i pwlo heno – teimlad gyda fi yn *water* fi! |

Wy'n credu 'na beth wedodd e, achos o'ch chi'n gweld gwefuse rhywun yn symud ac yn dyfalu beth o'dd y cynnwys. Wedyn deimles i'r llaw 'ma'n 'y nhynnu i i'r llawr danso ac erbyn i fi weld – pwy o'dd 'na ond Doorbell. Falle bod ishe esboniad ar yr enw. Sdim *knockers* gyda 'i felly '*door bell*' amdani!! Ond er gwaetha absenoldeb swmp yn un pen o'r corff, ma' natur wyllt iawn yn corddeddu pen arall a do's **neb,** absoliwtli **neb** sy'n parchu'i hunan na'i ddyfodol yn mynd gyda 'i. Nage bod dim byd yn bod arni – mae'n ferch bert, ddymunol, ond mae'n byta dynion a bechgyn bach diniwed fel fi.

Ond, wrth gwrs, o'dd e'n rhy hwyr i wrthod. Ac achos bod tymor ewyllys da yn nesáu o'n i'n teimlo'n flin dros fy nghyd-fenyw megis. Mistêc! Ma' fersiwn Doorbell o ddanso rhywbeth tebyg i seremoni paru ci a gast – joined at the hip!! Wy'n cofio ei hips yn gwthio'u ffordd mewn i'n hips hi a'i dwy law hi'n cwpanu 'nhin i. Fel wedes i, ofer siarad, so dries i 'ngore i symud bant. Onest, do'n i ddim yn whilo am unrhyw hasl o unrhyw fath. *No way!* Fel dou G clamp, o'dd ei dwylo hi nôl a'i hwyneb hi'n beryglus o agos at y'n wyneb i. Ag o'dd pethe yn dechre symud yn y dirgel leoedd! Wel, dynol yw pawb! Newidiodd y miwsig yn ddisymwth wedyn ag o'dd Raz 'na yn gwthio Doorbell mas o'r ffordd 'da'i bola.

RAZ        Sgiws mî, lyf. 'E's promised this one to me – outside.

Ath Raz â fi mas i'r feranda sydd yn y clwb.

RAZ        Ti'n olreit, wyt ti? Danso 'da hi?
FI         Raz, nage fi nath y danso onest!
RAZ        'Na gyd mae'n siarad abythdi yn ysgol ers i ti a Llinos gwpla yw ei bod hi'n mynd i dy ga'l di. *Ger a grip*, Rhys, ti'n cael dy seto lan.
FI         Wy'n gwbod, Raz. Onest. Wy' yn gwbod. Sa i'n mynd i ga'l 'y nala.
RAZ        Well ti beidio, bachgen, neu bydd Sharon yn hawnto ti!

A rhoies i gusan i Raz annwyl i ddiolch iddi. Mae fel mam i ni gyd. A'r gorffoleth i fynd gyda'r ddelwedd.

Nôl mewn, ag erbyn hyn o'dd pob bachgen ar y llawr wedi tynnu eu cryse oherwydd y gwres. Pawb yn hanner pyrcs ar y llawr danso fel cynrhon yn gweu trwy'i gilydd. Ond y cysur mawr o'dd nagodd pobl yn danso gyda'i gilydd, jyst yn sort o ddanso felly, o'n i'n saff nagon i? Rong! Ymunes i 'da'r criw a jyst fel o'n i'n gwitho chwys, 'na le weles i Dong a Llinos yn snogo yn y gornel fel pe bai eu dyfodol yn dibynnu ar sawl llathen o dafod gallen nhw ga'l lawr llwnce 'i gilydd. O diar. Dyma'r hen dymer Gwyddelig yn dechre tanio pan ddath Doorbell heibio a'r tro 'ma fi o'dd moyn danso 'da hi.

Wy' dal ddim yn gwbod shwd bennon ni mas yn y gwli, sef y lôn fach gefn sy'n cefnu ar y clwb, ond erbyn 'ny o'dd hi yn erbyn y wal a ni'n dou ar fin cyflawni yr hyn a elwir gan Shakespeare yn 'weithred y nos' neu, fel y'i gelwir yn ddelicet yn y cwm, *Knee trembler*. Yng nghanol y gwylltineb anifeilaidd yna yr unig beth wy'n browd ohono fe yw 'mod i wedi mynnu defnyddio condom. Wel o'n i ar fin defnyddio condom pan dda'th llais Îfs ar y'n traws yn galw amdana i. A dath bach o sens trwy niwl yr alcohol.

| | |
|---|---|
| **DOORBELL** | Where you goin'? |
| **FI** | Sa i moyn neud e. |
| **DOORBELL** | You gorrw be kiddin – *wy' yn!* |
| **FI** | Sori, o'dd e'n fistêc. Sori. |

A dechreues i gerdded bant yn trio tacluso'n hunan.

| | |
|---|---|
| **DOORBELL** | Oi!! You can't get my juices flowin' and leave it at that! You prick teaser! |

O diar, o'dd hi mor grac. O'n i wedi cwpla gwishgo o ryw fath pan gyrhaeddes i at Îfs a gofynnes i iddo fe os o'dd e'n barod i fynd achos do'dd dim bwriad gyda fi i aros eiliad yn hwy. Yn anffodus o'dd Spikey wedi colapso arnon ni so o'dd ishe 'i gario fe mas. Ond 'na fe, dou beint a ma' Spikey'n colapso. Ac ar ôl i ni ei drosglwyddo fe i ofal tyner ei fam …

| | |
|---|---|
| **MAM SPIKEY** | Spikey! Wait till your father comes round from his hangover, e'll bloody 'ammer you. Thank you, boys. Good night now. |

Fe gerddes i ag Îfs am ache. Tawelwch llethol i ddechre. Wedyn, fi'n dechre siarad.

| FI | Safiest ti fi jyst mewn pryd gynne. |
|---|---|
| ÎFS | Rhag beth? |
| FI | Bod yn *embarassed* yn ysgol dydd Llun. |
| ÎFS | Wediff hi rhyw gelwydd amdanot ti. |

*Saib*

| ÎFS | O't ti moyn ca'l dy achub? |
|---|---|

Godes i'n ysgwydde.

| FI | Sa i'n gwbod, Îfs. Sa i'n siŵr ar bwy blaned o'n i heno. Alcohol neu chwant? |
|---|---|
| ÎFS | Ma'r ddou 'da'i gilydd yn goctêl uffernol o beryglus, weden i! |
| FI | Ti wedodd. Gweld Dong a Llinos sbarcodd e. |
| ÎFS | O'dd hwnna'n amlwg. Nage grabo Doorbell wnest ti – 'i boddi ddi! |
| FI | O, *God*! Nagon i'n sylweddoli 'mod i'n berson fel 'na. |
| ÎFS | Cenfigennus? |
| FI | Ie, ond mor wyllt â 'na ti'n gwbod. Oni bai dy fod ti wedi dod mas i weiddi arna i, bydden i wedi 'i shago ddi ti'n gwbod. |
| ÎFS | Sori 'mod i wedi ymyrryd! |
| FI | Na na! Dim o gwbl, Îfs, wy'n diolch i ti. 'Na'r holl bwynt nage fe? Chwant pur o'dd hwnna heno – nage angen. |
| ÎFS | *Bit* o'r Gwilym Brewys *and* Siwan *show!!* |
| FI | *God*. Wy'n teimlo'n frwnt. |
| ÎFS | Shytyp. Tase fe wedi digwydd dim ond 'rhyw' bydde fe! Nage anrheithio'r Turin Shroud! |
| FI | Ond ti byth yn ca'l dy hunan mewn i sefyllfaoedd fel 'na. |
| ÎFS | Achos wy'n dewis peidio. |
| FI | Ie'n gwmws. Ti mewn *control*. |
| ÎFS | Nage o ddewis drwy'r amser. |

A 'na gyd wedodd e. Ma' rhyw dinc yn llais Îfs weithie sy'n gweud 'diolch yn fawr, 'na ddiwedd ar y sgwrs 'ma'. A hwnna o'dd diwedd y sgwrs 'na. A nawr ma' ysgol yfory a wy'n siŵr bydd y byd a'i frawd wedi cael fersiwn ddiddorol Doorbell i lafoerio drosti. Wel, twll iddi! Wy'n gwbod yn wahanol.

---

## Dydd Llun, Rhagfyr 18fed

---

Doorbell yn absennol. Billy mewn trawma. Ma' sibrydion hyll yn cerdded yr ysgol bod Kylie wedi ei gweld yn snogo gyda rhyw fachgen o flwyddyn 8!!!! Anhygoel os yw e'n wir. Ma' hi ym mlwyddyn 10! Do'dd hi ddim yn ysgol heddi, a do'dd neb yn ateb y ffôn pan ffonodd Billy hi. Ma' fe'n becso. Bach o densiwn yn tŷ ni o achos yr achos llys dydd Sadwrn – ma' nhw'n 'i gynnal e dydd Sadwrn er mwyn clirio'r *backlog* cyn Dolig. O, diolch yn fawr, ynadon perffaith. Ystyriol iawn ohonoch chi!!

---

## Dydd Iau, Rhagfyr 21ain

---

Wot ê shiti diwedd tymor! Doorbell dal yn absennol – dim sôn o gwbl. Llinos ffili edrych arna i. Sa i'n ei beio hi. Ond ma' Billy! O diar, diar diar. O'dd cwymp yr Ymerodraeth Rufeinig yn achos tristwch i Gesar, o'dd carcharu Saunders Lewis, D. J. a Lewis Valentine yn warth i Gymru! Ond, Billy. O diar!

Amser cinio dath Spikey, Rhids, Dumps a Raz â dwy rôl salad i Billy.

| | |
|---|---|
| **BILLY** | Wy'n mynd i'r ffreutur i nôl cino. |
| **SPIKEY** | Na, Billy, ni'n dod â hwn yn sbesial i ti. |
| **BILLY** | Spikey, wy'n gwbod beth ti'n trio neud. Stopo fi siarad â Kylie. Ond ma'r stori ma'n gelwydd a wy'n mynd i siarad gyda 'i. |
| **RHIDS** | Billy, plîs, cymryd ein cyngor ni fel ffrindiau. |

Ddat woz it. O'dd e bant fel llychedyn, fel 'se tân yn ei din e, a'r gang o ffrindiau hyd yn oed Llinos de-Dong ar ei ôl e. Ma' Spikey yn symud yn gynt na fe a jyst cyn mynd mewn i'r ffreutur sefodd e o'i fla'n e.

**SPIKEY**      Ti ddim yn mynd mewn man 'na, Bill!

Ond peidied neb â dod rhwng bola Billy a gwrthrych ei serch! A 'na le o'dd hi, Kylie, yng nghornel bella'r llwyfan gyda'r *gob shite* ffiaidd 'ma o flwyddyn 8 sy'n amlwg yn perthyn i Dong o safbwynt ei seis a'i ddatblygiad cynnar fel *love machine*, yn rhoi'r *toungin'* mwya aflednais i'w gilydd gyda chynulleidfa fach yn dala uchelwydd dros 'u penne nhw. O'n i'n teimlo mor flin dros Billy. Ag o'dd e mor dyner.

**BILLY**      Kylie.

Edrychiad …

**BILLY**      Christmas kiss, ife?

Chwerthiniad …

**KYLIE**      Get real, fatty!

A gerddodd hi o 'na. O'n i'n meddwl bod Spikey yn mynd i ladd y twat bach ond dalodd Dymps e nôl.

**DYMPS**      All in good time, Spikey.

Pan drodd Billy rownd aton ni, o'dd e'n llefen. O *God*, sa i moyn gweld hwnna eto. Dagre jyst yn bownso lawr ei foche fe. Ath Raz ato fe'n syth a rhoi anferth o gwtsh iddo fe.

**BILLY**      Ond Raz, wy'n dwlu arni!
**RAZ**      Dyw hi ddim yn dy haeddu di, Bill.

Wel, Dolig ffrigin hapus i bawb, ontife!!! Nagon i'n gallu

credu'r holl sefyllfa! Peth nesa, ma' Dymps yn glanio gyda phlated o *chips* o'r hatsh fydde wedi bwydo teulu cyfan yn yr Irish Potato Famine a *fish!*

**DYMPS**     Der mla'n, Bill, cael bach o *order* nôl yn dy fywyd.

Ond ffilodd e. Cerddodd e bant i fod ar 'i ben ei hunan. Shwd Ddolig ma'r pwâr dab 'na'n mynd i ga'l nawr 'te? Blydi hel, ma' merched yn gallu bod yn gymaint o … Gad hi, Rhys!

---

## Dydd Sadwrn, Rhagfyr 23ain

---

Tri chan punt o ddirwy a chostau o £80 yr un i ni gyd. Nadolig bastard hapus i bawb a blwyddyn newydd ffrigin dda i Ynadon Cymru!

---

## Dydd Sul, Ionawr 7ed

---

Ysgol drennydd. Athrawon yn dal i 'baratoi'. Ha! *Like hell!* Yfed coffi a chwyno bod y gwylie drosodd. O ych!! Newydd sylweddoli. Gwyliau drosodd! Wy' wedi bod yn cuddio yn y tŷ i bob pwrpas ers pythefnos. Stiwpid on'dyw e? Lot wedi ffono a gofyn i fi fynd mas, ond do'n i jyst ddim ishe wynebu neb. Sa i'n gwbod beth o'dd e. Es i ddim mas hyd yn oed nos Calan! Yfes i ddim nos Calan. Man a man pe na bawn i'n bod!

Wy'n gwbod beth yw e. Parti Nadolig y chweched a Doorbell. Nid fi o'dd hwnna. Nage 'na'r person odw i. A wy' jyst wedi bod yn pendroni a phendroni pwy ydw i 'te? O's cymeriad tebyg i Jekyll and Hyde tu fewn i ni gyd? Achos ma' fe'n sgero'r pants off fi! Nawr dyw Dad ddim wedi bod yn sant trwy'i fywyd a dweud y lleiaf. Rock and Roll etc! O's ishe gweud mwy! Ma' Mam, er ei pharchusrwydd ym-ddangosiadol nawr … wel, ei chenhedleth hi o'dd y gynta i ga'l cysur y bilsen. A ma' beth dyw Gu **ddim** yn 'i weud am fagwreth y tridege yn fwy dadlennol na'r hyn mae **yn** 'i weud!

So mae'n amlwg bod gorffennol gyda phawb, a ma'r hyn ni'n ei weld heddi yn amherthnasol i'r hyn oedden nhw. Ond pwy odw i?

Ma' Sêra yn biwtiffwl nawr. Mae dal heb ga'l ei mislif cynta, a ma' Mam a Dad wedi bod mor wych gyda 'i – tyns o lyfre ac esboniade. Mae wir yn edrych mla'n ato fe fel 'digwyddiad'. Ni'n mynd i ga'l parti fel teulu. A ma' hwnna i gyd yn wych. Ond bydd y newidiade hiwj sy'n mynd i ddod i'w rhan hi ... wel, ma' nhw'n fynyddig, on'dŷn nhw? A rywbryd, pan fydda i'n graddio, bydd rhywun yn trin Sêra fel o'n i'n trin Doorbell cwpwl o wythnose nôl, ac ar y funud ma' hwnna 'dŵo 'ead fi mewn llawer iawn'! A'r ateb? Bod yn fynach a cha'l gwared ar nwydau ac emosiynau yr hil ddynol. Call iawn, Rhys. Shwd ma' Billy? Uffernol mae'n debyg. Rhyw si hyfryd ar led bod Dong a Llinos wedi gorffen. Dalodd hi fe 'da rhywun arall. Sioc a hylltod! O nabod Dong, y ddafad yn ei ardd! O, sa i'n gwbod. EI DŴ NOT LEIC GROIN HYP!!!!!

---

## Dydd Mawrth, Ionawr 9fed

---

Ma' Llinos wedi cwpla gyda fe, ac mae'n edrych yn ddiflas. *Good!* Ma' Billy wedi magu stôn dros y gwylie. Cid iw not. Stôn. Raz hanner stôn ond y wobr gyntaf i Dumps – stôn a hanner! Ma' fe'n mynd i fyrsto.

A bore 'ma, ma' brwdfrydedd ffug y penaethiaid llys yn ein hannog i ddechre ar waith eisteddfod yn syth. Ma'r ysgol yn cael yr eisteddfod cyn hanner tymor, jyst cyn i flwyddyn saith plys swyddogion dreulio'r penwythnos yn Llangrannog. *I don't give a monkey's* am yr eisteddfod – a wy' hefyd yn is-bennaeth llys! Hynny yw, job 'sneb arall moyn rîli, wedyn ma' nhw'n dympo fe ar wirfoddolwyr!

---

## Dydd Mercher, Ionawr 10fed

---

Mudandod.

## Dydd Iau, Ionawr 11eg

Mudandod mwy.

## Dydd Gwener, Ionawr 12fed

Beth yw'r pwynt gwneud dim?

## Dydd Llun, Ionawr 22ain

Mae fy nigalondid drosodd. Wy'n siŵr 'mod i wedi bod yn dioddef o *depression*. Ond ma' fe drosodd.

Dim rheswm gweud y gwir. Snapes i mas ohono fe nithwr. Es i i'r gawod 'da bar o sebon!!! A 'na'r tro cynta ers wythnose, y tro cyntaf ers bod 'da Doorbell, wy' wedi ishe meddwl am ryw. Ag o'dd e'n stoncin. A wy'n twmlo'n well a dwy' ddim yn teimlo'n euog amdani hi. Mae'n pallu edrych arna i yn yr ysgol a ma' Raz wedi gweud taw *'playing hard to get'* ma' hi. Wel, chwarae-ed cyn galeted ag y mae'n dewis, mae'r bachgen yma yn whilo am gariad nid serch! Beth yw'r pwynt os chi'n teimlo'n euog amdano fe? A wy'n gwbod gallen i ddod yn gyfarwydd â chuddio 'nghydwybod. Diawl erio'd, ar un adeg o'n i'n ca'l *guilt trip* pan o'n i'n dair ar ddeg achos 'mod i'n hunan-leddfu (fersiwn posh o ddweud 'help llaw'!!!!!). Ond dim rhagor o ddwli fel 'na. O hyn mlaen, os wy'n cael rhyw gyda rhywun, fe fydd e'n digwydd achos 'mod i'n ei pharchu hi ac yn teimlo rhywbeth drosti. *My name is not Dong!*

## Dydd Sul, Ionawr 28ain

'Sdim ysgol wedi bod ers dydd Llun diwetha achos yr eira! Briliant! So wy' wedi bod gartre a Sêra, er ma' Dad, pŵar dab, wedi gorfod trio mynd i'r gwaith. Halodd y pwll Land Rover i fynd â fe mewn.

| MAM-GU | Hell, Deryck, you must be awful important for them to send a Rolls Rover to get you. |
|--------|-----------------------------------------------------------------------------------|
| DAD | Land Rover, Muriel. |
| MAM-GU | I knew it was belonging somewhere. |
| DAD | Men need a captain on the bridge, don't they? |
| MAM-GU | Not on the Titanic they didn't! |

Ma' nhw fel *double act*. Ma' Gu wedi dechre rhoi decpunt yr wythnos i fi dalu'r ddirwy ar yr amod nagw i'n gweud dim wrth Mam. Ma' Dad hefyd yn rhoi decpunt yr wythnos i fi ar yr amod nagw i'n gweud wrth Mam! Ond sa i'n un i gymryd mantes – wy'n safio pum punt yr un oddi wrthyn nhw a wy'n mynd i'w roi e nôl ar ddiwedd cyfnod y talu. Ma'r llys wedi caniatáu i ni dalu fe off ddecpunt yr wythnos! Am ddou ddiwrnod do'dd dim ffôns yn gwitho hyd yn oed – so 'na gyd nath Sêra a fi o'dd whare adeiladu dynion eira a geme bwrdd. Wy' rîli wedi enjoio'n hunan. Dim pwysau o gwbwl ag achos bod yr eira wedi dod mor ddisymwth, dim gwaith wedi'i osod!

Pam odw i'n teimlo mwy o bwysau nag erioed i gyd-ymffurfio gyda norm y chweched – a do'n i ddim yn 'i deimlo fe ym mlwyddyn deg? Wel 'na un peth, bydd yr athrawon yn gorfod canslo steddfod yr ysgol nawr – ni wedi colli wythnos o ymarfer.

---

## Dydd Llun, Ionawr 29ain

Tîchyrs yn mental!

---

## Dydd Mercher, Ionawr 31ain

Mae bywyd gyda fi, ond mae cofnodi dim byd amdano fe ar hyn o bryd mor annhebygol â 'nhad yn pleidleisio i'r Ceidwadwyr.

Mae'r eisteddfod yn mynd rhagddi acha blydi rât! Ymarferion bore fel arfer, bob amser cino, egwyl ac unrhyw eiliad sbâr hefyd ar ôl ysgol. Ma' Miss Esyllt 'Blodeuwedd was a slag' ap Einion wedi gosod tri thraethawd oherwydd y tywydd! Ma' Dom 'I'm So Good Looking I don't want to *sylwi ar* it' Criws wedi rhoi *chunk* o 'Streetcar Named Desire' i ni ddysgu fydde'n brawf ar gof eliffant. Mae Spikey yn spino fel top o'r herwydd ac, am y tro cyntaf ers ache, wy'n teimlo'n weddol fodlon fy myd so mae'n rhaid bod *sledge hammer* rownd y gornel yn aros i roi un ar 'y nhalcen, *as is life*, ife! A ma' llys Kitchener Davies yn mynd i ennill y steddfod 'ma os oes rhaid i fi wpo pawb ar y llwyfan 'na 'da *phitch fork!!!!*

## Dydd Llun, Chwefror 5ed

Ma' Dom 'Who is Brad Pitt?' Criws wedi mynd yn balistic. Ma' fe wedi rhedeg o gwmpas yr ysgol yn mynd yn absoliwtli *apeshit*.

Chi'n cofio fi'n gweud bod rhyw flôc o Lundain wedi dod i'n gweld ni'n perfformio Senghennydd fis Medi diwetha? Wel, ffonodd y rhagddywededig flôc yma heddi, ag o'dd e fod i ffono diwedd tymor diwetha, so o'dd yr hen Ddom wedi rhoi'r ffidil yn y to o safbwynt gobeithio, ynte, ond na, gwrandewch! Mae'n hannwyl ysgol, ein hannwyl adran ddrama a'n hannwyl gast (wel, dim mwy na hanner cant o'r cast gwreiddiol) wedi cael eu dewis i fynd i lwyfan y National Theatre yn Llundain i berfformio!! AYE!! Grêt, nagyw e?

| | |
|---|---|
| **SPIKEY** | What? Perfformio yn Cymraeg yn Chllundain? |
| **DOM CRIWS** | Ie. Cynrychioli'n gwlad a'n hiaith ym mhrifddinas Lloegr! |
| **RAZ** | Hei cŵl 'ead nawr, *Sir*. Chi'n mynd i gael strôc os chi'n cario mlaen fel hyn, myn. |

Dath y Shad mewn i'r stiwdio ddrama wedyn a'n bôro ni am ddeng munud yn sôn am ei fywyd colegol dramatig ef. Ma'n rhaid 'i fod e'n rhan o gytundeb unrhyw brifathro ei fod e'n gorfod bod yn *boring old git* am o leia rhan o'r dydd, bob dydd. Wel, o'dd Mam-gu a Dad a Mam heno!

| | |
|---|---|
| **DAD** | Reit, when is it, *mab?* I'm bookin' 'olidays now. |
| **FI** | Beginnin' of May, Dad. |
| **MAM-GU** | O lovely! Spring in Paris. |
| **DAD** | London, Muriel |
| **MAM-GU** | Foreign, init? |
| **DAD** | Can't argue. |
| **MAM** | I'll have to have a new outfit. |
| **MAM-GU** | Shall I ask Clive? |
| **DAD** | You can't share a bedroom in an hotel with a man you hardly know, gyl! |
| **MAM-GU** | Say you don't know, Deryck! |

Dyw e ddim cweit wedi sinco mewn eto. Ni, ysgol Gymraeg yn mynd i actio yn Gymraeg yn Llundain i ddeuddeg cant o bobl na fydd yn deall beth ŷn ni'n gweud? CŴL!!!!!

---

## Dydd Mawrth, Chwefror 6ed

Ma'n llys i'n crap eleni. Ma' mwy o frwdfrydedd 'da Billy, Raz a Dymps i fyta bwyd saladaidd organig na sy' gyda'r lot 'ma. O'n i mor bolshi yn y gwasanaeth llys bore 'ma!

Pwynt yw ma' Spikey yn pôso nagos diddordeb 'da fe, a wy'n gwbod nawr, dou ddiwrnod cyn yr eisteddfod bydd e'n beio pawb a phob un ar wahân iddo fe'i hunan. Ond wy' jyst â bosto ishe i ni ennill eleni – pe baem ... (o, jiw, yr hen amser amodol ynte!) ... tair buddugoliaeth yn ddilynol! Ac os ydw i'n ddigon lwcus i gael prif swyddogaeth cyn diwedd y tymor yma – wel, fydden i ffili bod yn gapten llys hefyd. Reit, ma'r diawled yn mynd i ga'l roced arall lan 'u tine fory. Wy'n diflannu i'r cysegr sancteiddiolaf nawr – cystadlaethau ishe eu trio!

---

## Dydd Gwener, Chwefror 9fed

Ma' nhw'n dechre siapo 'u stwmps! Wthnos dda. Llangrannog dros yr hanner tymor 'da lyflis blwyddyn saith! Wy'n cal 'y ngwers yrru gynta fory – gyda Dad! *There'll be blood!* Ac wythnos ar ôl Llangrannog ni'n gorfod paratoi ein hareithiau ni os odyn ni'n bwriadu trio am y brif swyddogeth.

Siŵr mai hon yw'r unig ysgol yng Nghymru sy'n cyfnewid prif swyddogion ym mis Mawrth, ond teimlad y Shad yw "bod yn rhaid i'r chweched ucha ga'l 'u traed yn rhydd i adolygu'n drwyadl er mwyn rhedeg yr yrfa arholiadol sydd o'u blaen". Fel wedodd Spikey, "why'n 'e talk ordinary Cymraeg?". Hynny yw, ma' nhw'n rilacso o holl gyfrifoldebau 'u bywyd tan bythefnos cyn y lefel A, wedyn ma' nhw'n dechre gwitho. Get rîal, ddyn! Îfs yn dweud 'i fod e'n trio am y gader eleni – nath e ddim llynedd. Wel, os gaiff e lwc, 'na hanner cant o farcie'n streit i'r llys! Dymps yn becso ddo' – mae' i fam e wedi bygwth 'i roi e ar ddeiet achos mae wedi blino prynu trowsuse newydd iddo fe bob dou fish.

| | |
|---|---|
| **DYMPS** | *Aye,* chi'n gallu chwerthin os chi eisiau. |
| **RHIDS** | Meddwl amdanot ti mae hi, Dymps. |
| **DYMPS** | *Arse,* Rhidian. Oedd Duw wedi gwneud fi fel hyn. Marks and Spencers gallu neud trowsus i fi. |
| **RAZ** | Pwy wedodd Marks and Spencer – *my favourite place.* Breuddwyd fi yw cael 'y nghloi mewn 'na trwy'r nos yn y *food section.* |
| **SPIKEY** | *Sad bastards.* |
| **RAZ** | Wwww!!!! A beth yw dy freuddwyd di 'te, Spikey? Apart from what we know of course – a bottle of baby oil and a year's supply of porn! |
| **SPIKEY** | Mae mwy i fywyd, Rhiannydd! |

A gerddodd Spikey mas o'r Uned mewn rhyw fath o hyff! Rîli wiyrd 'i fod e wedi galw neb wrth eu henw iawn.

## Dydd Sadwrn, Chwefror 10fed

Wy' byth yn mynd mewn i gar 'da Dad eto. Byth, byth eto! Ma' fe'n maniac! 'Na gyd o'n i wedi neud o'dd tynnu nhro'd bant y sbardun tamed bach yn glou a nidodd y car.

| **DAD** | For fuck's sake, watch what you're doin', myn! |
| **FI** | Dad, you swore! |
| **DAD** | I didn't. |
| **FI** | You did. It doesn't suit you. |
| **DAD** | O, I don't expect a bastrad swear word comes out of your mouth ever, does it? |
| **FI** | You've just done it again! |
| **DAD** | Break! *Arglwydd mawr!* Break, for fuck's sake!! |

Wel ar ôl chwarter awr o'n i wedi ca'l digon. Barces i a gerddes i bant. Wy'n gwbod. Ond wir, o'dd 'i glywed e'n rhegu fel 'na mor gwrs chi'n gwbod. Wy'n rhegu – jiawch ma' Dad ag ambell i blydi – ond o'dd yr 'f's' 'na yn y cyd-destun 'na yn gwbl anghymarus â'r Dad wy'n nabod. A sori, wel do'n i jyst ddim ishe dioddef hwnna – so nawr wy' jyst wedi ffono Îfs a ni'n mynd i gwrdd ym Mhontypridd a mynd nôl iddi dŷ fe. Mei ffaddyr!

---

## Dydd Sul, Chwefror 11eg

---

Arhoses i yn nhŷ Îfs nithwr. Gethon ni brynhawn bach yn *boring* yn Ponty – neb o gwmpas. Ethon ni nôl iddi dŷ fe, cwpwl o fideos. O'dd 'i fam a'i dad e mas mewn rhyw gino posh. Mae e **wedi** cystadlu am y gader! Gweud ei fod e'n lico'r teitl 'Y Ffin'. Wel, wy'n trio, ond do's dim tamed o bwynt i fi nawr wy'n gwbod 'i fod e'n trio. Fe yw'r bardd. Mae e mor sensitif i deimladau pawb, ac mor ystyriol. Gethon ni hiwj sgwrs am Sharon nithwr – lot lot o wherthin a chofio amdani'n bownso nôl o bob cyfyngder o'dd yn ei bywyd. Ac ar un adeg, edryches i lan ag o'dd Îfs yn llefen. Rhoies i gwtsh iddo fe a wedyn dechreues i lefen! *God,* dau ddyn ifanc un deg saith oed yn llefen! Pryd odyn ni'n mynd i dyfu lan?! Ac fe gyfaddefodd e,

| **ÎFS** | Wy'n dal i weld 'i hishe ddi, ti'n gwbod. |
| **FI** | Wy'n gwbod. A fi. Ni gyd wy'n credu. |

| | |
|---|---|
| **ÎFS** | Dwy' ddim yn siŵr os wyt ti byth yn ca'l gwared ar yr ofn yna, ti'n gwbod. |
| **FI** | Pwy ofn? |
| **ÎFS** | Yr ofn galle fe ddigwydd i ti. Y galle rhywbeth ddigwydd yn dy fywyd di fydde'n hala ti i'r un teip o gornel o'dd Sha ynddi. |
| **FI** | Ti'n teimlo fel 'na withe? |
| **ÎFS** | 'Does neb deallus a dewr na fu peidio â byw rywdro'n demtasiwn iddo.' |
| **FI** | Dychymyg Saunders Lewis yn rhoi geiriau yng ngheg Llywelyn Fawr yw hwnna. |
| **ÎFS** | Ond mawredd y peth yw 'i fod e'n mynegi profiad alle fod yn wir i ni gyd. |
| **FI** | Na. |
| **ÎFS** | Ie! Ti wedi dweud "I want to die!" ar dy gyfer lot o withe, siŵr o fod. |
| **FI** | Wel, do, ond ar 'y nghyfer o'dd 'ny. Nagon i'n 'i feddwl e. |
| **ÎFS** | Nagodd Sha whaith, ond do'dd neb 'na ar y funud dyngedfennol. |
| **FI** | Stopa rhoi *guilt trip* i dy hunan. |
| **ÎFS** | Dwy' ddim. Wir. Dwy' ddim |
| **FI** | Pryd wyt ti'n teimlo fel 'na 'te. |
| **ÎFS** | 'Ar ffin perthyn a pheidio â pherthyn<br>Ar ffin estyn am goflaid – a methu,<br>Ar ffin gwybod, ac ofni dweud.' |
| **FI** | Pa ran o'r ddrama yw honna? |
| **ÎFS** | Nage Siwan yw hi – rhan o'r gerdd wy' wedi ysgrifennu i'r gader. |
| **FI** | *God*, mae'n swno'n dda! |
| **ÎFS** | Gweddol. |

Nodweddiadol o Îfs – popeth yn weddol. O, chi wedi ennill gwobr Nobel am lenyddiaeth. "O, gweddol." Es i ddim â'r maen i'r wal a siarad â fe am beth o'dd cynnwys y gerdd, er mae'n gwbl amlwg 'i fod e'n siarad am ei hunan a'r teimladau sydd gyda fe o hyd. Wy'n ffindo fe'n anodd i ddirnad hynny – wy'n gallu gweld ei fod e'n meddwl yn ddwys, ond wy'n trio rhoi y'n hunan yn ei safle fe, a wy' ffili. Wy' ffili cymryd ei grôn e a'i wisgo fe amdana i.

O shytyp, Rhys, Mr Barddonllyd! Os o's rhywbeth gwath na bardd eilradd, bardd sy'n gwybod ei fod e'n eilradd ac yn dal i ganu yw hwnna! Hylô, rhywun wrth y drws.

### Wedyn

Dad wedi bod 'ma!!

| | |
|---|---|
| **DAD** | I want to apologise to you. |
| **FI** | What for, Dad. |
| **DAD** | Now don't start, Rhys, you know what for. For the drivin' lesson. |
| **FI** | Well I wasn't very good, was I? |
| **DAD** | No not that – for the way I spoke. |
| **FI** | O. |
| **DAD** | No you know I haven't got any hang ups about swearin' and I don't as a rule it's just that in work the air can be a bit ripe sometimes you know and there is a tendency amongst men when they are with other men for them to talk in a particular way and yesterday because there were no women there I let my tounge slip a bit. |

A hynny i gyd heb dynnu anal.

| | |
|---|---|
| **DAD** | And I'm sorry if it throwed you off your axis a bit. |
| **FI** | Just a bit, Dad. |
| **DAD** | It's your fault anyway! |
| **FI** | My fault! |
| **DAD** | Wel, you look like a man, myn! Look at you. Broth of a boy. Legs like hambones. Taller than me just about. |
| **FI** | Prap's it's me, Dad. |
| **DAD** | No no. It's not you. I was wrong. |
| **FI** | Thanks, Dad. |

| | |
|---|---|
| **DAD** | There we are, *mab*. Steddfod work coming all right? |
| **FI** | Yes not too bad at all. Can I ask you somethin', Dad. |
| **DAD** | Ask you. Can I sit down by 'ere? |
| **FI** | Yes. Thing is, Dad, you know in the pit, 'ave you got men workin' for you who are not like other men? |
| **DAD** | Well we 'aven't got women, Rhys! What do you mean, *bach*? |
| **FI** | I don't know really. Men who don't conform with what people think of them. |
| **DAD** | Well, we've got a couple with rings through their nipples. |
| **FI** | Yes! Something like that … |
| **DAD** | Rhys *bach*, I don't give a bugger what they look like. Tell you the truth, *mab*, one of the best workers we got there is Howard Woman. |
| **FI** | Woman? |
| **DAD** | Aye! Men say 'e dresses up in women's clothes. Well you know, you're old enough to have read about that kind of thing now. But I tell you this, there isn't an 'arder man, or an 'arder worker on the shift. And every man would have 'im as 'is butty in the face if they 'ad to. |
| **FI** | Does 'e ever talk about it? |
| **DAD** | O, Good God Almighty, no. That's private, init. But none of the boys will let anyone say a word about him. Or there'd be an 'ell of a fight. Why you askin'? Somebody you know like that? |
| **FI** | No. Got an essay to do on 'The difference between us'. Trying to think of an angle that's all. Thanks, Dad. |
| **DAD** | Oreit, *mab*. I will now leave you to create that masterpiece of literary genius which will let me bask in your reflected glory – the chair. Dy, *mab*, if you brought that 'ome 'ere, I tell you what … |
| **FI** | Dad. No chance. |

| | |
|---|---|
| **DAD** | First prize for singin' then? |
| **FI** | Good night, Dad! |
| **DAD** | Nos da, mab. |

Ma' fe'n grêt. A licen i ennill rhywbeth yn yr eisteddfod iddo fe, ond dyw e jyst ddim yndda i – ma' cymint o bobl gwell na fi. Wy'n siŵr bod Dad wedi neud rhywbeth gyda'r Free Wales Army pan o'dd e'n iau ac yn wylltach. Ma' rhywbeth 'na ond wy'n ffili lân â'i gael e na Mam na Gu i siarad am y peth! Mmm!!

---

## Dydd Llun, Chwefror 12fed – Dydd Iau, Chwefror 15fed

Wedi bod mewn orbit ers pedwar diwrnod – steddfod fory. 'Sdim llais 'da fi. 'Sdim sens 'da fi a ma' Llangrannog 'da blwyddyn saith yn syth ar ôl steddfod. Ma' Sêra fel ceit llwyr achos yr eisteddfod a Llangrannog. Ma' Gu yn bygwth dod lawr i *West Wales* am y *week-end* 'da Clive os bydd ei bola hi'n well. *God forbid!!!* A *basically* dwy' ddim yn cael amser i gachu a wy'n hapus.

---

## Dydd Mercher, Chwefror 21ain

Enillodd y llys am y drydedd waith! Enillodd Îfs y gader! Ni nôl o Langrannog ers dydd Llun, ond rhwng cysgu a thrio gwella o donsilitis a chopo gydag asennau sy'n brifo cymint achos y wherthin wy' wedi neud ...!

Wot an amêzin penwythnos! Ble i ddechre? Wel, steddfod. As *predicted*, Spikey a phawb tebyg iddo fe yn difaru peidio dechrau gweithio'n gynt ac yn ystod y pedwar diwrnod diwetha yn trio dysgu geiriau pob cân a phob darn adrodd. Uchafbwyntiau o'dd tîm Dawnsio Gwerin y llys gyda Raz, Billy a Dymps yn dawnsio. Onest tw God, ar un adeg o'n i'n meddwl bod y llwyfan yn gwegian! Ond pan enillodd y tîm ath Raz lan at y beirniad – rhywun o'r enw Cliff Jones sy'n hyfforddi tîm o'r enw dawnswyr Nantgarw o Bontypridd – a'i gusanu fe! Yng nghanol y neuadd!

Pan gododd Îfs i'r gader, ath pawb yn hollol *ape* ac ers i Sharon ennill y côr ym mlwyddyn deg, ma fe'n draddodiad ein bod ni'n rhoi ein holl ymdrech i gadw'r cwpan 'na bob blwyddyn. *And we did!!* Ffanblyditastig. I lyf sgŵl pan yw hi fel hyn. O'dd y bysus i Langrannog tu fas gatiau'r ysgol i ni am hanner awr wedi tri. Dom 'Nid drama yw Pobl y Cwm ond creisis,' Criws ac Esyllt 'I am Syr Ifan ab Owen Edwards in drag' ap Einion o'dd yr arweinyddion gydag Achtwng (ie mae'n dal 'ma – ond nagyn ni byth yn ei gweld hi nawr achos dŷn ni ddim yn gwneud Ffrangeg), ac eraill hefyd.

Bai Spikey o'dd e 'i fod e'n sefyll ar stepen y bws pan redodd blwyddyn saith i'w seddau – achos, whare teg, o'n nhw tamed bach yn ecsited ar ôl yr eisteddfod. Ond, diolch i'r drefen, doedd dim esgyrn wedi torri!

| | |
|---|---|
| **SPIKEY** | *Tossers!* Fi'n mynd i cael nhw nôl lawr 'na. |
| **DOM** | O'r gorau, chweched. Cymysgwch 'da'r plant, os gwelwch yn dda, nid pawb i gasglu yn y sedd gefn. |
| **RAZ** | *Sir*, fi yn y sedd gefn gyda chi – *anytime!* |

A wedyn sibrydodd Raz yn 'y nghlust i,

| | |
|---|---|
| **RAZ** | Rhys, *I would even go on a diet for him.* Blydi lyfli! |

Stopo ym Mhont Abraham. Wrth y til, o'dd plat Dymps yn gorlifo o *chips*, sosejys etc. Whech punt!

| | |
|---|---|
| **DYMPS** | Bargen! |
| **MENYW WRTH Y TIL** | Diolch. |
| **SPIKEY** | Hoi, chi'n siarad Cymraeg. |
| **MENYW WRTH Y TIL** | Odw i, bach. A ti? |
| **SPIKEY** | Ond chi dim ond gweithio wrth y til. *How* |

*come* chi'n siarad Cymraeg a dim ond gweithio wrth y til?

**MENYW**
**WRTH Y TIL**    Sori, bach, sa i 'da chi nawr?

**SPIKEY**    Chi cael gradd Gymraeg neu *somethin'* a chi methu cael gwaith so chi gorfod neud hwn?

**MENYW**
**WRTH Y TIL**    Am beth ma' hwn yn siarad, gwedwch?

**FI**    Der mla'n, Spikey, ma' pawb yn ciwo lan tu ôl i ti.

Pan ethon ni i ishte wedyn o'dd yr olwg pysld 'na'n dal ar wyneb Spikey.

**SPIKEY**    Rhys, fi ddim gero hwn. Dau fys drifer sy'n siarad Cymraeg, menyw tu ôl y til yn siarad Cymraeg. *How come* bod *ordinary* pobl yn siarad Cymraeg? Neb *ordinary* yn siarad Cymraeg lle ni'n byw!

**FI**    Wel o's, wy'n nabod tri yn Pioneer Porth sy'n siarad Cymraeg.

**SPIKEY**    Ie, ond nhw wedi bod i ysgol ni. Nhw ddim yn *ordinary*, odyn nhw?

Beth o'dd Spikey ffili deall o'dd bod y Gymraeg yn iaith fyw mewn rhannau o Gymru i'r graddau bod *'ordinary pobl'* yn 'i siarad hi gyda balchter. Ond fe ddysgiff. O'dd y siwrne yn weddol ddidramgwydd am sbel, nes i Damien '666' (ddy cheild iz e monstyr mewn gwirionedd) ddechre chwythu 'balŵns' i fyny a'u taflu nhw o gwmpas y bws! Ffaith taw condoms o'dd y diawl bach wedi'u prynu yn nhai bach Pont Abraham yn newid lliw Achtwng, a dweud y lleiaf!

**RAZ**    Spikey! Ti'n gobeithio am benwythnos prysur neu beth!

Dou blentyn yn sic cyn cyrraedd Castellnewydd Emlyn ...

**SPIKEY**     Hei, bois, who's Emlyn?

... a phawb yn canu pob cân eisteddfodol drosodd a throsodd a thro. Cyrraedd y gwersyll erbyn hanner awr wedi chwech a Dom a Miss yn ein rhannu ni i'n stafelloedd cysgu – swyddogion gyda'r plant! Diolch, Syr!

**RAZ**     Nawr, *Sir*, os chi'n oer yn y nos, chi'n gwybod ble fi yn!

A whare teg i Dom, dim blinc oddi wrtho fe. Miss Esyllt 'Tafod y Ddraig is my middle name' ap Einion yn cysuro rhyw gid bach o'dd â hiraeth i fynd gartre a Dong yn dweud, jyst ddim yn ddigon hyglyw, diolch i'r drefen,

**DONG**     *She can* cwtsho *me* unrhyw bryd *she* eisiau.

A Llinos yn rîli bitshi,

**LLINOS**     Wy'n credu bydde'n well gyda 'i bilo ei thin yn amrwd ag ishte mewn bath o finegr !

O, hyfryd ddydd i weld yr hen gariadon gynt yn cwmpo mas!! Diolch, Duw.
Odych chi wedi bod yn Llangrannog yn ddiweddar! Anhygoel! Ma' fe fel gwesty! Nagon i wedi bod 'na ers pum mlynedd ond mae'r lle yn hollol stonc, bwyd ffantastig a'r ystafelloedd gwely! Wel!!!!!! Cael y'n rhannu wedyn i'r amryfal weithgareddau ... y pwll, sglefrolio ac ati a'r trampolîn! Ie, chi'n iawn! Chwychi a gesasoch beth a ddigwyddasodd!!!!! Penderfynodd Raz mai ei phriod waith hi o'dd dangos i blant Cymru bod y trampolîn yn hollol ddiogel. O, Arglwydd Mawr y Trugareddau Maith, ys gwedodd Mam-gu. O'dd gweld y corff 'ma, y mynydd o gorff 'ma'n hedfan drwy'r awyr fel gweld planed yn hedfan trwy'r gofod:

**RAZ**     *I've gone blind! I can see.* Fi'n dall. Fi'n gallu gweld. Mae'n o'r gorau. Dim ond bŵbs fi o'dd e!

Wherthin! A bydde popeth wedi bod yn iawn, ond wedyn penderfynodd Dymps ymuno gyda 'i i weld a allen nhw fynd naill ben a'r llall i'r trampolîn (druan bach o'r trampolîn – ma'n rhaid bo 34 stôn arno fe erbyn hyn) i weld a fydden nhw'n gallu bownso'i gilydd lan a lawr. Penwythnos blwyddyn saith! Fforget ti! Wel fe fownsodd Dymps ac yn ei thro fe fownsodd Raz. Ysywaeth, aeth y ddau yn rhy agos i ddibyn eithaf y tramp, a lwc mai Dom o'dd yn sefyll y pen yna i'r tramp pan hedfanodd y comet o rychwant ei fydysawd ac nid plentyn bach, neu yng Nglangwili y buasai'r cyfryw wedi treulio ei benwythnos yn fflat fel ffroisen, chwedl Billy adeg y Cwrs Haf.

**RAZ**       O hylô, *Sir!* Diolch am roi sofft landin i fi!

A dyw e ddim yn ddyn trwchus. O'dd Dymps wedi mynd gam ymhellach ac wedi dento'r wal. Ond o'dd e'n olreit! Lan wedyn i'r pwll nofio, ag o'dd Spikey wedi dechrau whare hafog yn esgus bod yn Siarc a Billy y Morfil. Ac yn anffodus mae un crwt bach yn y flwyddyn, *yes!* Noa, yw ei enw. Wel fe gas e jip! Ond bai Spikey o'dd e yn y diwedd, wedyn all neb â beio Noa bach am dynnu bermwidas Spikey a'i adel yn dal ei wendid yng nghanol dŵr tryloyw pwll Llangrannog.

**SPIKEY**    Miss, MISS! Fi'n showo *weakness* fi fan 'yn! Helpo fi!
**MISS**      Ddrwg gin i, Spikey, dwi wedi methu 'nghontacts – gweld dim!
**BILLY**     Cweit!! Gweld dim!
**SPIKEY**    Billy, *come on,* fi methu dod allan gyda phawb yn edrych ar fi. Lendo fi tryncs ti, fi gallu cysgu ynddyn nhw wedyn.

*Bad move* ar ran Spikey, dath y biben dŵr oer mas, a rhwng cuddio'i wendid, ymladd y dŵr oer, a stopo pawb rhag chwerthin – gas e fedydd tân i Langrannog!
So'r noson gynta 'ma, o'dd pawb yn cysgu tua thri o'r gloch pan ddath cnoc ar 'y nrws i ac Îfs. Spikey ishe scêro'r cach

mas o'r plant yn ei gaban e! Pan wedon ni wrtho fe bod ysbryd yn Llangrannog ta p'un, un enwog iawn o'dd yn ymddangos yn gyson yn ei gaban e – ac na fydde'n rhaid iddo fe gyfansoddi unrhyw stori, fe nidodd e ar 'y ngwely i a mynnu aros 'na drwy'r nos.

Uchafbwynt dydd Sadwrn o'dd Raz. Nawr sa i'n gwbod os ŷch chi wedi bod yn Llangrannog ond tua naw i ddeg milltir i ffwrdd (wel, na, rhyw whech milltir a dweud y gwir), ma'r pentref yma, wel na, ma'r ddau dŷ 'ma a elwir yn Cwmtudu. Ac am ryw reswm cwbl annelwig i'r byd a'i frawd, ma' obsesiwn gydag athrawon Cymraeg i ishe cerdded!

| | |
|---|---|
| **MISS** | Os 'di plant yn cerdded maen nhw'n siarad! |
| **RAZ** | Fi ddim, Miss! Fi rhy bisi'n trio breatho! *Anyway,* Miss, mae *hill!* Mae *mountain and one hell of a hill.* |
| **MISS** | Wel oes, ond mae ar 'i waered ar y ffordd, tydi. |
| **SPIKEY** | Wired for what, Miss? |
| **MISS** | Ar 'i waered – mynd lawr. |
| **RAZ** | *But, Miss, Sir – be Christians* – mae e'n dod lan *as well. I could die!* |
| **DOM CRIWS** | Na, byddi di'n iawn, Raz, jyst cymra dy amser. |

Ac am weddill y bore, achos ar ôl cino o'n ni'n cerdded, 'na gyd nath Raz o'dd trio whilo ffordd i dorri esgyrn yn ei chorff yn ddi-boen.

| | |
|---|---|
| **RAZ** | Dymps, stand on my womb. |
| **DYMPS** | Raz, fi methu, bydd gyts ti'n dod mas. |
| **RAZ** | *It'll be worth it!* Fi ddim eisiau plant anyway! |

Wedyn fe daflodd hi ei hunan off y tair gris ar bwys Enlli.

**RAZ**            Ow! Ow ! Sir, broken ankle. Hospital!
                  Glangwili quick!!

Ond yn anffodus, mae'i chnawd hi'n gorchuddio'i hesgyrn hi'n weddol o drwchus!

**RAZ**            I am not bloody walkin' to Cwmtudu.

Wedyn rhedodd hi lan i'r pwll nofio a thaflu'i hunan yn ei dillad i'r dŵr jyst cyn i ni ddechrau cerdded. Ond o'dd Dom yn hollol galon galed.

**DOM CRIWS**      Fe sychan nhw wrth i ti gerdded, Raz.

O'n i'n meddwl bydde ffrwydriad. Ond dechreuodd hi grio yn ei thymer a dechreuodd bawb wherthin achos 'sdim byd tebyg i Raz wedi colli ei thymer. Dwy stôn ar bymtheg yn shiglo a gwichad. Bril. Ac fe gerddodd hi i Gwmtudu ac fe gerddodd hi nôl o Gwmtudu.

**RAZ**            *Sir,* pan fi'n cael *heart attack* fi, *Donor Card*
                  fi am *'ealthy organs* fi yn cês fi, *Sir!!!* Fi'n
                  gobeithio chi'n hapus a *satisfied!*
**DOM CRIWS**      Paid â marw cyn mynd i Lundain plîs, Raz.

O, diar, diar. Yr unig beth gwell na hwnna yn y penwythnos o'dd gweld Billy ar ben ceffyl o'dd yn carlamu a fe heb unrhyw reolaeth! Er mae'n rhaid dweud o'dd Spikey a Dymps ar y beiciau modur yn olygfa i'w thrysori hefyd. Dymps yn gyrru a Spikey ar yr *handlebars.* Do'n nhw ddim fod i neud 'na, a ddim yn esiampl dda i blant bach Cymru ond ma' fe'n well na'u bod nhw'n feddw ar hyd hewl, glei!! Wel, erbyn y nos Sadwrn o'dd Spikey yn benderfynol o godi ofn ar blantos bach Cymru, so tua hanner awr wedi un ar ddeg, jyst pan o'dd yr erchyll bethau'n llithro i gwsg, ma' Spikey tu fas i ffenest ei gaban e gyda shîten wen amdano fe i fwrw'r ffenest.
Os do fe. 'Ma'r sgrechiadau mwyaf uffernol o'r tu fewn! O'dd cidiwincs Cymru wedi cymryd y stori o ddifri! Pan redon

ni rownd o'dd dau ohonyn nhw wedi pisho'i hunen yn llythrennol ac un ohonyn nhw yn gwbwl, cwbwl hysterical. Do'dd Dom ddim yn Indian hapus ac Esyllt yn grac am y tro cyntaf ers dechre'r flwyddyn.

**MISS**     Cyfrifoldeb, Spikey. Dysga 'i sillafu o. Gweithreda fo.

**SPIKEY**     Think she'll chuck me out of *Cymraeg* now?

Ond llwyddodd Dom i dawelu'r dyfroedd 'mhen awr a llwyddoddd Spikey i ymddiheuro a chael maddeuant. Raz yn gwrthod siarad â Dom a fe jyst yn wherthin.

**RAZ**     *Sir,* nid yw hyn yn fater o chwerthin. Allen i fod wedi gwneud niwed parhaol i fy *innards* gyda'r straen!

**SPIKEY**     More like the road had *niwed!*

**RAZ**     Steffan! Drop dead!

Ac yn lle mynd i'r gwely am hanner nos, ac er gwaetha'r ffaith ei fod e'n ddigon oer a rhewllyd i rewi'r cegs oddi ar sawl mwnci pres, penderfynon ni fynd, gyda chaniatâd y staff, i ben y bryn gyferbyn â'r llethr sgio. Gyda fflacholeuadau "er mwyn eich diogelwch" medde Dom 'Baden Powell' Criws.

**RAZ**     Bit blydi late for that, *Sir!!*

**SPIKEY**     Fi'n fflachio, bois.

**BILLY**     Spikey, ni'n gwbod 'ny yn y pwll nofio – fforti wat bylb, nage fe?

Nawr sa i'n gwbod os cawsoch chi brofiad o berffeithrwydd erioed. Dyw e'n sicr ddim wedi digwydd lot yn 'y mywyd i. Ond toc wedi hanner nos ar ben y bryn yn Llangrannog, gyda'r lleuad fel lamp yn goleuo arfordir Cymru, a goleuadau Iwerddon yn winco arnon ni ar orwel pell ein breuddwydion, fe glicodd rhywbeth. Y grŵp cyfan o swogs yn corlannu rownd ei gilydd fel defaid, pawb yn citsho yn ei gilydd, a'r aer rhewllyd yn ageru o'n cege ni ac fe ddechreuon ni ganu cân Sha, 'Chwarae'n Troi'n Chwerw', a'r pennill 'Ma'th fywyd yn rhy fyr' yn bwrw pawb yn 'u bolie fel gordd. Distawrwydd wedyn ar ôl i ni gwpla canu. Distawrwydd fel chi ffili 'i ga'l lle ni'n byw. Braidd na allen ni glywed ton unig ar y traeth filltiroedd islaw i ni, buwch yn brefu o ganol beudy grôs y dyffryn a dim byd arall.

**SPIKEY**    Fi'n credu weithiau, fel hyn, mae Duw yn gwenu ar ni.

A wedodd neb ddim byd. Eiliadau o berthyn a pherffeith-rwydd. A'r unig reswm dethon ni o 'na o'dd y'n bod ni'n rhewi. Rhyfedd iawn, wedodd neb ddim byd ar y ffordd lawr, fel pe baem ni ofn torri'r rhith anniffiniol 'na o'n i jyst wedi'i greu gyda'n gilydd. Falle taw 'na beth yw caru mewn gwirionedd. Nage'r rhyw a'r cwmpo mas a'r cwmpo mewn a'r cwrso a'r chwantu. Jyst hwnna. Ffrindiau yn sefyll ar ben mynydd yn perthyn fel na fuodd perthyn. Diolch, Duw.

Dydd Sul, taith wedyn rownd Sir Benfro ac yn fwya arbennig i Gromlech Pentre Ifan a 'na le digwyddodd y peth mwya wiyrd erio'd. Cidiwincaniaid jyst yn dringo dros y Gromlech, ac os nagych chi wedi bod 'na, fe ddylech chi fynd 'na – anhygoel o deimlad. Ond o'dd y staff eraill wedi mynd â'r cids eraill lawr i'r bws ag o'dd Dom a Miss (ni'n hollol siŵr eu bod nhw mewn i nicers ei gilydd!) wedi gofyn i'r swogs aros am funud. Ac adroddodd Dom y gerdd yma. Ma'r gwpled boncodd fi yn y' mhen er ma' tons mwy,

'Mor agos at ein gilydd y deuem –
Yr oedd yr heliwr distaw yn bwrw ei rwyd amdanom …
adnabod, adnabod nes bod adnabod.'

Ac edrychon ni gyd ar y'n gilydd heb ddweud gair. Ei mîn, o'dd rhan fwya'r gerdd yn hollol dywyll i ni, ond roedd hyd yn oed Spikey wedi deall 'adnabod nes bod adnabod'. 'Mewn Dau Gae' yw enw'r gerdd 'ma. Ffenomynal! Waldo Williams yw'r bardd a ni'n neud ei waith e blwyddyn nesa. *Can't wait!*

Nôl i'r gwersyll wedyn, helfa drysor *and yes … an* eisteddfod arall ar nos Sul!! Eisteddfoditis. Ond ffug-eisteddfod gydag adrodd dan bump ac yn y blaen. Egselent laff. A wedyn gartre dydd Llun a wy' wedi cysgu i bob pwrpas tan heddi. Edryches i yn y geiriadur gynne am air i ddisgrifio shwd wy'n teimlo ers dod nôl, ac rwy'n credu bod hwn yn ddiffiniad oreit. 'Serennedd.' Mae rhyw serennedd yn fy nghylch! Diolch, Waldo, pwy bynnag o't ti, obsciwyr bardd!

---

## Dydd Iau, Chwefror 22ain

Ma' Gu yn dost. *I can't cope.*

---

## Dydd Gwener, Chwefror 23ain

Ma' pendics Gu wedi byrsto tu mewn iddi. Sa i erio'd wedi gweld Dad yn llefen o'r bla'n. Ni gyd gymaint o ofn. Alla i ddim â dychmygu bywyd heb Gu. Ma' Sêra yn ofnadw, mae jyst yn llefen drwy'r amser. Ni gyd ar goll hebddi abythdi'r lle.

| | |
|---|---|
| **MAM** | Nawr dewch mlên, er mwyn dyn, smo Gu mynd i farw. Mae'n dyffach nagych chi'n meddwl. |
| **SÊRA** | Ond, Mam, o'dd hi'n dishgwl fel 'se hi wedi marw yn yr ybsyty. |
| **MAM** | Negodd, Sêra, yr anasthetig o'dd hwnna. Unwaith daw hi rownd, bydd hi fel bwtwn gelli di fentro. *Won't she*, Deryck? |
| **DAD** | O I 'ope so, Peg. I do 'ope so. |

A hwnna gracodd fi lan. Gweld Mam yn cwtsho Dad a fe'n llefen yn 'i mynwes hi.

**MAM-GU**    You're not gettin' rid of me that easy, Deryck Davies. Why do you think I bought a house with you?

Troiodd Dad ei gefen yr eiliad 'na ag o'n i'n gwbod ei fod e'n llefen. Ond dagre diolch o'dd rheina i gymharu â'r dagre wythnos diwetha.

**DAD**    I don't know, Muriel, it's no wonder your appendix bust! Since you've started courtin' you're puttin' too much strain on your body!

**MAM**    Don't tease Mam now, Deryck, or her stitches will come out.

**MAM-GU**    I tell you what, Deryck. These doctors have seen parts of me only Pegi's father have seen.

**DAD**    I 'ope they enjoyed the view! No, I am pleased to hear that, Muriel. You are givin' a fine example to your *wyrion* with regards to courtin'! And sex!

**MAM-GU**    Get from 'ere, you cheeky bugger!

A 'na pryd o'n ni'n gwbod ei bod hi'n well. Ond, *God*, gethon ni ofan. A wy'n gwbod nagyw Gu yn mynd yn ifancach, ond mae'n gywir fel tase hi. Sa i'n credu gallen i gôpo hebddi a wy'n gwbod bydd cyfnod lle na fydd hi 'na. Sa i ishe meddwl am 'na. So fel *treat* iddi nawr, erbyn daw hi mas dydd Mercher, ma' Dad a Mam a fi a Sêra wedi papuro ei *granny fflat* hi. Pan o'n ni'n dod o 'na heno dath Clive mewn gyda bwnshed o flode o'dd yn fwy o seis na fe.

**DAD**    Good God, Clive. Where'd you steal those from?

**MAM-GU**    Take no notice, Clive. Deryck's an aetheist.

**DAD**    Not last week I wasn't, Mam-gu, when you were under the knife!

**MAM-GU**    Nice to see you comin' back to God, Deryck.

**DAD**    I wouldn't go that far, Mam-gu. We just made a bargain.

**MAM-GU**   And?
**DAD**       If 'e kept you safe, I promised to take you to chapel in the car every Sunday instead of you havin' to walk!

Ac ethon ni wedyn er mwyn i Gu a Clive gael *chat*. Ma' hwnna'n od hefyd – rhywun arall gyda Gu. Ond sdim ots. Cyhyd â'i bod hi'n well nawr ni'n gallu côpo.

---

## Dydd Llun, Chwefror 26ain

---

Ysgol yn *boring*. Cariwso yn credu mai 'hon fydd ein blwyddyn ni yn steddfod yr Urdd'. O ganlyniad, mae pawb ym mhopeth – pob cystadleuaeth canu, corawl, llinynnol, pedwarawd. *Mad*. Dyw e ddim cystal athro â 'ny! Ma' fe'n credu 'i fod e, ond heb ei gyd-athrawes yn dala 'i law e, neu rywbeth mwy delicet yn ein barn ni, man a man 'se fe'n trio am Ganwr Y Byd.

Eniwei, peintio a phapuro ystafell Gu yn bwysicach. O, ie, ac ymarferion Senghennydd. Dom 'Pwy yw ysgol Glanaethwy?!' Criws yn ymarfer ddwywaith yr wythnos i berffeithio'r perfformiad. *The man's mad*. Ac Esyllt 'Gerallt Lloyd Owen for King' yn nadu bob dydd i ddod ag arian taith yr adran Gymraeg a ohiriwyd y llynedd yn dilyn ein gweithred chwyldroadol! Wel, ma'r daith honna reit ar ddechre tymor nesa, jyst cyn i ni fynd i Lundain! O, galla i glywed ein staff annwyl yn cwyno nawr. O, na, dim ond yr adran Sisneg fydd yn cwyno, a ma' nhw'n grêt *anyway*, gadel i ni gael *get away* gyda rhywbeth. O! Mae hwn yn codi fy nghalon megis. Mae'n ymddangos bydd gweddill y chweched yn *dos* llwyr tan ddiwedd y flwyddyn! Y E S !! O, hyfryd iawn! So, jyst y prif swyddogion i sorto mas.

Ma' Gu sha thre. Mae yn gwely, ond mae sha thre a ma'r tŷ yn teimlo yn iawn eto.

| | |
|---|---|
| **MAM-GU** | O, Peg. Ma' fe'n neis cêl ishta yn 'y ngwely'n hunan. |
| **SÊRA** | Chi moyn i fi neud dishgled o de i chi, Gu? |
| **MAM-GU** | Oreit, bach. Llêth miwn … |
| **SÊRA** | … ar ôl y te. Wy'n gwpod. |
| **FI** | Ma' fe'n neis y'ch gweld chi sha thre, Gu. |
| **MAM-GU** | A ma fe'n neis bod sha thre, Rhys. Wy' ddim yn cretu bod y Bod Mawr yn barod amdano i tro 'ma. |
| **DAD** | I should bloody hope not, Muriel. We've got a mortgage to pay! |
| **MAM-GU** | You'd have my Insurance Policies, see – well apart from the ones I've put one side for Rhys and Sêra's hediwceshyn! |
| **FI** | Am beth chi'n wilia, Gu? |
| **MAM-GU** | O ma' rwpath bêch naill ochor erbyn ei di i'r *college*. |

Esboniodd Mam wedyn. Mae'n debyg bod Gu wedi bod yn rhoi arian hibo bob wythnos o'r diwrnod ces i, a wedyn Sêra, ein geni. Ac erbyn ewn ni, os ewn ni i goleg, bydd y polisïe 'ma'n aeddfedu, a bydd hwnna'n help i ni dalu'n ffordd trw'r coleg.

| | |
|---|---|
| **MAM-GU** | O'n i'n gwpod unweth êth yr ast 'na miwn i Downin' Street bydde diwedd ar y *grants*. |
| **DAD** | Not the end of grants, Muriel, just a natural witherin' away. |
| **MAM-GU** | I 'ope you are not raisin' 'er sleeve. |
| **DAD** | Muriel, the only thing I'd raise about that woman would be a glass of champagne on her funeral day. |
| **MAM** | Now will you two stop that talk about funerals. |

**MAM-GU**    Paid becso, Peg bêch. Ma'n *innards* i wedi sorto
mês nawr.

Wy'n meddwl withe dylen i fod wedi neud Hanes lefel A.
Ma' Dad a Gu mor radical yn eu safbwyntiau gwleidyddol,
yn gwbl eithafol yn eu casineb o Geidwadaeth. A 'sdim
amheueth wy' wedi codi hwnna o'u siarad nhw. Ond o ble
ddath y cariad angerddol 'ma at Gymru gyda Dad?

---

## Dydd Llun, Mawrth 5ed

---

Amhosib cofnodi dim. Mae'r adran gerdd a'r adran ddrama
wedi mynd yn *ape*. Ma' nhw wedi clywed si bod y ddwy ysgol
gyfun Gymraeg arall yn y sir fydd yn cystadlu yn ein herbyn
ni yn yr eisteddfod sir, wedi dod at ei gilydd i benderfynu pa
gystadlaethau ma' nhw'n mynd i gydweithio arnyn nhw,
hynny yw, y naill ysgol yn gwneud cystadlaethau A,B,C a'r
ysgol arall yn gwneud y gweddill. Wel ma' hwnna'n gwneud
sens i fi. O leia ma' nhw'n mynd i ganolbwyntio ar eu cryfdere.
Ond ma'r sili bygers 'ma'n trio popeth!

**SPIKEY**    Wel, fe'n *dead easy* os hwnna'n wir, ni'n starto
ffeit yn steddfod sir a manglo pawb arall.
**LLINOS**    Y cystadlu sy'n bwysig, Spikey, nage'r ennill.
**SPIKEY**    Bolycs, Llinos! Yr ennill sy'n bwysig. Fi ddim
eisiau dod yn *second*. Cofio ennill yn Steddfod
Wrecsam. Hwnna'n *best moment* fi *in life* fi.
**RAZ**    Sad life, boy.
**SPIKEY**    Raz, ti ddim yna. You do not know!
**BILLY**    Ma'n rhaid gweud, Raz, o'dd e'n dwmlad itha
cyffrous.
**ÎFS**    Wel rhedest ti ar draws y cae, Bill!
**BILLY**    *And I have not forgotten that second*, credwch
chi fi. O'n i'n meddwl 'mod i'n mynd i gael harten.
**SPIKEY**    Cofio Prys Olivier yn crio achos ni wedi ennill.
**LLINOS**    A dy dad.
**FI**    Ie.

A chi'n gwbod beth, do'dd dim ots 'da fi bod pobl yn cofio bod Dad wedi llefen. Ac ma' Llinos a fi actshiwali yn gallu siarad gyda'n gilydd heb unrhyw deimlade cas o'n rhan i. Ma' bod ar y bryn yn Llangrannog wedi bod yn brofiad ysbrydol i ni gyd. A nawr wy'n gorfod paratoi fy araith ar gyfer yr *hustings*. Syniad gwych Andrew 'Llef un yn llefain yn niffeithwch addysg' Bechadur yw hyn ar gyfer y Brif Swyddogaeth. Bydd pawb o chwech un sy'n trio yn gorfod siarad ar lwyfan gyda gweddill y chweched i ddweud pam eu bod nhw'n trio, a beth ma' nhw'n gobeithio'i gyflawni yn y flwyddyn i ddod. Wel ca'l gwared ar athrawon twati i ddechre, weden i!

Ni gyd yn gwbod beth yw'r nonsens yma. Ma' swydd Diprwy Brifathro yn codi yn yr ysgol a ma' Soffocleese yn amlwg yn trio. Ma' fe dal yn fyw er, diolch i'r drefen, dŷn ni byth braidd yn 'i weld e. Ni'n ame bod Llŷr Crîp hyd yn oed wedi cael digon ar Ladin ar ôl ysgol. Lladin! Ei mîn! Ond achos bod y swydd Dirprwy Brifathro 'ma'n codi, ma'r hen Soff a'r hen Andrew Bathetig mewn cystadleuaeth, nagyn nhw? Ac am bob syniad cwricwlaidd ma' Soff yn 'i gynnig (wel 'na'r unig obeth sydd 'da fe yn absenoldeb swydd o gyfrifoldeb o fewn yr ysgol), ma' Andrew 'Pregeth ar y Mynydd bôr us sili' Bechadur yn dod â rhyw syniad gweinyddol crapi gerbron. Mor pathetic. Y ddau ohonyn nhw yn trio impreso'r Shad. A hyd y gwelwn ni, ma' Shad moyn menyw ta p'un! Wel, *yes, they've got two women* yn y ddau 'na. So beth weda i i gynhyrfu'r chweched?

---

## Dydd Iau, Mawrth 8fed

---

*Hustings* wedi bod. O'n i'n hollol pathetic. Siarades i fel rhech wlyb gyda dolur rhydd. Anobeithiol. Godes i gywilydd ar y'n hunan. Siaradodd Rhids yn arbennig o dda, Llinos yn weddol ond *low key,* a Raz, credwch neu bido, yn wych! Mor ddoniol, mor onest. Dymps yn cymryd y piss, ac Îfs yn hollol, hollol wych. Driodd neb arall. Gofynnes i i Spikey a Billy pam nagon nhw wedi boddran.

| | |
|---|---|
| **BILLY** | Un o'r werin, Rhys. Ddim defnydd arweinydd yndda i. |
| **SPIKEY** | Couldn't be arsed. |
| **FI** | Nage 'na'r agwedd iawn i gymryd, Spikey. Ma' cyfraniad gyda ti i'r broses ddemocrataidd hefyd. |
| **SPIKEY** | O, *aye*, leic ma' Soffocleese yn mynd i foto i fi neu unrhyw aelod o staff arall *come to that*. |
| **FI** | Ma'r chweched yn pleidleisio hefyd. |
| **SPIKEY** | Rhys, they think I'm a piss artist *heb* frains. |

Do'dd dim pwynt dadle gyda fe. Ma' fe wedi bod yn ca'l y *moodies* 'ma ers sbel. Dechreuodd e pan alwodd e Raz wrth ei henw cynta cyn i ni fynd i Langrannog. Tase Sharon 'ma, bydde hi'n ei ga'l e mas ohono fe, ond 'sdim neb fel 'se nhw'n gallu dirnad beth sy'n bod. Wel, ni'n gorfod aros wythnos nawr i'r staff annwyl fwrw eu pleidleisiau. Pam ei fod e'n cymryd wythnos, *God only knows*. Ma' Etholiad Cyffredinol drosodd mewn diwrnod hyd yn od os ŷch chi'n byw yn yr Outer Hebridies! Ond na, ma'n staff ni'n gorfod bod yn wahanol.

---

## Dydd Sadwrn, Mawrth 10fed

Gwers yrru broffesiynol bore 'ma! Nid Dad! Enjoies i. Wedodd y fenyw 'mod i'n gyrru'n dda a dylen i wneud cais am brawf o fewn mis! Grêt ife! Wy'n gallu neud rhywbeth yn iawn. Pwynt yw, ni gyd yn dechre dysgu r'un pryd nawr, wedyn bydd sort o fini cystadleuaeth pwy basiff gynta.

Gu tyns yn well, wedi dechre cwcan teisennod eto. Ma' Sêra a fi yn byw a bod yn ei fflat gyda'r nos erbyn hyn. Ond y newyddion mwya yw y gwelson ni Miss Esyllt 'If ei rŵld Wêls' ap Einion yng Nghaerdydd prynhawn 'ma (gwrddon ni gyd tua phedwar o'r gloch i fynd i weld ffilm); ag o'dd dyn gyda 'i – a nage Dom o'dd e!!!! Wel o'dd Spikey jyst â thorri ei galon.

| | |
|---|---|
| **SPIKEY** | *Betrayed me.* Hi wedi fy mradychu i! |

**RAZ**        Ti'n teimlo'n oreit, Spikey? Ti jyst wedi treiglo'n iawn.

**SPIKEY**    Shut it, Raz. I'm in pain.

Dilynon ni nhw am sbel. Trio bod yn gynnil, ife, ond shwd ma' saith o gyrff yn gallu bod yn gynnil? O'dd e'n ddyn golygus pwy bynnag o'dd e.

**SPIKEY**    Fi ddim yn gwybod beth mae'n gweld ynddo fe.

**RAZ**        Wy' blydi yn – fe'n stonc bonc! *What a beautiful face, and that arse. I'd go on a diet for him.*

Os yw Raz yn gweud 'na am rywun, mae o ddifri!

**ÎFS**        Gallwn ni ofyn iddi yn y wers dydd Llun.

**SPIKEY**    Fi ddim yn mynd i lowero lefel o affection fi, Îfs. *I am finished with her.*

Ac mewn rhyw ffordd annelwig, o'n i'n deall Spikey. Ni gyd wedi bod yn ei blysio hi yn ein dychymyg ein hunain ond nawr, gan wybod bod rhywun (wel, falle mai ei brawd hi yw e, ond sa i'n dala dwylo fel 'na 'da Sêra) yn ei charu ddi, mae wedi colli ei swyn.

**SPIKEY**    Women! Hy! Who'd 'ave 'em. Give me Dyddgu and Morfudd any day!

---

## Dydd Mercher, Mawrth 14eg

---

Îfs, Raz, Rhids a Llinos. Nhw yw'r Prif Swyddogion. Dim byd arall i'w weud rîli.

---

## Dydd Iau, Mawrth 15fed

---

Cyflwyno'r Prif Swyddogion newydd i weddill yr ysgol.

Ma' Rhids yn dechre mynd ar y'n nerfe i ishws.

Ma Îfs wedi bod draw. Pam na alla i fod mor aeddfed â fe? Ma' fe wedi llwyddo i gael gwared ar y surni sy wedi bod yn 'y nghorddi ers canlyniad y Prif Swyddogion. O'n i wedi llwyddo i guddio'n siom yn dda iawn gartre a Dad a Mam a Gu yn wych, fel arfer. Ond, *God,* o'n i mor siomedig a chenfigennus. Nid o Îfs. *God,* na, nid o Îfs. Ond Rhids a, rhaid dweud, Raz.

**ÎFS**       Ti ddim yn credu bod Rhids yn 'i haeddu fe wyt ti?

**FI**       Na, nid 'ny. Wel ie, actshiwali, hwnna'n gwmws. Dyw e ddim yn 'i haeddu fe.

**ÎFS**       Ond bod pobl yn newid.

**FI**       Îfs, odw i erio'd wedi siarad Sisneg yn yr ysgol 'na?

**ÎFS**       Nagwyt.

**FI**       Pryd ddechreuodd Rhids siarad Cymrag â ni?

**ÎFS**       Blwyddyn deg.

**FI**       So beth yw'r pwynt?

**ÎFS**       Nage siarad Cymrag er mwyn bod yn Brif Swyddog ti wedi neud, ife?

**FI**       Wel, nage, ond *for fuck's sake,* o'n i'n meddwl bydde hynny'n cyfri mewn ysgol Gymraeg!

**ÎFS**       Pam ddyle fe?

**FI**       A Raz. Mae dal yn siarad cymysgedd o'r ... beth ti'n meddwl pam ddyle fe?

**ÎFS**       Dyw e ddim yn cyfri mewn ysgol Sisneg ei chyfrwng, ody ddi?

**FI**       Ond taw un iaith ma' nhw'n gallu siarad.

**ÎFS**       Wel ma' hanner pwynt 'da ti man 'na. Ond ma rhagoriaethe erill i fod yn arweinydd.

| | |
|---|---|
| **FI** | Mewn ysgol Gymraeg, bydden i'n meddwl bod siarad Cymraeg bob amser yn un ohonyn nhw. |
| **ÎFS** | Drycha, Rhys. Wy'n credu bod y chweched wedi gwneud camgymeriad. |
| **FI** | Ti'n meddwl taw'r chweched sydd wedi pleid-leisio yn y'n erbyn i? |
| **ÎFS** | Wel, chest ti ddim pleidlais Andrew Bechadur chwaith ... |
| **FI** | Fe yw e. Fe sy wedi dylanwadu ar weddill y staff. |
| **ÎFS** | Na, Rhys, gwranda. Wy'n siarad fel dy ffrind. Y chweched gollodd y brif swyddogeth i ti. Ma' nhw'n dy weld ti fel rhywun sy rhy agos at y staff. Gormod ar ochr y staff. |
| **FI** | Fi!!!!! |
| **ÎFS** | Ie. |
| **FI** | Ond ma' hwnna'n bolycs llwyr a ti'n gwbod 'ny! |
| **ÎFS** | Odw. Ond 'na'r canfyddiad sydd gyda nhw. |
| **FI** | Canfyddiad! Pam? Beth wy' wedi neud i roi'r canfyddiad 'na? |
| **ÎFS** | Bod ym mhopeth. Bod yn dda ym mhopeth. Llwyddo ym mhopeth. |
| **FI** | Ond ti fel 'na hefyd. |
| **ÎFS** | Wy' ffili esbonio'r peth. |
| **FI** | O, bolycs. Man a man i fi adel. |
| **ÎFS** | Dyw hwnna ddim yn mynd i ateb dim. |
| **FI** | Ma' nghyd-ddisgyblion yn credu 'mod i'n crafu tin athrawon ar draul 'y mherthynas i â nhw. Sa i'n credu bod 'na'n sail dda iawn i weddill y'n amser i yn y chweched, wyt ti? Odyn nhw'n mynd i roi dadansoddiad o'r bleidlais? |
| **ÎFS** | Nagyn. |
| **Fi** | So wna i byth ffindo mas faint o bobl o'r chweched bleidleisiodd i fi. |
| **ÎFS** | Na. Ma' Shad yn dinistrio'r papure pleidleisio ar ôl wythnos. |

O'n i mewn gymaint o fŵd erbyn hyn a thymer a hunandosturi.

|       | Rhys, gelet ti 'mathodyn i nawr tase fe'n newid unrhyw beth, ti'n gwbod 'na nagwyt ti? Ma'r swydd 'ma'n golygu dim i fi mewn cymharieth â dy gyfeillgarwch di. |
|-------|---|
| **FI** | Wy'n falch dy fod ti wedi ca'l y swydd. Y gwir yw, o'n i wastod yn gobitho y bydden ni'n dou gyda'n gilydd yn ei chyflawni ddi. |
| **ÎFS** | Ond byddwn ni hefyd. Gyda phob parch i Rhids, ond 'y'n nilyn i wnaiff e. Dyw e ddim yn arweinydd. Ma'r ysgol yn haeddu gwell. A wy'n teimlo'n *shit* am siarad am Rhids fel 'na, ond 'na'r gwir. Ti o'dd y person gore i'r swydd, ond ti'n gwbod nage'r person gore i'r job sy'n ca'l y job 'na bob tro. P'un ai gelli di lyncu dy siom dim ond ti sy'n gwbod 'na ond wy'n gwbod, heb dy gefnogeth di, sa i moyn neud y gwaith. |

Falle'n bod ni'n haeddu'n gelynion, ond dŷn ni'n sicr ddim yn haeddu'n ffrindie. Gu wedodd 'na wrtha i rywbryd. A do'n i ddim yn ei ddeall e pryd'ny. Ond wy'n ei ddeall e nawr. Dwy' wir ddim yn haeddu Îfs fel ffrind. Ac wrth gwrs, fe stopa i bwdu fel plentyn bach. Ac i ddathlu'r ffaith, ces i gawod hir iawn heno a dau far o sebon!!!!!!!!

---

### Dydd Sadwrn, Mawrth 24ain

---

Newydd ddod gartref o'r Steddfod Sir. Ma' Dad yn sgrifennu llythyr at yr Urdd i gwyno, ma' Gu yn whilo am fŵdw dol i stico pinne ynddo fe, a ma' Mam wedi mynd i wneud tishen. Wy'n credu taw'r *high point* o'dd Dad yn gweiddi mas yn y neuadd,

**DAD**     It's a fix! A pox on all *beirniaid yr Urdd!*

Wherthin? Gaches i. Wel, sori, ond wy'n credu ein bod ni wedi cael ein haeddiant. Do's dim byd dros 15 wedi mynd trwyddo i'r Genedlaethol – dim byd o gwbwl! O'dd Billy'n disgusted.

**BILLY**  Welest ti eu Lady Llanover nhw? *Bloody slapper* o'dd honna, nage Lady!

**SPIKEY**  I can not believe it! You can not be serious!

Ma' cwpwl bach o bethe dan bymtheg wedi mynd, ond bws mini bydd ishe i fynd i'r steddfod nage bws mawr. O'dd y teulu i gyd yn y gynulleidfa a phob tro bydde'r arweinydd yn cyhoeddi mai Rhydfelen neu Llanharri o'dd wedi ennill, o'dd wyneb Dad yn duo. O'n i'n ishte gyda nhw ar un adeg.

**DAD**  Rhys, who's this flamin' *beirniad canu*?

**FI**  I don't know, Dad. Somebody from North Wales.

**DAD**  Knew it!

**MAM**  Now, Deryck …

**DAD**  Pegi! All I'm sayin' is they're prejudiced against us.

**MAM-GU**  Ma' fe'n itha reit man 'na, Peg.

**DAD**  Don't know 'is arse from his elbow.

**MAM**  Deryck, keep your voice down.

**DAD**  Well, hell! Hell! Hell! That *parti bechgyn* was perfection, myn. Not a note wrong!  FIX!!!

**MAM**  Deryck!

O'dd y Steddfod Sir yn cael ei chynnal yn y'n hysgol ni, a rhaid dweud o'dd e'n grêt cael cymaint o bobl ddierth o ysgolion eraill o gwmpas y lle a, whare teg, itha lot o Gymraeg yn cael ei siarad. O'dd Spikey fel plisman iaith abythdi'r lle, bob tro o'dd e'n gweld gwisg ysgol wahanol i'n rhai ni yn siarad Saesneg.

**SPIKEY**  O, *aye*, methu siarad Cymraeg yn ysgol chi, odyn nhw?

Ma' fe ar ei ben ei hunan. Ond Dymps o'dd yr arch styriwr heddi. Erbyn canol y prynhawn o'dd e'n gwbwl amlwg bod

163

popeth yn mynd lawr y pan a Cariwso yn edrych yn fwy siwiseidal wrth y canlyniad. Wel o'dd y beirniaid wrth gwrs yn cael dishgled o de bob hyn a hyn. Co Dymps a ni yn llithro mewn i'r ystafell Technoleg Bwyd pan o'dd Megan Cacs (athrawes Technoleg Bwyd) mas. A beth nath Dymps? Do, fe gobodd e yn y tebot! Ag o'dd bisgedi arbennig Megan ar y plât, a gymrodd Elins nhw a'u rhoi nhw lawr ei bans e!!!! Diolch i Dduw, nagodd Rhids 'da ni achos ma' fe wedi troi mas i fod yn rîal Hitler Youth fel Prif Swyddog. Rhedodd Raz at y sinc i fod yn sic.

**RAZ**     Elins, *I 'ope* chi wedi gwisgo rhai glân.
**ELINS**   Ie! Dydd Mawrth diwethaf!

Rhedeg fel ffylied wedyn i'r gystadleuaeth nesaf ac aros i weld Megan Cacs yn dod â'r hambwrdd mewn.
Fe ddaeth.
Fe arllwysodd y beirniaid eu te.
Fe godasant y cwpan at eu gwefusau.
Fe ddaliasom ein hanadl.
Fe roddwyd y cwpan nôl yn ei le.
Fe'n siomwyd.
Ailgodwyd y cwpan,
Cnowyd y fisgeden.
Yfwyd y te.
Daliwyd y te yn y geg am eiliad i'w flasu'n ogoneddus.
Llyncwyd y trwyth!
Sgrechasom! Chwerthinasom! Apeshitasom o lawenydd!
Ond nid ydym am gael ein trip i'r Genedlaethol. O'dd Cariwso erbyn diwedd yr eisteddfod yn ddyn trist iawn a'r ddwy ysgol arall mor blincin hapus.

**CARIWSO** Dwy' ddim yn deall beth aeth o'i le

Wel 'na fe, os nagyw Pafaroti'r Adran Gerdd yn gwbod, pa obeth sydd i ni? Rhaid dweud o'n i'n teimlo'n flin dros Dom a Miss achos eu bod nhw wedi gwitho'n galed ar y cydadrodd a'n ffêf ni, y Cyflwyniad Llafar – ond dyna ni. O leia ma'

Llunden 'da ni o'n blân ni. Pan ofynnodd Miss i Spikey os oedd e wedi siomi:

**SPIKEY**  Miss, beirniaid 'na'n *deaf dumb and blind* a nhw'n dod o'r gogledd. *Wojyou expect*, gyda phob parch, Miss.

**RAZ**  Spike, ti jyst wedi treiglo'n iawn eto. *I am worried.*

**MISS**  'Da ni'n ennill, tydan Spikey?

A wedyn ath hi a Dom at yr un car! Nawr ma' hwnna wedi'n bwrw ni o'n hechel tamed bach achos ni dal ddim wedi ffindo mas pwy o'dd y blôc yng Nghaerdydd, er gwaetha pob ymdrech yn y gwersi i droi pob sgwrs a thrafodeth i gyfeiriad cariadon ag ati!!!! Stil, digon o amser i ffindo mas. Ma' 'da ni bedwar diwrnod cyn y gwyliau a sa i'n bwriadu gwneud dim byd – dim ond enjoio.

Ni'n bwriadu mynd lawr i'r garafán am gwpwl o ddyddie a ma' Gu yn edrych mla'n yn ofnadw – heb Clive! Od, pan brynodd Dad y garafán 'ma bron ddwy flynedd yn ôl nawr gyda'i arian *redundancy*, feddyliodd e erio'd y bydde fe'n gwitho mewn pwll eto. Wedodd e' ar y pryd eu bod nhw'n gwneud camgymeriad yn cael ei wared e a bod y bachan newydd yn brat. Ag o'dd e'n iawn! Wel, fe sy'n gyfrifol am roi'r busnes nôl ar y cledre megis. Dad, y cyfalafwr, sy'n gyfrifol am reoli pwll preifat a Dad, yr arch Gomiwnydd, Marcsydd. *Mad.* Teulu *mad.*

## Nos Lun, Ebrill 16eg

Ysgol fory. Hollol *depressed*. Wedi cael gwyliau ffantastig. Wedi bod yn Gŵyr drwy'r amser. Ath y teulu nôl ar ôl pedwar diwrnod a dath Îfs lawr ata i a Billy'n ymuno 'mhen cwpwl o ddyddiau a gethon ni amser ffantastig. Ma' Îfs a fi'n frown achos ma'r Pasg wedi bod fel haf, ond gwrthododd Billy ddangos gymaint â'i wyneb i'r haul heb sôn am ei gorff!

**BILLY**     Bois, wy'n gweud 'tho chi, gewch chi *skin cancer*.

A do'dd dim tamed o bwynt trio'i argyhoeddi e ein bod ni'n rhoi eli haul cryf etc.

**BILLY**     'Se'r Hollalluog moyn i fi fod yn frown bydden i wedi cal 'y ngeni yn Affrica.

Nawr triwch chi ddadle 'da'r rhesymeg 'na. Ond wy' mor hapus bod 'y nghyfeillgarwch i gyda Billy yn ddyfnach. Ma' tuedd gyda ni gyd yn y gang i'w gymryd e'n ysgafn achos mae e mor ddoniol! Tase fe'n darllen yr *obituaries* fe fydden ni moyn wherthin. O's rhywbeth am bobl dew sy'n 'u neud nhw'n ddoniol? Nonsens. Tasen ni'n dilyn y trywydd 'na bydde pobl dene yn ddiflas – wel, wrth gwrs, Soffocleese ac Andrew Bechadur – ond *sort of* poji tene canol o'd ŷn nhw.

**FI**        Ti dros Kylie nawr, Bill?
**BILLY**     *Good God,* otw. Sa i'n gwbod beth ddath drosta i yn y lle cynta. *First flush of Spring* neu rywbeth sbo.
**ÎFS**       Ond ti ddim yn difaru?
**BILLY**     Nagw i! Wy'n gwbod 'nes i bach o brat o'n hunan ond chi'n gweld, bois, 'na'r tro cynta o'dd unrhyw ferch wedi talu unrhyw sylw i fi, ag i rywun o'n seis i o'dd hwnna'n gompliment. Wedyn ath e i 'mhen i tam bach.
**FI**        Digwydd i ni gyd, Billy!
**BILLY**     Ie, ni gyd yn cofio parti'r chweched!!
**FI**        Paid!
**BILLY**     So ydych chi'ch dou yn *celibate* nawr 'te?
**FI**        Wel, os nagyt ti'n cyfri'n hunan!
**ÎFS**       Yn wahanol i Rhys, wy'n wyryf o hyd!
**BILLY**     A fi.
**FI**        O, reit.
**BILLY**     Na nethon ni ddim. Wel, o'dd hi'n ifanc, nagodd hi. Gwed y blydi gwir, William, a stopa dishgwl arna i 'da'r llyged 'na, Îfs. Ti'n gwbod pryd wy'n

|         |                                                                                     |
|---------|-------------------------------------------------------------------------------------|
|         | gweud celwdd. O'n i gormodd o ofan. 'Na fe, wy' wedi 'i weud e.                     |
| **ÎFS** | Smo hwnna'n ddim byd i fod cywilydd ohono fe, Billy. Ni gyd ofan.                   |
| **BILLY** | 'Na beth sy'n dy stopo di? Ti bown o fod wedi ca'l digon o gyfle.                 |

Nagon i'n gwbod beth i weud nawr achos mater i Îfs o'dd delio gyda'r holi hollol ddiniwed 'ma ar ran Billy.

| **ÎFS**   | Wel, dyw'r cyfle ddim wedi codi, gweud y gwir, achos dwy' ddim wedi gadel iddo fe godi. Sa i moyn bod yn y sefyllfa 'na, ti'n gwbod. |
|-----------|-------------------------------------------------------------------------------------|
| **BILLY** | Cweit reit. If in doubt – avoid.                                                     |
| **ÎFS**   | Rhywbeth fel 'na. Ie.                                                                |
| **BILLY** | Sa i'n credu briota i byth, bois.                                                    |
| **ÎFS**   | Pam ti'n gweud 'na?                                                                  |
| **BILLY** | Wel yr hasl, nage fe. Nawr ti, Rhys, ti'n mynd i gydymffurfio'n syth ddoi di mas o'r coleg, weden i. *Two point four children* a chwbwl. |
| **FI**    | Dwy' ddim!                                                                           |
| **BILLY** | O, *Good God*, wyt. Ti fel dy fam a dy dad yn yr ystyr 'na. Nagyw hwnna'n feirniadeth, paid â dishgwl mor sur. Bydd e'n dy siwto di. Ond fi ag Îfs? *Out on a limb*, twel, ar y'n penne'n hunen. |
| **FI**    | Chi wedi ypseto fi nawr – gweud 'mod i'n cydymffurfio. Beintes i'r siop! Fi o'dd y cynta i golli 'ngwyryfdod. |
| **BILLY** | Egsactli, gwboi. Cydymffurfio â disgwyliadau pobl ohonot ti.                         |

Ac o feddwl am y peth, o'dd rhyw fath o sens yn beth o'dd Billy'n 'i weud, er gwaetha'r ffaith o'n nhw'n tynnu 'nghoes i hefyd. A fory, *the palace of varieties* eto. Ych pych. Fi'n cydymffurfio. Fi dim hoffi syniad yna.

## Nos Fawrth, Ebrill 17eg

Ma' Rhidian wedi mynd dros ben llestri. Dyw e jyst ddim yn deall beth yw natur ei waith e fel Prif Swyddog. O'dd Dymps, Elins, Spans, Dong a Spikey yn edrych ar fagasîn amheus ei fwriade a'i gynnwys heddiw'r bore (jyst wedi bod yn darllen Ellis Wynne – o'dd e ar sbîd neu E pan sgrifennodd e'r gweledigaethe 'na!) pan ddaeth ein Harweinydd dewr ar eu traws. Dwyn y magasîn a bygwth ei ddangos i Andrew Bechadur.

| | |
|---|---|
| **SPIKEY** | Hoi, Rhidian, *who in the hell* wyt ti'n credu wyt ti? |
| **RHIDS** | Prif Swyddog yr ysgol 'ma. Problem gyda hwnna, Spikey? |
| **SPIKEY** | Oi, bachgen. Nage gyda fi mae'r broblem. |
| **RAZ** | Spikey ti wedi treiglo'n iawn eto! *I am getting worried!* |

Hollol hurt! Ma' fe'n ymddwyn fel tase'r ysgol yn eiddo iddo fe. Ma' fe'n wa'th os rhywbeth nag Andrew Bechadur – a dim ond 5 TGAU sy 'da fe! Sori o'dd hwnna'n beth horibl i feddwl a dweud. Ond mae e'n nodweddiadol on'dyw e. Pobl yn ca'l tamed bach o rym a gwneud y camgymeriad mai awdurdod yw e. Nawr Îfs, beth bynnag ma' fe'n dweud ma' pobl yn talu sylw achos ei fod e'n dweud e'n gall a rhesymol. Ond dyw blwyddyn saith ddim yn cymryd sylw o Rhids ac o ganlyniad mae 'i weiddi e'n creu tensiwn cwbl ddiangen. Dder cwd bi e refoliwshyn at ddis rêt, ynte!

## Nos Iau, Ebrill 19eg

Wel o'n i'n edrych mlaen at fynd i'r gogledd ar y daith dosbarth lefel A Cymraeg wythnos nesaf gyda Dom a Miss.

Ma'r row anfertha wedi bod yn y wers ddrama heddi. A Rhids oedd wrth 'i wraidd e. Ni'n astudio drama o'r enw *Cat On a Hot Tin Roof* gan Tenessee Williams. Wy'n gwbod bod yr enw'n stiwpid, ond drama Americanaidd yw hi. Wel, ma'r prif gymeriad yn ddyn hoyw sy'n briod, ac mae 'i wraig e'n secs mad a'i dad-yng-nghyfreth yn fastard i bob pwrpas. Wel, fe wedodd Rhids *motor mouth* bod ishe i'r dyn gael ei sbaddu achos ei fod e'n hoyw. Ath Îfs yn *ape*. Mae 'i ddirmyg e mor beryglus os yw e'n dechre.

| | |
|---|---|
| **ÎFS** | Wedyn, Rhids, ti'n awgrymu bod unrhyw un nad ŷn nhw'n cydymffurfio â'r norm yn cael eu lladd ne rywbeth, wyt ti? |
| **RHIDS** | Odw. |
| **ÎFS** | A dyw hwnna ddim yn eithafol o gwbwl, ti'n meddwl? |
| **RHIDS** | Falle, ond ni'n gorfod cael cymdeithas gyda threfn, nagyn ni? |
| **ÎFS** | So beth sy'n digwydd yn y gymdeithas drefnus 'ma, Rhidian, pan fo'r Pennaeth yn dweud bod yn rhaid lladd unrhyw un nad ŷn nhw'n cael o leiaf chwech TGAU? |
| **SPIKEY** | Tha's me dead. And you, Rhid. |
| **RHIDS** | Wel ma' hwnna'n *comparison* stiwpid. |
| **DOM CRIWS** | Nagyw, Rhidian. Ma' Îfs yn gwneud pwynt dilys. |
| **SPIKEY** | Who's Dilys? |
| **RHIDS** | Wel, wy' ddim yn meddwl *academically* – ym mywyd pobl. |
| **ÎFS** | Reit, Rhids. So ma'r Pennaeth newydd sy'n five foot five yn penderfynu bod pawb sydd dros chwe throedfedd yn gorfod mynd achos ma' nhw'n gwneud iddo fe deimlo'n annigonol. |
| **SPIKEY** | I'm allright. Rhid's dead. |
| **RHIDS** | Ma'r dadleuon 'ma'n stiwpid. Ni'n siarad am *queers*. |
| **DOM CRIWS** | Ma'r dermyddiaeth 'na'n annerbyniol, Rhidian. |

Roedd tymheredd y stafell erbyn hyn yn cyrraedd y berw!

**ÎFS**     Dim ond un peth sy'n waeth na rhagfarn, Rhids –
           twptra yn gymysg â rhagfarn. Ac os na elli di
           weld trw'r niwl 'na o ragfarn, ti sy â'r broblem,
           nid y cymeriad yn y ddrama.

O diar! Ma' gogledd Cymru yn y glaw yn gwahodd. Efallai
na ddaw Rhids. Ond ma'r ddou ohonyn nhw'n gorfod
cydweithio gymaint fel Prif Swyddogion dwy' ddim yn gweld
shwd allan nhw osgoi ei gilydd. Licen i ddim croesi Îfs mewn
dadl.

## Nos Sul, Ebrill 22ain

Jyst yn sgrifennu gair neu ddau cyn cysgu. Ysgol yn gachlyd!
Rhids, mae'n amlwg, yn pwdu ond yn dod i'r gogledd. Gu
wedi bod yn cwcan ffwl owt, a ma'n rycsach i yn pwyso
tunnell a hanner achos bod cymint o ecstras ynddo fe

**MAM-GU**  Rhag ofn, ti'n gweld bach. Ti'n gwpod shwd ma'r
           Northmyn, 'Chi wedi cael te, odych chi?' *Tight
           as a crab's arse* 'da'u harian a'u bwyd.

So, beth fydd 'da fi i weud wythnos i heno ar ôl i ni ddod
nôl?

## Nos Wener, Ebrill 27ain

Fy annwyl deulu yn mynd yn benwan. Wy' nôl ers hanner
awr a wy' newydd weud wrthyn nhw 'mod i'n mynd mas am
weddill y penwythnos at Îfs. Ma' nhw'n bygwth y'n niarddel
o fynwes y tylwyth. Tyff. Ma' pethach pwysicach.

Mae'n chwech o'r gloch, wy' wedi tawelu'r Môr Coch o dymer ddrwg o'dd wedi goddiweddyd y teulu a wy'n gweld 'u pwynt nhw. Wy' wedi eu hanwybyddu nhw ers dros wythnos, ond ma' pethe'n o cê nawr ar ôl rhoi hanes yr wythnos iddyn nhw (*edited highlights* rwy'n prysuro i ddweud!!!) a nawr wy' yn y cysegr sancteiddiolaf, fy hafan, yn ysgrifennu. Do, gethon ni wythnos wych. Gadel ysgol peth cynta fore Llun diwetha, tri ar ddeg o gyrff y chweched dosbarth Cymraeg, un athro drama ac un athrawes Gymraeg. Y gwt yn dala'n cesys, a dwy ffenest gefn o'dd yn ffili agor achos chwydiad cynta'r daith ym Merthyr pan gnecodd Dymps yn ffyrnig o galed – mor ffyrnig, nes daeth dilyniant! Ei cid iw not! Disgybl dosbarth chwech yn methu rheoli ei din.

**DYMPS**  Miss, Syr, fy ymddiheuriadau am hyn. Mae'n glefyd meddygol.

**SPIKEY**  Yes, shit yer pantsitis!

So 'na le o'n ni, yng Nghefncoedycymer, mewn stryd ochor, gydag un o'n disgyblion yn cwato rownd shed. Pwy bynnag fydd y gweithiwr cyngor anffodus fydd yn gwacáu'r bin sbwriel arbennig yna, bydd testun sgwrs gydag e! Ein stop cyntaf oedd pentref o'r enw Pantycelyn. Nawr, dim y'n lle i yw gofyn ai dyma'r rŵt mwyaf uniongyrchol i'r gogledd – wedi'r cyfan, mae fy mhlwyfoldeb yn ddiarhebol – ond fe lanion ni yn y dre 'ma sydd jyst tu fas i Lanymddyfri.

Cartre'r emynydd William Williams yw e. Wel, ag ystyried bod y dosbarth Cymraeg i gyd yn anffyddwyr, beth yw'r pwynt? Ond o'dd slant gwahanol gyda Miss Esyllt 'Iolo Goch *wrote* Graffiti' ap Einion ag o'dd pawb yn deall nawr pam bod Dom 'Could you direct me to the National Theatre' Criws wedi bod yn gwneud cyflwyniad llafar yn y gwersi ar Emynwyr Sir Gâr! Dy, slei tichyrs, myn! Wedodd Miss na fydden ni'n siarad Cymraeg heddi oni bai am William Williams, a rhoddodd hwnna wedd newydd ar bethe streit awè megis. A wedyn fe ofynnodd e (a ma' hwnna'n neis –

cael athro yn gofyn yn lle dweud!) gofynnodd e i ni ddweud geiriau'r Cyflwyniad Llafar a chanu'r emyn. *And I must admit* – o'dd e'n deimlad rîli cŵl cael canu geiriau yr emynydd yma o'dd dros ddau gant a hanner blwydd oed. Rîli cŵl. A jyst ar ôl i ni ganu, o'dd distawrwydd llwyr yn y pant lle mae'r tŷ. Ag o'dd hwnna'n wiyrd.

| | |
|---|---|
| **SPIKEY** | Oi, Miss. *Ghost* Panties Celyn 'ma'n cerdded o gwmpas? Rhywun jyst wedi walko dros *grave* fi. |
| **RAZ** | *Could be arranged,* fy nghariad. |
| **MISS** | Gwrandewch ar y geiriau yma jyst i orffen ac wedyn fe awn ni mlaen i Aberystwyth i gael bwyd. Gwrandewch rwan ac edrychwch ar safle'r tŷ mewn cymhariaeth â'r geiriau glywch chi, |

> 'Rwy'n edrych dros y bryniau pell
> Amdanat bob yr awr:
> O! Tyrd f'Anwylyd, mae'n hwyrhau
> A'm haul bron mynd i lawr.

| | |
|---|---|
| **ÎFS** | Mae'n gân serch, Miss. |
| **MISS** | Ydy, Îfs. Dyna ydi hi, cân serch i Grist. |

Wedyn dechreuodd Billy ganu, 'She'll be comin' round the mountain when she comes!' ac esgus bwrw 'i din gyda thamborîn! *An interesting sight!* Teim tw mŵf on. Torron ni ar draws gwlad ar ôl Llanymddyfri ac erbyn amser cino o'n i yn Aberystwyth.

| | |
|---|---|
| **SPIKEY** | Hoi, Miss. Chi yn *college* man 'yn, nagoch chi? |
| **MISS** | Oeddwn. Coleg gora yn y byd. |
| **RAZ** | Ble o'ch chi, *Sir?* Bangor, ife? |
| **DOM CRIWS** | Na, es i i Goleg y Drindod. |
| **DYMPS** | Esgusodwch fi, annwyl athrawon. A fyddai modd i fi ymweld â'r tai bach? |

'Na'r *emergency stop* gore nath Dom erio'd.

| | |
|---|---|
| **MISS** | Reit, gan ein bod ni wedi gorfod aros, hanner awr ar y traeth. |
| **SPIKEY** | Amser i chi fynd i weld *ex-boyfriends* chi, ydy fe, Miss? |
| **MISS** | Spikey, *that's for me to know and you to find out*, ynte? |

A gyda gwên rîli drwg ath Miss bant am hanner awr a'n gadel ni ar y trath.

| | |
|---|---|
| **SPIKEY** | She's gaggin' for it. |
| **RAZ** | Spikey, the woman has got some standards. |

Ath Îfs a fi i siarad â Dom wedyn.

| | |
|---|---|
| **ÎFS** | Shwd le o'dd Caerfyrddin 'te, Syr? |
| **DOM CRIWS** | Ym, na, Îfs i Goleg y Drindod, Dulyn es i, nid i Gaerfyrddin. |
| **FI** | Coleg da 'na, o's e? |
| **DOM CRIWS** | Wel, o's, ma' fe. |
| **ÎFS** | A do'ch chi ddim eisiau dod i Aberystwyth i wneud drama? |
| **DOM CRIWS** | Wel o'dd gwell cwrs acto yn Iwerddon – a llai o Saeson! |
| **FI** | Rhagfarn man'na, Syr! |
| **DOM CRIWS** | Dylet ti 'u clywed nhw yn Nulyn! |
| **ÎFS** | Byddech chi'n argymell i rywun fynd i'r coleg 'na, Syr? |
| **DOM CRIWS** | Bydden, gant y cant os taw dyna'r teip o gwrs ma' nhw moyn. Pam, wyt ti'n meddwl mynd 'na? |
| **ÎFS** | Heb feddwl o gwbwl eto, Syr. Jyst ystyried popeth. Mae Mr Pech ... Pennaeth y Chweched yn awyddus i fi drio am Rydychen a Chaergrawnt. |

| | |
|---|---|
| **SPIKEY** | Ie, fe wedi gofyn i fi ond fi wedi riffiwso. |
| **FI** | Ti'n gwbod ble ma' nhw, Spikey? |
| **SPIKEY** | Ydw. *Anyway,* nhw ddim yn siarad Cymraeg yn *Oxford* a *Cambridge*, Îfs. *So why are you considerin' it* a ti'n Cymdeithas yr Iaith ffrîc a phopeth, *I do not know.* |

O'dd Spikey'n lwcus 'i fod e'n gallu rhedeg yn glou neu bydde fe wedi bod yn y môr yn Aberystwyth!

Stopon ni eto ym Machynlleth i weld Senedd-dy Owain Glyndŵr, ac ymlaen â ni wedyn i Ddolgellau i edrych ar Gadair Idris. Gofynnodd Spikey i Miss yrru rownd Tryweryn er cof am Eisteddfod Wrecsam ond, diolch i Dduw, gwelodd hi sens. Stopo yn Nhremadog wedyn i weld lle ganed T E Lawrence. *Why, for God's sake?* Ac erbyn hanner awr wedi saith ar ôl gadael am naw y bore, cyrhaeddon ni Rhyd Ddu, ein canolfan am yr wythnos, a chartref un o 'feirdd mwyaf y genedl', Syr T H Parry Williams.

| | |
|---|---|
| **SPIKEY** | Well, least I like his sauce! |

Ma' fe'n anodd credu'r bachgen 'na weithiau.

| | |
|---|---|
| **SPIKEY** | Ni'n gallu mynd i'r pyb ar ôl swper, Miss? |
| **MISS** | Does dim un yma, Spikey, a ti dan oedran. |
| **SPIKEY** | *No pub? No pub?* Ni wedi teithio *four hundred miles* ar draws Cymru *and there's no pub!!!!!* |
| **MISS** | Ni yma i weithio hefyd, wedyn os tynnwch chi'ch ffeiliau allan, ma' isho ni baratoi ar gyfer yfory. |
| **SPIKEY** | O, refferî! Miss, myn! *Union Rules,* neb yn gweithio *half past eight* yn y nos! Hwnna fel *third world sweat shop,* myn! |

Ag o'dd e'n sîriys. Ond pwy opsiwn o'dd gyda ni? O'dd hi'n dywyll a phawb yn nacyrd ar ôl y daith. 'Na'r tro cyntaf o'dd un ohonon ni wedi bod yn gwely am hanner awr wedi deg ers blwyddyn saith! Ysywaeth, nid oedd heddwch yn teyrnasu!

Toc wedi hanner awr wedi deg, fe darodd Dymps a Billy gynghanedd o gnec ar yr un pryd a lamodd oddi ar y *richter scale* a grewyd gan Spikey ym Mhenyrheol ym mlwyddyn deg. Mewn gwirionedd, pan gynnes i'r gole, (o'n i ar bwys y switsh), o'dd eu sache cysgu nhw dal fel balŵns bach, o'dd cymint o *methane* dal ynddyn nhw. A'r ddou ohonyn nhw yn gorwedd 'na fel pe na bai dim yn bod, fel pe bai'n gwbl naturiol bod asio cerddorol yn deillio o dine pobl.

**BILLY**      Diff y gole, Rhys, achan. Ni'n trio cysgu.
**DYMPS**     Ie, fechgyn, dewch ymlaen. Ymddygiad teilwng.

Diffoddes i'r gole a wedyn dyma lais Spikey,

**SPIKEY**     I blydi *'ope* nhw'n gwerthu *corks* yn gogland cos, bois, *you are avin' a stuffin' tomorrow!*

Nawr, dwy' ddim yn gwbod os buoch chi yn Rhyd Ddu erioed. Wel, dŷch chi ddim yn debygol o fynd 'na am rêf – gwedwch e fel 'na. Mae e yng nghanol Eryri, dou dŷ, lot uffernol o fynyddoedd a hen ysgol – dyma gartref y nid anenwog Syr T H Parry Williams – ac o'dd yr ysgol a'r tŷ lle ganed ef yn ganolfan i ieuenctid. Wel dethon ni mas peth cyntaf yn y bore a 'na le o'dd pawb yn eu dillad nos ishe gweld ble o'n i wedi cyrraedd noson cyn 'ny. Ro'n ni yng nghanol gwychter gogledd Cymru oedd wedi cymell y bardd i ysgrifennu fel y gwnaeth e a beth oedd sylw Spikey?

**SPIKEY**     Dy! Wor a dymp! Hwn yn fwy *boring* na Maerdy lle wy'n byw!

Mae'r bachgen yn Philistiad. Dath Dymps mas wedyn, (ma' fe wastod yn 'i ffindo fe'n anodd i ddino yn y bore), yn ei ddillad nos. Pâr o focsyrs o'dd yn ddigon tyn i ddangos beth gafodd e i frecwast echddoe, a dim byd arall. Dim crys 't' na dim.

| | |
|---|---|
| **SPIKEY** | O blydi el, bois. *It's Moby Dick on dry land.* Anghenfil! Anghenfil!!! |
| **RAZ** | Dymps, cer i wishgo. Ti'n *naked.* |
| **DYMPS** | Wy' ddim. |
| **RAZ** | Ma' dy fola di'n *naked.* |
| **DYMPS** | So? I'm all man. |

Erbyn hynny, o'dd y bocsyrs wedi blino brwydro â chnawd Dymps ac roedden nhw wedi gwahanu oddi wrth ei gilydd braidd.

**RAZ**     That we can see!

Sylweddolodd e ble o'dd Raz yn edrych.

**DYMPS**    Dy, Raz. Ti'n cael *magic effect* ar fi, ferch!

Yna, o flaen ein llygaid megis rhith, ymddangosodd Miss Esyllt 'Duw â'm gwaredo nid ydwyf eisiau dianc rhag hon' ap Einion a Dom 'mi glywaf grafangau Esyllt yn dirdynnu fy mron – *I hope'* Criws yn 'u dillad rhedeg! Ei cid iw not! Sefon nhw 'na a medde hi:

**MISS**     Rhown ni bum munud i chi fod yn barod.

O'dd wyneb Raz yn pyzl o anghrediniaeth.

**RAZ**     Fi'n gobeithio bod hwn yn jôc, Miss. Fi ddim wedi cael fy mildio i redeg, *as you can see.*
**MISS**     Wel, nid rhedeg go iawn, Raz. Rhyw hanner cerdded hanner rhedeg.

O'dd Billy wedi diflannu eisoes.

| | |
|---|---|
| **DYMPS** | Fi'n barod pan chi yn, Miss. |
| **DOM CRIWS** | Ma' ishe siorts, Dymps. |
| **DYMPS** | Rhain ddim digon da, odyn nhw? |

**DOM CRIWS**       Ni ddim ishe codi ofn ar y defaid, ŷn ni?

Tu fewn 'na gyd o'dd 'da Spikey i weud,

**SPIKEY**       Gweld *arse* hi yn siorts 'na ! O bois, myn,
                 fi'n methu rhedeg gyda *hard on!*
**RHIDS**        Byth wedi stopid ti o'r bla'n, Spikey!
**SPIKEY**       Shut it, Rhidian. I am a man!

A wir, wele'n cychwyn dair ar ddeg o chweched tal ar fore
teg. Rhedon ni – wel ma' hwnna'n air braidd yn optimistig –
fe stryffaglon ni hanner ffordd lan mynydd. Ŷn ni mor
anystwyth am bobl ifanc. A 'na le o'dd Miss Esyllt 'Mountain
Goat' ap Einion fel Julie Andrews yn *The Sound of Music* yn
rhedeg fel plufyn gyda Dom 'Gladys Aylward' Criws o'r tu ôl
yn gwneud yn siŵr nag o'dd neb yn cwympo'n rhy bell nôl!
Wel, o'n i'n edmygu 'i ddewrder e, achos o'dd bod *down wind*
o Dymps, Raz a Billy yn weithred anhygoel o hunanaberthol!
Ei mîn, tase'r tri yn mynd gyda'i gilydd, galle fe fod wedi
mogi yn y *blow through!*
Wedyn cyrhaeddon ni gopa, hanner copa yr anferthedd o
fynydd 'ma, ac erbyn i ni gyrraedd o'dd hi yn edrych fel pe
bai hi newydd gerdded grôs yr hewl. Dyw e jyst ddim yn
iawn bod pobl hŷn na ni yn ffitach na ni.

**SPIKEY**       *Dead, I am dead* ar ôl hwnna.
**MISS**         Gwneith les i chdi.
**SPIKEY**       Miss, Billy mynd i siwo chi am roi e trwy
                 *hell!*

Pan gyrhaeddodd y tri ola, o'n i'n teimlo mor flin drostyn
nhw. O'dd Raz yn llythrennol ffili siarad, p'un ai tymer neu
ddiffyg anal, *we know not!* O'dd Dymps yn gwenu fel 'ma fe
wastod, ond wedyn colapsodd e, a Billy yn ddoniol fel arfer:

**BILLY**        Gwedwch wrtha i 'to nawr, Miss. Shwd ma
                 hwn yn helpu'n Gymrag i?

A wedyn, digwyddodd rhywbeth anhygoel. Clirodd y cymyle, a daeth llafne o haul cynnar i olchi ar draws y mynydd gyferbyn â ni.

**SPIKEY**   Ffrigin hel! Sori, Miss. Gweld hwnna?

Wir, o'dd e'n brofiad rhyfeddol. Ro'dd y lliwiau fel pe baen nhw'n codi o'r llawr i gwrdd â ni a'r holl beth mor llachar.

**DONG**   Mae fel bod ar drygs – *not that* fi wedi!

Sa i'n gwbod os yw Dong wedi'u trio nhw ne bido, mae'n amheus 'da fi, ond o'dd e'n iawn am y profiad – cwbwl seicadelic. O'dd e fel tase'n cynheddfau ni wedi ca'l syrj trydanol o filiwn o folts. Tawelwch llwyr a … wel, yr unig air yw syfrdandod at brydferthwch. Ymhen tipyn …

**MISS**   Do'dd T H Parry Williams ddim yn credu yn Nuw, ond roedd o yn credu hefyd.
**SPIKEY**   AC/DC *like*, Miss.
**MISS**   Ie.
**SPIKEY**   Fi'n gwybod sut mae'n teimlo *after that*.
**MISS**   Gwrandewch ar Mr Jones am eiliad. Gwrandewch yn astud iawn, gwrando go-iawn rŵan, a dwi'n addo y cofiwch chi hwn. Dyma ddudodd T H Parry Williams amdano fo'i hunan yn tyfu fa'ma.
**DOM CRIWS**   'A thros fy magu, drwy flynyddoedd syn
      Bachgendod yn ein cartref uchel ni,
   Ymwasgai henffurf y mynyddoedd hyn
      Nes mynd o'u moelni i mewn i'm hanfod i.'

Wedyn, yn gwbl ddirybudd, dechreuodd hi a fe redeg lawr y mynydd a'n gadel ni. Ma'r fenyw yn boncyrs – ond yn wych o boncyrs. O'n nhw wedi trefnu hwnna, mae'n amlwg. O'dd e mor ddramatig – wel bron yn felodrama sbôs, ond fe withodd e! Wy'n cofio'r cwôt nawr.

O'dd mynd lawr yn haws!

I Dymps.
A roliodd.
Lawr.
Bob cam.
Mae fy nghymheiriaid yn boncyrs a wy'n dwlu arnyn nhw.

Erbyn canol y bore, gadawyd ni'n rhydd am awr yng Nghaernarfon jyst i grwydro gyda'r gorchymyn i gwrdd wrth y llysoedd barn am hanner dydd. Nawr sa i'n siŵr syniad pwy oedd e i fynd i'r castell ond, ar ôl cael ein dysgu gan Miss Esyllt 'Wy'n nabod Meibion Glyndŵr' ap Einion ers bron i flwyddyn, roedd hi yn cael effaith arnon ni ac yn sicr ar ôl darllen cerddi Gerallt Lloyd Owen, neu fel o'dd Spikey'n ei alw fe, *"The three greatest poets in Wales!"* o'dd gweld y man lle roedd Carlo wedi cael ei arwisgo yn '69 yn ymddangos fel syniad da. O'dd y lle yn llawn Americaniaid pan o'n i 'na a chwpwl o Saeson. Wel ma' Spikey, er gwaetha'r ffaith 'i fod e'n siarad Cymraeg fel y mae e, yn caru Cymru yn danbaid yn ei ffordd ei hunan. So pan ddaeth y cwpwl Americanaidd bach 'ma ato fe a gofyn os oedd e'n gallu siarad Cymraeg ...!

**SPIKEY**     O, yes, very good Welsh, isn't it?

A'r acen gog mwya crap glywsoch chi erioed.

**NHW**     Gee, a genuine Welsh speaking person, and so young!

**SPIKEY**     Yes, we start very young in Wales. We suck it with our mother's milk!

(O'dd Raz yn wherthin gymaint yn barod, fe fuodd hi'n sic.)

**NHW**     Would you mind if we took your photograph?

**SPIKEY**     No, not at all. Very small charge of five pounds for doing.

**NHW(hi)**     How much is that, honey?

**NHW(fe)**     About ten dollars.

**NHW(hi)**     Give him that, honey.

**SPIKEY**     Thank you, *diolch yn fawr iawn, de.* It will go to the fund for orphaned children in South Wales who are learning Welsh.

*The boy is off his trolley!* A 'na le o'dd y ddou Americanwr yma a Spikey yn pôso iddyn nhw. A thrwy'r holl beth, stopodd e ddim da'r acen na'r actio! Tase fe fel hyn mewn gwersi drama lefel A bydde dyfodol iddo fe. Ar ôl iddyn nhw fynd ymlaen ar eu taith, dangosodd e'r bumpunt i ni a gwenu.

**RAZ**     Ti'n gallu cael dy neud am *false pretences!*
**SPIKEY**     I am an orphan from South Wales, Raz!

A 'na le o'n ni gyd yn sefyll ar y llechen lle cafodd Carlo ei roi i ni fel cenedl. Erbyn hyn sa i'n gwbod syniad pwy oedd e (Dymps siŵr o fod), ond yn hollol awtomatig ffurfion ni gylch am funud, a phan edrychon ni nôl ar y ffordd mas, o'dd y ddau Americanwr yn edrych ar y peil o gachu ffresh yn stemo gan feddwl mai'r Hen Dywysog annwyl o'dd wedi ei roi e 'na fel cofeb! O'dd hi'n bryd i ni 'i heglu hi o' 'na! Tase'r awdurdode yn gwbod!

**DYMPS**     Lloegr wedi cachu ar pen ni am *six undred years.* Dymps yn cael *dump* ar Lloegr nawr. *Seems fair* i fi!

O'n ni'n dal i wherthin pan ddath y waedd,

**MISS**     Be' dach chi wedi bod yn gwneud yn y twll 'na?

Anadliad rhydd – nid yr awdurdode!

**ÎFS**     Gweithredu dros Gymru, Miss!
**DYMPS**     Wel, dros lechen Cymru i fod yn fanwl gywir, Miss.

Edrychodd hi arnon ni gyda pheth amheuaeth.

| **MISS** | Dwi ddim isho gwbod. Dowch. Yr Wyddfa amdani. |
|---|---|
| **RAZ** | She's not serious is she? |
| **MISS** | *Yes she is*, Raz. Yr Wyddfa. |

Anhygoel. Hollol anhygoel o wych. A whare teg i Hilary a Sherpa Tensing, fe gadwon nhw ni gyda'n gilydd yn ddigonol fel y'n bod ni'n gallu enjoio cwmni'n gilydd. O'dd Raz hyd yn oed, er na chyfaddefe hi byth, yn enjoio'r profiad.

| **RAZ** | Miss! Jyst paid dweud i fi faint wy'n enjoio *cos I'm not*. Fi dal ddim wedi anghofio Cwmtudu, *Sir!* Hwn yn waeth! *It's not fair.* Lefel A yn ddigon o *torture*, a nawr hwn! Kate Roberts *on a Monday mornin'* yn rhoi *depressions* i fi ond hwn!!!!! |

Ag *on* ag *on* yn sylwebaeth ddiddiwedd ddoniol.

| **BILLY** | Raz, you are giving me a headache! |
|---|---|
| **RAZ** | *Headache?!* Edrych 'ma Billy, *footache, backache* … Enwa di fe, fachgen – fi'n dioddef o ef!!!! |

Do'n ni ddim ymhell o'r copa, a Miss a Syr wedi gadel i ni gyrraedd yn ein pwyse, ac Îfs yn ishte yn edrych nôl. O'n i mor lwcus, yn anghredadwy o lwcus gyda'r tywydd. O'dd e fel pe baem ni'n edrych ar Gymru gyfan. Ishteddes i gyda fe, a daeth yr eiliad yna sy'n newid bywyd rhywun am byth. Mor syml, mor ddi-ffws.

| **ÎFS** | Ti wedi darllen rhagor o waith T H Parry Williams, Rhys? |
|---|---|
| **FI** | Ddim lot eto. Ond wy'n mynd i neud ar ôl mynd gartre. Ti wedi 'te? |
| **ÎFS** | Do. Ma fe'n grêt. |
| | 'Twyllwr wyf innau. Pwy sydd nad yw, |
| | Wrth hel ei damaid a rhygnu byw? |
| | Ac anferth o gelwydd yw'r bywyd sydd |
| | Mewn ofn a chadwynau nos a dydd.' |

Dim rhagor. Dim rhagor o ofn. Dim rhagor o gadwynau. Wy' moyn gweud 'tho ti, Rhys, a sa i moyn i ti weud dim wrth neb arall ar hyn o bryd. Wy'n gwbod 'mod i'n hoyw.

'Na gyd. A beth ddath i'n feddwl i o'dd cwôt Saesneg, lle o'dd Îfs wedi cael llenyddiaeth Gymraeg i'w helpu fe: 'This is how the world ends, not with a bang but with a whimper.'

| FI | Reit. Ti'n o cê? |
|---|---|
| ÎFS | Nagw. Ddim 'to. Ond fe fydda i. |
| FI | Ti moyn siarad amdano fe? |
| ÎFS | Nagw. Sa i'n siŵr pam wy' wedi gweud 'tho ti man 'yn. O'dd e'n ymddangos fel y peth iawn i neud. Sori os wy' wedi sbwylo'r daith i ti. |
| FI | Ti heb. Ti sy'n bwysig. Wy'n dy garu di. Ti yw'n ffrind i. |

Sa i'n gwbod os taw hwnna o'dd y peth iawn i weud, ond 'na beth o'n i'n teimlo. Îfs yw'n ffrind gore i. A wy' yn 'i garu fe. Yn yr eiliade 'na dath holl ofne ac ansicrwydd blwyddyn deg nôl pan o'dd e eisiau gadael achos o'dd e wedi gweud rhywbeth tebyg pryd 'ny. Ond o'dd hwn yn wahanol. O'dd sicrwydd yn y dweud.

| SPIKEY | *Come on, whimps*. Caffi neu rywbeth ar y top. Wos rong gyda chi dau? |
|---|---|

Ac fe godon ni a cherdded i'r copa. Copa Cymru. Copa ein cyfeillgarwch. Copa ein deall a'n hymddiriedaeth yn ein gilydd. A dalon ni'r trên nôl lawr. Wel, driodd Spikey a Raz ddala'r trên nôl lawr.

| MISS | Iawn, ewch chi efo'r trên os 'dach chi'n dewis, ond fydd 'na ddim tafarn heno i bawb os ewch chi. |
|---|---|

Wy'n credu bod ôl ewinedd Raz ar ddrws y trên o hyd!

O'n i mewn bach o ddêz am weddill y dydd yn edrych ar Îfs o'dd, erbyn hyn, yn acto'n wych ac yn well na fi. Ond wy'n 'i nabod e hefyd. Pwynt yw, do'dd dim byd wedi newid mewn gwirionedd o'dd e? Dim byd. Yr un bachgen o'dd e. Yr un cyfeillgarwch. So beth o'dd y'n broblem i? Un peth oedd yn sicr, do'dd dim cyfle i ni'n dou siarad fan 'na. 'Na pam es i draw ato fe y penwythnos 'ma. Ond y dafarn!

Y Black Boy oedd enw'r dafarn 'ma – ag o'n i'n meddwl bod y Bridgend lle wy'n byw yn ryff! Ond o'dd pawb 'na'n siarad Cymraeg. Ac wrth gwrs, ma' hwnna yn ei hunan wastod yn sioc i ni gyd ac mae'n hyfryd. Wel o'dd pawb yn joio, a wy'n gwbod falle bydde awdurdodau'r ysgol yn *horrified* bod Miss Esyllt 'Gerallt Lloyd Owen is my tad-cu rîli' ap Einion a Dom 'Ydych chi'n credu fi'n gallu pwlo'r bird 'na' Criws yn gadael i ni yfed dan oed, ond o'dd pawb yn bihafio, pawb yn siarad Cymraeg a neb yn creu unrhyw hasl. Ar wahân i Miss. Tua hanner awr 'di naw o'dd e, ag o'n ni ar fin mynd pan gafodd Miss *mare*.

| | |
|---|---|
| **RAZ** | Beth sy'n bod, Miss? Hen athro chi ydy fe? |
| **MISS** | Sbiwch! Sbiwch pwy sy 'na? Meirion McIntyre Huws a Myrddin ap Dafydd. |
| **SPIKEY** | Pwy 'di nhw, Miss. Fel *pop stars* Cymraeg ydy fe? |
| **MISS** | Beirdd Spikey! Beirdd y gadair!!!! |
| **SPIKEY** | Be? Chi eisiau fi roi *chair* fi i nhw? |

Wel, mae'n debyg bod y ddou flôc 'ma yn feirdd cadeiriol a Miss yn dwlu ar eu gwaith nhw.

| | |
|---|---|
| **RAZ** | Rhys, I would go on a diet for them! |

A dethon nhw draw i ishte ar y'n pwys ni. Ma' Spikey yn gwbl ddigywilydd withe.

| | |
|---|---|
| **SPIKEY** | Oreit, byti? |
| **MM** | S'mae? |
| **SPIKEY** | Ydy. Mae. Ffrind ni'n dweud chi'n *poets*. |

| | |
|---|---|
| **MaD** | Felly ma' nhw'n deud. O'r De 'da chi? |
| **SPIKEY** | *Aye*. Lan am *holiday* bach. So chi yw chi *or what, like?* |

O'dd y benbleth ar eu hwynebe nhw yn gerdd yn ei hunan, ond ma' deall llinyn meddwl Spikey yn anodd withe. Diolch i Dduw bod Llinos 'na.

| | |
|---|---|
| **LLINOS** | Spikey sy'n gofyn ife chi yw Meirion Mac a Myrddin ap Daf. |
| **MM** | Felly o'n i'n gadael y tŷ. |
| **MaD** | A finnau. |
| **SPIKEY** | Ie, nhw ydy fe, Miss. Miss eisiau prynu peint i chi. |

A chware teg iddi, prynodd Miss rownd i bawb heb gyfri'r gost. A 'na shwt ddath dau o brif feirdd Cymru i gysylltiad â Spikey, Dymps a Raz a gweddill dyfodol y genedl. Pan ofynnodd Raz i Myrddin ap Dafydd,

| | |
|---|---|
| **RAZ** | So, tel tw mî nawr, Merf. Wyt ti'n cachu cynghanedd *then, or what?* |

… o'dd e'n amser cael awyr iach. Es i mas ac am dro bach i'r cei wrth y castell, achos o'n i'n gwbod hefyd bod Îfs wedi mynd i gael sbel fach, ag o'n i jyst â marw ishe siarad gyda fe. Ishte ar y wal yn edrych ar oleuadau Sir Fôn o'dd e, a sŵn y dŵr yn cosi'r cei fel cyfeiliant. Jyst ishte 'na. O'dd e'n edrych mor fach. Mor ddiamddiffyn. Ishteddes i gyda fe.

| | |
|---|---|
| **ÎFS** | Wy'n olreit, wir. |
| **FI** | Wy'n gwbod dy fod ti. Fi sy ' ddim. |
| **ÎFS** | Sori. |
| **FI** | Nage dy fai di. |
| **ÎFS** | Wy' ofan, Rhys. Stiwpid ife. Ofan y'n hunan. |
| **FI** | Na. Ofan pobl wyt ti, nage dy hunan. |

Edrychodd e arna i a hyd yn oed yn y gwyll, o'n i'n gwbod ei fod e'n torri ei galon.

**ÎFS**     Pam fi, Rhys? Pam fi?

A gydies i ynddo fe a'i gwtsho fe'n dynn a'i ddal e man 'na nes o'dd y crio wedi stopo. Llais Dom yn galw amdanon ni shifftodd ni a chwerthin gorffwyll Spikey yn diolch i'r beirdd.

**SPIKEY**     Meiron, Dafydd ap Myrddin, mae wedi bod yn anrhydedd nid bychan i fod yn eich cwmpni. *Thank you.*

A gan fod Miss wedi mynd dros ben llestri yn ei haelioni, do'dd neb wedi sylwi ar absenoldeb Îfs na fi. Er mai Dom oedd yr unig un sobor, sylwodd e ddim chwaith ar lygaid coch Îfs.

Diflannodd gweddill yr wythnos. Crwydro'r Lôn Goed, canu'r anthem ar sgwâr Pwllheli tu fas i'r tŷ lle sefydlwyd y Blaid. Daeth rhyw fenyw i'r ffenest a gweud wrthon ni i fygran off mewn llais Seisnig ond llwyddon ni i dynnu Spikey o' 'na heb regi gormod. Taith i Nantgwrtheyrn i gael diwrnod o ddarlithoedd, ymweliad teimladwy iawn â Phenyberth a rhagor o farddoniaeth a barbeciw bendigedig ym Mhorth Neigwl lle penderfynodd Raz fynd i'r dŵr yn ei dillad, achos do'dd hi ddim moyn dangos ei phopeth i'r byd a'i frawd. Dilynwyd hi gan Dymps a Spikey a bron pawb, ar wahân i fi a Llinos, yn eu dillad isa. O'dd h'n graff iawn fel arfer.

**LLINOS**     Îfs yn dawel iawn.
**FI**     Ody. Ti'n gwbod fel 'ma fe. Cymryd popeth mewn. O's A seren i gael yn lefel A? Achos fe geith e fe. A ti, wrth gwrs. Ti'n iawn?
**LLINOS**     Odw. Ffein.
**FI**     Ni ddim wedi siarad lot â'n gilydd.
**LLINOS**     Na. Dim cyfle wir, o's e?
**FI**     Na. Dylen ni neud cyfle … os ti moyn, hynny yw.

| | |
|---|---|
| **LLINOS** | Mm. Bydde 'na'n neis. Ni'n gallach nawr, nagyn ni? |
| **FI** | Odyn. Callach nawr. |

A 'na gyd fuodd. Ac rŷn ni. Sgrech!

| | |
|---|---|
| **SPIKEY** | Fi wedi colli cegs fi yn y pocsi dŵr 'ma! |
| **PAWB** | Spikey colli cegs! Spikey colli cegs! |
| **SPIKEY** | *Tossers*, helpo fi, *someone*. Raz, dere â *'t' shirt* ti. Fi'n gallu cael siwt mas o fe wedyn! |
| **DYMPS** | Spikey! Pysgod yn hoffi *little worms* i fwyta!!! |

A rhedodd y diawl dwl mas o'r dŵr yn cwpanu 'i ddyfodol yn ei ddwylo.

| | |
|---|---|
| **SPIKEY** | *Tossers! You tosser. Friend in trouble* a chi'n ignoro fi. |
| **BILLY** | Pwy ffrind? |

Ac fel wedes i, wy' newydd ddod nôl o dŷ Îfs ar ôl penwythnos gyda fe. Sa i'n siŵr beth gafodd Saul neu Paul ar y ffordd i Ddamascus. Tröedigaeth, medde Andrew 'Deg Gorchymyn Rŵls' Bechadur, ond wy'n teimlo fel 'na heno ar ôl bod gydag Îfs. Ma' fe wedi agor y'n llygaid i. A wy'n teimlo fel person gwahanol.

Pan es i 'na o'dd 'i fam e'n wynderffwl.

| | |
|---|---|
| **MAM ÎFS** | O'n i'n gwbod dylen i fod wedi cael dou fab. Dere miwn! Ma' Dewi lan lofft. Ti'n siŵr sdim gwanieth 'da dy rieni dy fod ti man 'yn a ddim 'da nhw? |
| **FI** | Na. Ma' nhw'n gweld digon arna i. |
| **MAM ÎFS** | Na, bach. *Not possible*. Îfs! Ma' Rhys 'ma. Cera lan, bach. |

A phan o'n i'n cerdded lan y grisiau, dwy' ddim cweit yn siŵr beth o'n i'n teimlo. Do'dd dim dwy awr ers o'n i nôl o'r gogledd, ond o'dd y daith nôl yn amhosib o safbwynt siarad a ni'n dou, wy'n credu, yn ysu ishe dweud gymaint.

**ÎFS**     Heia! Dere miwn.

Ac Îfs yn edrych yn hollol cŵl.

**FI**      Ma' Mam a Dad moyn y 'niarddel i o fynwes y teulu am 'u hesgeuluso nhw!
**ÎFS**     Sori.
**FI**      Ti'n jocan? Digon is enyff ohonyn nhw ar hyn o bryd, ife.

So gwnes i'n hunan yn gartrefol a buon ni'n siarad am anturiaethau a dwli y gogledd a siarad am bopeth ar wahân i'r union beth o'dd angen i ni'n dou siarad yn 'i gylch e. Ethon ni lawr i gael swper a chael laff gwych gyda thad Îfs – mae'i storis e am 'i waith fel GP yn hollol anghredadwy. Gog yw tad Îfs, ond mae Gu wastod yn gweud wrth Dad,

**MAM-GU**   Lived 'ere long enough now – been neutered.
**DAD**      I thought that's what happened to tom cats.
**MAM-GU**   Brings tears to your eyes anyway!

O'dd e wrth 'i fodd yn clywed am ble o'n ni wedi bod 'da'r adran Gymraeg ac oherwydd hynny, o'dd yn rhaid cael siampaen i ddathlu! Grêt! All yfed ddim bod cynddrwg â 'na i chi achos o'dd mam a thad Llinos hefyd yn enjoio yfed!

Ac ar ôl i ni gyd gael gormod, ath Îfs a fi nôl lan i'w ystafell wely e. Ac oherwydd y ddiod fi ofynnodd,

**FI**      Ti'n mynd i ddweud wrth dy fam a dy dad?
**ÎFS**     Wrth gwrs 'y mod i. Sa i wedi dewis pryd, ond fe weda i. Wy'n eu caru nhw.
**FI**      Falle bydde fe'n well pe na baet ti.
**ÎFS**     Pam wyt ti'n gweud 'na?
**FI**      Sa i'n gwbod – cadw'r peth yn dawel.

Edrychodd Îfs arna i a shiglo'i ben.

**ÎFS**  Ti ddim yn deall wyt ti?

**FI**  Deall beth?

**ÎFS**  'Ac anferth o gelwydd yw'r bywyd sydd
Mewn ofn a chadwynau nos a dydd.'

**FI**  Barddoniaeth yw hwnna.

**ÎFS**  Ie, ond barddoniaeth sy'n siarad am 'y mhrofiad
i, p'un ai o'dd y bardd yn bwriadu 'ny neu bido.

**FI**  'Ofn a chadwynau?'

**ÎFS**  Mewn gair. Sdim syniad 'da ti, Rhys. Ti ddim yn
hoyw.

**FI**  Ti ddim yn siŵr.

**ÎFS**  Odw! Odw! 'Na pam wedes i wrthot ti ar yr
Wyddfa.

**FI**  Ond wedest ti ym mlwyddyn deg a newidest ti
dy feddwl.

**ÎFS**  Naddo, gwadu 'i fod e 'na wnes i, nid newid 'y
meddwl. Wy'n gwbod 'mod i'n hoyw ers o'n i'n
ddeg oed.

**FI**  *Piss off!*

**ÎFS**  Noson o ddweud y gwir sy 'ma heno, Rhys.

**FI**  Ond shwd? 'Sneb yn gwbod dim yr oedran 'na!
Mae'n amhosib.

**ÎFS**  Pryd ddest ti'n ymwybodol o ferched?

**FI**  Sa i 'da ti.

**ÎFS**  Pryd ddechreuest ti ffansïo merched?

**FI**  Blwyddyn naw.

**ÎFS**  *Piss off!*

**FI**  Wel sa i'n gwbod. Sa i'n cofio dod yn ymwybodol
ohonyn nhw. O'n nhw jyst 'na.

**ÎFS**  Fel fi gyda bechgyn. Wy'n cofio mynd gyda Mam
a Dad i'r gogledd – bythdi deg o'n i – i dŷ chwaer
Dad yn y Rhyl, ag o'dd catalog gyda 'i yn y tŷ
bach. Wy'n gallu cofio nawr troi at y tudalennau
lle o'dd y dynion yn dangos dillad isha.

**FI**  O'n i arfer neud 'na 'da catalog Gu ac edrych ar
y menywod yn eu bras!

| | |
|---|---|
| **ÎFS** | A beth o'dd dy oedran di? |
| **FI** | Un ar ddeg. O't ti wastod yn datblygu'n gynt na fi. |

A chwerthiniad oddi wrth Îfs a balchder hefyd ei fod e wedi profi pwynt.

| | |
|---|---|
| **FI** | Ond sa i'n deall o hyd. Beth ddigwyddodd i ti? O'dd rhywun wedi neud rhywbeth i ti? Ti'n gwbod. Ymyrryd â ti? Beth wedes i? |

O'dd yr olwg ar wyneb Îfs ddim yn ddicter yn gwmws, ond cymysgedd o siom ac anghrediniaeth.

| | |
|---|---|
| **ÎFS** | A 'na beth wy'n mynd i orfod dioddef, ife, pan weda i wrth bobl. |
| **FI** | Beth wedes i 'to? |
| **ÎFS** | O'dd rhywun wedi neud rhywbeth i **ti** achosodd i ti droi at ferched? |
| **FI** | Na, ond ma hwnna'n … |
| **ÎFS** | A plîs, paid â gweud y gair 'naturiol' neu fe ffrwydra i. |

Ac unwaith eto, o'dd y diawl wedi cyrraedd o mla'n i.

| | |
|---|---|
| **FI** | Sori, Îfs, ma' hwn yn dir newydd i fi. Na, wrth gwrs do'dd neb wedi neud dim byd i fi, ddim mwy na ddigwyddodd unrhyw beth i ti. Wy'n sori am feddwl am y gair hyd yn oed. |
| **ÎFS** | Mae'n olreit. 'Na beth ma' pobl yn meddwl. Bod rhywbeth wedi mynd yn rong ar hyd y ffordd. Rhywbeth yn bod, ddim yn naturiol. Mae e mor anghyfiawn, Rhys. Gwneud i fi a phawb tebyg i fi deimlo'n ffrîc natur oherwydd yr hyn ŷn ni wedi cael ein geni iddo fe. |
| **FI** | Ti'n credu 'na, wyt ti? Taw cael dy eni fel hyn wnest ti? |
| **ÎFS** | Paid bod ofan dweud y gair. |

| **FI** | Dwy' ddim. |
|---|---|
| **ÎFS** | Sdim esboniad arall call 'da fi. Wy' wedi cael yr un teip o fagwreth â ti. |
| **FI** | Callach o beth uffernol, weden i. |
| **ÎFS** | Wy'n lico yr un pethe â ti, rygbi, pêl-droed, drama. Wy'n ddyn ifanc cyffredin. |
| **FI** | 'Na'r peth ti'n gweld, Îfs, ti ddim yn dishgwl yn hoyw. O, *God*, beth wedes i 'to? |

Erbyn hyn o'dd Îfs wedi codi o'i gader ac yn cerdded ar draws ei ystafell wely a 'ngadael i fel pysgodyn ar dir sych yn chwlio am aer.

| **ÎFS** | O's stamp ar 'y nhalcen i, Rhys? RYDW I'N HOYW! Beth ti'n dishgwl i fi neud, rhedeg mewn i wardrôb Mam, gwisgo *nail varnish* a dechre ymddwyn fel Julian Clary!? *God!* |
|---|---|
| **FI** | Sori. Îfs, plîs paid bo'n grac 'da fi, wy'n trio deall, ond wy' jyst yn neud mès o bethe. |

Cwlodd e lawr tam bach ar ôl 'ny a dod nôl i ishte ar 'y mhwys i.

| **ÎFS** | Fi sy'n *up-tight* o hyd, ti'n gwbod. Ond, dwy' ddim yn ffito mewn i gategori, odw i? Ond 'na'r pwynt, pam odyn ni'n categoreiddio pobl? Ti'n gwbod bod Aelodau Seneddol hoyw nawr? Ma' Gweinidog y Goron, yn yr Adran Dreftadaeth, yn ddyn hoyw – agored! Nage'u rhywioldeb nhw yw'r pwynt, ond eu gallu nhw i neud eu gwaith. |
|---|---|
| **FI** | Wy'n cytuno. |
| **ÎFS** | Ond pam odw i'n cael 'y nhrin yn wahanol? |
| **FI** | Ofn pobl o rywbeth dŷn nhw ddim yn deall. |
| **ÎFS** | Yn gwmws. 'Ofn a chadwynau'. Ti'n gwbod, dwy' ddim hyd yn oed yn gallu cael yr un hawliau â ti os wy'n cwrdd â rhywun. |
| **FI** | Ie. Ond falle taw rhoi cyfle i ti yw hwnna. I ailfeddwl. Falle nagwyt ti'n barod. |

| | |
|---|---|
| **ÎFS** | Beth o'dd dy oedran di a Llinos pan gethoch chi ryw am y tro cyntaf? |
| **FI** | Pymtheg. |
| **ÎFS** | Dan oedran! |
| **FI** | Ie. |
| **ÎFS** | Shwd o'ch chi'n gwbod? |
| **FI** | O'n ni'n caru'n gilydd. Jyst yn gwbod. |
| **ÎFS** | A dwy' ddim yn abl i wneud penderfyniadau fel 'na, odw i? |
| **FI** | Wyt. Wrth gwrs dy fod ti. *God*, Îfs, dwy' jyst ddim wedi meddwl am y peth. |
| **ÎFS** | Wy'n gwbod. Do's neb o's e, dim ond yn nhermau *sniggers* a gwneud sbort am ein pennau ni. Faint o jôcs am *'poofters'* a *'queers'* odw i wedi gorfod gwrando arnyn nhw? Ond wede neb jôc am bobl ddu! Gwed 'tha'i, odyn ni wedi cael un wers, jyst un wers erioed yn yr ysgol o'dd yn esbonio rhywioldeb i ni? Odyn ni wedi darllen unrhyw lenyddiaeth, unrhyw beth o gwbl yn Gymraeg neu Saesneg sy'n trin y pwnc a'i roi e mewn gole positif? Pam odw i'n teimlo fel 'the Elephant Man' achos y ffordd ges i 'ngeni? A ma'r gymdeithas ragfarnllyd, anoddefgar mas man'na yn mynd i giwo lan i bwynto bys ata i. |
| **FI** | Wel, bydd yn rhaid i ni bwynto bys nôl, na fydd e? |
| **ÎFS** | Nage dy frwydr di fydd hi. |
| **FI** | Ie! Shwd elli di weud 'na? Fi yw dy ffrind gore di! |
| **ÎFS** | Ond fi yw fi. |
| **FI** | Drycha, Îfs. Sdim ots 'da fi taset ti'n ddu gyda bits o wyrdd ynot ti, yn reido beic un olwyn ac yn hwthu tân mas o dy din – ti yw'n bartner i. Diwedd y stori. |

A 'na pryd dorrodd e lawr. *God*, ma Îfs wedi mynd trwy shwd uffern i gyrraedd y pwynt yma. Gitshes i ynddo fe'n syth a'i wasgu fe'n dynn, dynn. Ac o'dd 'i holl gorff e'n crynu a shiglo yn gwbl ddireolaeth. O'n i wir yn meddwl bydde 'i fam a'i dad e wedi 'i glywed e. Igian mawr o grio a llyncu anal i drio rheoli 'i hunan. O'n i mor grac. O'n i mor ffrigin grac bod cymdeithas yn creu y fath ofn bod y'n ffrind gore i yn teimlo fel hyn. Pan dawelodd e o'r diwedd a chodi ei ben, o'dd 'i lyged yn goch.

**ÎFS**        Sa i moyn byw mewn ofn a chadwynau, Rhys. Wy' moyn byw.

A chwympodd e nôl ar y'n ysgwydd i a'r boen yn lleihau a'r anadlu'n dod yn fwy rheolaidd. Erbyn hyn wrth gwrs o'n i'n llefen 'fyd – ond taw tymer o'dd yndda i. Anghyfiawnder. Pam? Er mwyn dyn, pam? O wy'n gwbod yn iawn beth wediff Andrew 'barn Duw' Bechadur – ond do's dim gwanieth am bobl dŷch chi ddim yn 'u parchu. Dyw 'u barn nhw ddim yn cyfri. Bythdi un o'r gloch y bore, o'dd Îfs yn dal yn ofnadw o ypset ond 'i fod e'n llwyddo i reoli'r peth yn well.

**ÎFS**        Sori. Ma'n rhaid dy fod ti'n *shattered*. Siaradwn ni 'to yn y bore. Bydd Mam wedi troi'r gwely nôl i ti yn yr ystafell sbâr.

Do'dd e ddim yn benderfyniad. O'dd e'n angen.

**FI**        Bydde gwanieth 'da ti 'sen i'n cysgu man 'yn 'da ti, Îfs, i gadw cwmni i ti?

Doedd dim angen gweud dim.

**FI**        Paid dechre crio 'to.
**ÎFS**        Sdim rhaid i ti. Ti ddim yn gorfod profi dim byd.
**FI**        Dyw hwnna ddim yn deilwng ohonot ti. Ma'n ffrind i'n drist. Wy' moyn bod 'da'n ffrind.
**ÎFS**        Fi sy ddim yn deilwng ohonot ti.

A gysges i 'da Îfs yn ei wely fe, a'i gwtsho fe nes 'i fod e'n cysgu. Ond o'n i ffili cysgu. Dim winc tan berfeddion y bore

bach. A barddoniaeth T H Parry Williams yn rhedeg a raso
yn 'y mhen i,

'Ac anferth o gelwydd yw'r bywyd sydd
Mewn ofn a chadwynau nos a dydd.'

O'dd Îfs wedi gwneud penderfyniad i beidio â byw mewn
ofn a chadwynau. Ag o'n i'n gwbod, yn bendant, tasen i yn ei
sefyllfa fe, na fydde mo'r dewrder 'na gyda fi. Dwy' jyst ddim
mor ddewr â fe. Ond jiw, o'n i mor browd 'mod i'n ffrind
iddo fe. Pam fi, Duw? Pam fe? Licsen i 'se Sharon 'ma nawr.

O'dd brecwast wrth ochor y gwely pan ddines i. Îfs wedi
codi'n gynnar jyst pan o'n i wedi mynd i gysgu, siŵr o fod.

| | |
|---|---|
| **ÎFS** | Diolch am fod 'da fi nithwr, Rhys. Wy' mewn cymint o ddyled i ti. |
| **FI** | Ca dy ben! O, ond gallet ti neud rhywbeth i fi. |
| **ÎFS** | Unrhyw beth. |
| **FI** | Dere mencyd pans a socs i fi. Wy' 'di anghofio nhw. |
| **ÎFS** | Ma' nhw yn y drôr top. Dere lawr pan ti'n barod. Wy'n ca'l gwers yrru awr a hanner heddi. |
| **FI** | Ddim gyda dy dad? |
| **ÎFS** | Na, proffesiynol. |
| **FI** | Call iawn. Bues i mas 'da Dad. Cwmpon ni mas. |

A *basically,* wedon ni ddim gair am y peth dydd Sadwrn,
na dydd Sul. Rhywffordd, do'dd dim angen. Ni'n bownd o
ddod nôl a nôl ato fe pan fydd creisis ond, ar y funud, sdim
angen.

Beth wy'n gwbod i sicrwydd ar ôl y penwythnos yma yw
'mod i'n deall natur cariad yn well. O'n i yn caru Llinos yn
y'n ffordd adolesent, yn ei charu'n ddwfwn. Ond wy'n gwbod
'mod i'n caru Îfs mewn ffordd ddofn hefyd. Tasen i wedi cael
brawd, y math yma o gariad fydde wedi bod rhyngton ni,
wy'n gwbod. Cariad amddiffynnol, eisiau 'i gadw fe rhag drwg.
Cariad cryf fel derwen. Fel y cariad sydd gyda fi tuag at 'y
nheulu. Sy'n neud i fi feddwl am gariad Cristnogol. Wy'n
gwbod bod Ghandi wedi dweud 'I like your Christ but not

193

your Christians', a wy'n deall 'na. Odw i'n cael rhyw sort o dröedigaeth? O, MEI GOD!!!!!!

---

## Dydd Llun, Ebrill 30ain

Ma' Sêra wedi cael ei mislif cynta a ni wedi cael parti bach yn tŷ i ddathlu.

**DAD**      Sure you don't want to get Îfs over now?
**FI**      Dad, we had to talk!

Ma' Sêra'n grêt.

**SÊRA**      Ti'n gweld, Rhys, wy'n fenyw nawr. Nagw i, Gu?
**MAM-GU**      Wyt, bach, ac yn dilyn dy Gu bob cam.
**DAD**      I blydi 'ope not.
**MAM**      Deryck your language is gettin' terrible.
**SÊRA**      When did you know you was a man, Dad.
**MAM-GU**      Ni'n dal i weitan, bach!
**DAD**      Thank you for that vote of confidence, Mam-gu! It's different for men, Sêra.
**SÊRA**      Why?
**MAM-GU**      That's a very good question from a young lady, Deryck!
**MAM**      Wel, Sêra, ma' dynon …
**DAD**      No no, Peg, I can deal with this. Well, Sêra, it's like this. Boys do grow. And when they do grow, things do fall down. Their voices do go down. And when that happens they're a man.
**MAM-GU**      Thank God for education!
**SÊRA**      So when David Thomas's voice goes down, he'll be a man.
**DAD**      Yes. Sort of.
**SÊRA**      So it's got nothin' to do with bein able to create sperm then and those sperm mixin' with my egg and makin' babies?
**MAM-GU**      Deryck? We're waitin' for your wisdom on this.

O, bois bach, wy'n dala i wherthin nawr. O'dd wyneb Dad fel un o'r peintiadau *caricature* 'na chi'n gwbod, ceg ar agor, ceg ar gau, llygaid fel ali bops! A ma' Sêra'n gwbod beth mae'n neud, dyngen i ei bod hi. Mae mor debyg i Gu mae'n frawychus. Es i ag anrheg mewn iddi wedyn, achos o'n i wedi 'i brynu fe ers sbel. Dyddiadur … wel, llyfr gwag mewn clawr defnydd Laura Ashleaidd neis.

| | |
|---|---|
| **FI** | Rhag ofan dy fod ti eisiau dweud rhywbeth wrth dy hunan rywbryd. |
| **SÊRA** | Fel ti'n neud? |
| **FI** | Ie. |
| **SÊRA** | Pam ti'n sgrifennu dyddiadur? |
| **FI** | Wel dyw e ddim yn ddyddiadur fel y cyfryw, Sê, jyst 'y nheimladau i am bethe. Ti ddim bob amser yn gallu dweud popeth wrth rywun, wyt ti? |
| **SÊRA** | Na. Rhys, ti'n cofio'r diwrnod pan o't ti'n ddyn am y tro cynta? |
| **FI** | Wy'n dal i aros, Sê! |
| **SÊRA** | Na ti ddim, ti'n fawr nawr. Wy'n gweld ti yn y gawod bob dydd! |
| **FI** | Nage 'na shwd ti'n gwbod os yw rhywun yn ddyn, Sê. |
| **SÊRA** | Nage fe? 'Na beth ma'r merched yn y'n nosbarth i gyd yn gweud. |
| **FI** | Wel ma' nhw'n bod tam bach yn sili, nagyn nhw. Falle do's dim brawd mawr 'da nhw a ma' nhw jyst yn credu mai 'na beth yw e. |
| **SÊRA** | Ie. Falle ti'n iawn. Ond shwd wyt ti'n gwbod? Wy' wedi ca'l mislif so wy' yn gwbod. |
| **FI** | Ma' hwnna mor anodd i ateb, Sê. Jyst y ffordd ti'n ymddwyn tuag at bobl. Os ti'n gallu gwneud y peth iawn yn lle'r peth hawdd. Bod yn ffrind da os oes angen ffrind da ar dy ffrind. Bod fel Dad, I sbôs. |
| **SÊRA** | Ie. Hwnna'n wir, Rhys. Dad yn ffrind da, nagyw e, er 'i fod e'n *mad*. |
| **FI** | Ody. Ti ishe bod fel Mam? |

| SÊRA | Odw. Deffinit. Ond wy' ishe bod fel Gu hefyd. Achos mae hi'n *funny mad*. |
|------|------|
| FI | Ody. |
| SÊRA | Wel cer mas nawr te, plîs. Wy' moyn dechre sgrifennu yn 'y nyddiadur! |

'Na'r tro cynta ni wedi cael sgwrs dda ers ache, a wy' mor falch o'n i gartre pan ddath y mislif er mwyn bod yn rhan o'r dathliad yma o symud mlaen. Ma'n rhaid dweud, ma' Mam a Dad yn rîli cŵl dros hwnna. Chwarae teg i fy rhieni annwyl. Call ac aeddfed iawn. Jyst fel 'u mab!

## Dydd Iau, Mai 3ydd

Ma' Dom 'Dwy ddim yn mynd i banico' Criws, yn panico. Mae'r ymarferion sydd wedi'u llwytho ar y criw sy'n mynd i Lundain yn anhygoel! A nage cystadleuaeth yw hi! Y fraint yw cyrraedd y lle mae'n debyg. Pwynt yw, ni'n hollol cŵl am yr holl beth er mae e'n bod yn hysterical ym mhob ymarfer. Dy, tîchyrs! *Who'd 'ave 'em*, ontife?!!

Spikey yn hollol *depressed*. Dyw e ddim wedi paso un traethawd ma' fe wedi neud yn y tri phwnc – a whare teg, mae e yn trio. Wel, hynny yw, ŷn ni gyd yn ein tro yn trio gyda fe yn ystafell waith yr Uned. Dyw' e ddim yn gweud lot am y'n gallu ni, ody fe? Sa i'n gwbod beth i weud 'tho fe.

| SPIKEY | *Might as well* gadael. Dim blydi *plastic budgie's chance* mewn meicrowêf gyda fi o baso dim byd. Fi gorffod ffêso pethe, Rhys. *I was not cut out* i fynd i ddosbarth chwech. |
|------|------|
| FI | Nawr dere, ma' pethe wedi gwella tyns ers dechre'r flwyddyn. Shwd beth o'dd dy farcie di pryd 'ny? |
| SPIKEY | Not even ON the richter scale. |
| FI | Wel o leia ma' nhw'n registro nawr! |
| SPIKEY | Aye, F,F,F, and funnily enyff – ffrigin F! |

Wy'n teimlo mor flin drosto fe, ond dwy' wir ddim yn gwbod beth arall gallwn ni neud fel gang iddo fe, ar wahân i sgrifennu 'i draethode fe i gyd. A sdim lot o bwynt gwneud hynny achos bydde'r staff yn gwybod yn syth, a dim ond fe sy'n gallu mynd mewn i'r ystafell arholiad ymhen y flwyddyn. Cach.

Îfs yn grêt. Wel, fel o'dd e'n gweud, sdim byd wedi stampo ar 'i dalcen a wy' jyst yn teimlo y rhaff anferth 'ma o berthyn rhyngto fe a fi a'r balchder anhygoel yma 'i fod e'n gadael i fi fod yn ffrind iddo fe. Wedodd Raz heddi,

**RAZ**      Pam ti'n gwenu drwy'r amser. Is there something you are not telling me, Rhys?

**FI**       Dim o gwbl, Raz. Sylweddoli bod bywyd gwerth ei fyw weithie.

**RAZ**      Ble bynnag ti'n cael y tabledi 'na o, Rhys, rho gwpwl i fi wnei di?

---

### Gŵyl y Banc, Mai 7fed

---

Dim ysgol heddi. O, *aye!* Chwi'n jocian! Ma' cast Senghennydd wedi bod mewn 'na drwy'r dydd yn ailaddasu'r fersiwn fer o'r sioe ar gyfer dibenion y llwyfan yn Llundain. Mae'r dyn yn acto fel prima! Ond gethon ni laff, ac o'dd Spikey wedi codi 'i galon tam bach. Ar wahân i 'ny, wy'n *bored*. Od, ife, pan wy'n brysur wy'n hapus ac yn cwyno 'mod i eisiau sbel, a phan wy'n ca'l sbel, wy'n cwyno 'mod i'n *bored!*

---

### Dydd Mawrth, Mai 8fed

---

Wel! Smac my ffês widd ê wet kipper! Fi'n eistedd yn yr Uned ar 'y mhen y'n hunan yn ystod gwers rydd, pawb arall wedi mynd mas i'r siop ond dim whant arna i, a Llinos yn dod i ishte wrth y'n ochor i. Gofyn beth o'n i'n neud? Wel o'dd hynny'n hollol amlwg gan mai copi o Reolau'r Ffordd Fawr o'dd yn 'y nwylo. (Ma' mhrawf gyrru i yn ystod y Sulgwyn. Wel, gan nad oes pwynt mynd i steddfod yr Urdd achos y pocsi beirniaid fe wnes i gais. Er, wrth gwrs, o'n i'n gorfod aros pythefnos ychwanegol i gael arholwr Cymraeg ei iaith. Onest tw God, gallech chi dyngu 'mod i'n gofyn am Vulcan o'r blaned Zlob!)

Ond Llinos ... wel, a bod yn deg, ma' rhyw gadoediad parhaol rhyngton ni. A gan fod Dong fel rash dros unrhyw ferch sy'n digwydd stopo yn y coridor *(the boy is a male nympho)*, dwy' ddim yn mynd yn *up-tight* o gwbwl. So, feddylies i, beth mae 'i moyn? Tasech chi wedi gweud 'tha i bod 'y nhad moyn darlun o Margaret Thatcher fel anrheg pen blwydd, bydde hynny wedi bod yn llai o sioc! O leia galle fe daflu darts ar y rhagddywededig wrthrych! Mae'r sgwrs fel mêl ar 'y mysedd, am y rhesyme iawn gyda llaw, nid rhyw hen deimlad 'fi sy wedi ennill' o'dd e.

**LLINOS**   Pryd ma'r prawf.
**FI**       Sulgwyn. Sdim gobeth 'da fi baso. Dad sy'n rhoi gwersi achlysurol i fi. Mae e'n gweud 'mod i'n pathetic.
**LLINOS**   Na, fe basi di. Ma' cynheddfau da gyda ti.
**FI**       Wel, gawn weld.

Ag o'dd hi'n dal i ishte 'na. Nawr, o'n i'n meddwl bod y sgwrs drosodd, achos do's dim byd gyda ni i siarad yn ei gylch e rhagor. Ym!

**LLINOS**   Rhys, wy' wedi bod yn meddwl yn galed iawn dros yr wythnose diwethaf.
**FI**       Paid gweud bod problem 'da ti gyda'r Gymrag! Ma' fe'n hawdd ti'n gwbod!

*(I have always been a subtle person!)*

**LLINOS**   Na, 'sdim problem 'da fi 'da 'ngwaith. Problem bersonol yw hi.

Clychau larwm megis injan dân yn canu. I ble o'dd y sgwrs 'ma'n arwain?

**LLINOS**    Ers i ni gwpla …
**FI**    Ti gwplodd gyda fi.

Da iawn, Rhys. Cristnogol iawn ohonot ti.

**LLINOS**    Ers i fi gwpla gyda ti, dyw 'mywyd i ddim fel tase fe wedi neud lot o sens … y'n ymddygiad i withe.
**FI**    Dy fywyd di yw e, Llin. Hawl 'da ti neud a byw fel ti'n dewish.
**LLINOS**    O's. Do'dd dim hawl 'da fi frifo neb. A 'na beth wy' moyn neud. Ymddiheuro i ti.

Wel, ar yr eiliad yna, bydde cnec whannen wan mewn llewyg wedi'n llorio i. O'n i moyn gweud naw mis rhy blydi hwyr darlin', cer i weud 'na wrth y'n ego i a mil o gas bethau eraill. Ond …

**FI**    Diolch. Wy'n gwerthfawrogi 'ny.

*And that's it!*

Esgusodwch fi, ontife, ond o's unrhyw un yn y byd 'ma'n deall shwd ma' meddwl menywod yn gwitho? A wy'n gwbod bod hwnna'n secsist ond wy' ar goll nawr. Ody hi'n trio ffindo ffordd nôl? Ody hi moyn dechre'r berthynas eto? Odw i? Odw i wedi bod yn cuddio 'nheimladau ers naw mis a 'mod i mewn gwironedd yn dal i'w charu ond ofan cyfaddef hynny? Pam fi, Llinos? Sdim clem 'da fi beth i feddwl.

Whap wedyn 'ny cyrhaeddodd y llwythi nôl o'r siop. Erbyn diwedd y flwyddyn ma' pawb yn gwybod amserlen Andrew Bechadur a ble mae'n dysgu yn yr ysgol – a digwydd bod mae'n gwersi rhydd ni yn taro deuddeg ar ei ben gyda'i wersi rhydd e. Er, dyw Rhidian 'Mein Feuhrer' Prif Swyddog ddim yn mynd mas i'r siop, ag yntau wedi mabwysiadu rôl y crafwr tin mwya ers i tysgs eliffantod gael eu ffindo lan pen ôl rhywun o'r Orsedd o'dd ishe mynd i'r Wisg Wen. Wir, mae 'i ymddygiad e tu hwnt i reswm.

Wthnos diwetha rywbryd, o'dd Dymps a'r bois wedi prynu magasîn o'r shilff dop yn W H Smith. Nawr yn bersonol, well 'da fi ddefnyddio 'nychymyg i 'nghynorthwyo i i gyrraedd pinaclau ecstasi *(I am such a pons* weithiau! Diolch i Dduw na fydd neb byth yn darllen y dyddiadur 'ma!) Ond 'na fe, os o'dd y bois moyn TITilêshyn bach (o'dd hwnna'n jôc! Pathetic, Rhys. Pam wy' mewn cystal mŵd?) eu harian nhw o'dd yn 'i brynu fe. O'n nhw'n dishgwl ar y rhan lle ma' llunie o wragedd prynwyr yn cael eu dangos a wedodd Dymps wrth Spikey:

**DYMPS**     Oi, Spikey. Beth ma' Dad ti'n dweud bod llun Mam ti yn hwn?

Wel os do fe, ma' ffug-ffeit yn dechre a Spikey yn trio 'panso' Dymps. Panso? Ie, wel rhyw *craze mad* yn yr Uned, lle mae dau fachgen yn cwrso rhywun arall, citsho yn ei bans e bob ochr iddo fe, a'u tynnu nhw lan nes bod ei gerrig e yn 'i lwnc e, a'i bans e wedi torri. Gêm dda, nadyw hi! Hei, dewch i Uned y chweched dosbarth i ddeall shwd mae meddyliau aeddfed yn gwitho.

Ta p'un, o'dd Spikey wedi methu â thorri pans Dymps (wel, shwd ŷch chi'n torri *barrage balloons*), a chyrhaeddodd ein Prif Swyddog a gweld y magasîn. Mae ei eiriau wedi'u cerfio ar lech calon ei gyfoedion.

**RHIDS**     Os wy'n gweld hwnna yn yr Uned eto, wy'n mynd syth at Andrew, at Bennaeth y Chweched.

Y sioc ar wynebau'r bois oedd y peth gorau wy'n credu. Yr anghrediniaeth 'na bod Rhidian, y mwlsyn, y siaradwr Saesneg brwd, yr arch *piss-taker* o Andrew Bechadur, nawr yn ochri gyda fe.

**SPIKEY**    Dy, Rhidian. You've changed, aye.
**RHIDS**     Trueni bod ti heb, Spikey. Ma' nhw'n galw fe'n tyfu lan.

O'dd bylc Dymps yn handi i stopid Spikey rhag ymosod ar

ei gyn-ffrind. A jyst fel o'dd Rhids yn mynd mas trwy'r drws, dyma lais Raz,

**RAZ**        Rhidian, dweud i fi, bachgen, ydy cachu ti'n smelo'n neis dyddie 'ma? Cos ti ddim, boi!

    Throdd Rhids ddim rownd. Wy'n credu bod hwnna wedi cyrraedd y nod. Ond y pwynt yw, ma' fe'n haeddu'r cerydd. Un peth yw derbyn cyfrifoldeb. Peth arall yw defnyddio'r cyfrifoldeb 'na fel grym.
    Llinos. Beth sy'n digwydd ym mrein Llinos?

---
## Dydd Iau, Mai 10fed
---

Cyfarfod cynta wedi'i gadeirio gan y Prif Swyddogion i gychwyn y trefniadau ar gyfer *Ball* y Chweched. Nid fersiwn o'r Gladiators a'r bêl fawr blastig 'na yw hyn ond ein *Ball* blynyddol, lle mae'r chweched sy'n gadael ynghyd â'r chweched presennol, ynghyd â'n staff ([!] – Andrew Bechadur mewn siwt a dicibow yn olygfa i'w chwennych – NOT!), yn cydlawenhau, yn cyd-ddawnsio, yn cydosgoi ei gilydd mewn canolfan nid anenwog ac yn esgus lico'i gilydd am bedair awr. Pam? Wel, dyna gwestiwn melfedaidd, ynte? Achos dechreuodd y traddodiad rhyw bedair blynedd yn ôl ac mae dal 'na!
    Y broblem, wrth gwrs, yw bod rhai o'r chweched mwy anystywallt na'i gilydd yn edrych ar yr achlysur fel cyfle i fod yn anghwrtais wrth aelodau o'r staff ma' nhw wedi 'u casáu ers saith mlynedd. Mae stori bod Timothy Spud wedi pisho ym mheint Soffocleese yn y dirgel a'i watsho fe'n 'i ifed e – ond rwy'n amau hynny fy hunan. Fydde Soff ddim yn iselhau 'i hunan i yfed peints! Ma' lefel y drafodeth yn y chweched ar adege fel hyn yn alaethus o isel ond yn rhyfeddol o ddoniol.

**SPIKEY**    *Twenty quid a ticket.* Oi, Rhidian, fi ddim eisiau prynu Castell Caerffili!
**RHIDS**    Ma' hwna'n cynnwys bwyd.

| | |
|---|---|
| **SPIKEY** | *I don't care* os yw e'n cynnwys *the moat and the leanin' tower.* Ma' hwnna'n *rip off*, myn! |
| **BILLY** | Pwy siort o fwyd? |
| **ÎFS** | Ma' dewis o fwydlenni, Billy, a ni'n gorfod dewis cyn diwedd mis Mehefin. |
| **SPIKEY** | Pam? Nhw'n gorfod kilo *sheep* ydyn nhw? |
| **DYMPS** | Pam ni'n gorfod gwisgo'n posh? |
| **RAZ** | So they don't chuck you on the rubbish tip! |
| **DYMPS** | Nid ydwyf yn berchen ar siwt … |
| **SPIKEY** | *Birthday* siwt, Dymps! |
| **DYMPS** | Dim ond ar sbeshal oceshyns, Spikey! |
| **LLINOS** | Bydd dishgwl i bawb logi siwts. *Dinner Jackets* a *dickey bows*. |
| **SPIKEY** | Nobody's seein' my dicky! |

Ar y pwynt yna, wy'n credu bod y chweched ar fin hysteria.

| | |
|---|---|
| **RAZ** | A dim ond dyn dall gyda *magnifying glass* bydde ishe gweld e, Spikey! |
| **BILLY** | Ody'r merched gorfod gwishgo *ball gowns* 'te? |
| **LLINOS** | Odyn. |
| **SPIKEY** | Hoi, Raz, I know a tent maker. |

Un cam yn rhy bell, Spikey, a dyma Raz yn codi o'i chadair ag ishte arno fe.

| | |
|---|---|
| **SPIKEY** | *Dyin'! I'm dyin'!* O Raz, *arse* ti'n smelo! |
| **RAZ** | Nagyw. |

Cnec odidog oddi wrth Raz!

| | |
|---|---|
| **RAZ** | Nawr mae yn. |

Lwcus bod bin sbwriel gwag cyfagos i dderbyn y cyfog.

| | |
|---|---|
| **SPIKEY** | *Cruelty* … |
| **BILLY** | *To animals.* Llinos, o ble ni'n cael y siwts 'ma? |
| **LLINOS** | Chi'n gallu'u llogi nhw o Gaerdydd. |

| SPIKEY | *Sulphur burns* ar wyneb fi, Raz. |
| DONG | Wy'n credu bydden i'n dishgwl yn smart iawn mewn *Dinner Jacket* a dicibow. |
| BILLY | 'Sdim wili warmers 'da nhw ar drowseri 'to, Dong! |
| SPIKEY | Faint mae'n costio i heiro'r siwts? |
| RAZ | They'll give you a sack for nothin'! |
| DYMPS | Rwy'n gwrthwynebu gwisgo'n posh! Faint gostiff e. |
| LLINOS | Ma' siwt abythdi hanner can punt. |

Corws o wrthwynebiad.

| SPIKEY | *Ffity quid!* O aye, mam fi'n mynd i fforco hwnna allan *for one night stand*. |
| DONG | Fi byth wedi talu am *one night stand!* |
| ÎFS | Drychwch, wy'n gwbod bod y prishodd yn afresymol, ond dim ond unwaith y flwyddyn ma fe'n digwydd. Smo chi'n credu dylen ni ddangos i chweched y llynedd y gallwn ni neud cystal job â nhw? |

Llais rheswm yn ennill y dydd. Ma' meddwl am fynd i Gaerdydd i fesur am siwt gyda Spikey a'r gang yn codi gwên ishws. Ymarfer Senghennydd dydd Sadwrn. Mae Dom 'rwy wedi gweithio i gael nerfys brêcdywn a nawr wy'n mynd i enjoio cael nerfys brêcdywn' Criws yn mynd **D.B.LL.** (Dros Ben Llestri!)

---
## Dydd Sul, Mai 13eg
---

*Boringness* wedi fy ngoddiweddyd. Ma'r ymarferion i Senghennydd yn mynd ar fy mronnau. Mae Îfs yn grêt, ond wy' ffili ca'l Llinos mas o'n feddwl a'r ffaith ei bod hi wedi ymddiheuro. O'dd hi'n trio adeiladu rhyw fath o bont nôl. Ody hi eisiau mynd nôl? Odw i eisiau mynd nôl? Duw a ŵyr.

O! Ma' Andrew 'Dyrchafaf fy Llygaid i'r Ddirprwyaeth – na

chefais!' *(thank God,* medden ni!) Bechadur, nawr 'i fod e' wedi methu cael y job, wedi penderfynu bod yn siwpyr effeithiol er mwyn dangos i bawb y fath golled mae'r ysgol wedi dioddef o beidio â'i benodi fe! NOT!!! Ma' hwnna fel gweud bod peidio â chael Hitler i oresgyn Cymru wedi bod yn golled i'r genedl. Onest, ma' fe eisoes wedi dechre nago pawb ynglŷn â gwneud ceisiadau i'r prifysgolion! Hollol, hollol ridiciwlys! 'Sneb yn meddwl neud 'na tan ddiwedd mis Medi. Ac mae'r hasl mae e'n rhoi i Llinos ac Îfs i drio am Rydychen a Chaergrawnt … Onest, dyngen i 'i fod e mewn cariad â nhw! Pryd bynnag mae e'n 'u gweld nhw'n segur yn yr Uned, ma' fe'n awgrymu rhyw lyfr dylen nhw 'i ddarllen er mwyn ehangu eu gwybodaeth gyffredinol ar gyfer y papur mynediad. Wy'n siŵr mai Soffocleese sy' wrth wraidd hyn. Wrth gwrs, do's dim unrhyw fwriad gyda'r naill neu'r llall i drio am y colegau snob 'na. O'dd Spikey'n ffyni ddydd Gwener,

**SPIKEY**    *Sir,* fi gallu gofyn barn chi?
**AB**        Cewch, Steffan.
**SPIKEY**    Pwy coleg chi'n recomendo fi'n trio am?

O'dd yr olwg ar wyneb Andrew fel tase rhywun wedi dala potel o gnecs pydrllyd a socs brwnt dan 'i drwyn e. Ond o'dd yr hen Spikey wedi deall y peth, on' doedd e? Feiddie'r hen Bathetig Bechadur ddim anwybyddu'r cwestiwn neu cele fe 'i gyhuddo o beidio â chymryd gofal pob disgybl yn y chweched o ddifri er 'i fod e mewn gwirionedd yn gwbod bod Spikey yn cymryd y *piss.* Wel, wy'n credu 'i fod e'n cymryd y *piss.* Wy' wedi 'i ddala fe'n darllen llyfre ddwywaith!

**AB**        Wel, Steffan, mae hynny'n dibynnu ar ba fath o gwrs ŷch chi'n ei chwennych?
**SPIKEY**    O, bod yn athro fi'n ffansïo, *Sir,* ond *easy subject* gyda un llyfr fel *reference.*

Suddodd pawb yn 'u cadeirie pryd 'ny! Un llyfr! Wel nage *Playboy* o'dd e, ife?

**AB**   At ba bwnc yn arbennig oedd eich gorwelion chi, Steffan?

Pawb yn dala anal.

**SPIKEY**   Wel, obfiys nady fe, *Sir?* Ysgrythur!

Pawb dan y cadeiriau.

**AB**   Mae hwnna i fod yn ddoniol rwy'n tybio, Steffan?

**SPIKEY**   Na, *Sir,* wy'n teimlo bod fi'n gweld y golau yn y bywyd gwastraffus yma rwy wedi cael, rwy'n teimlo bod newid yn mynd i ddigwydd. Dŷch chi ddim yn gallu gweld y newid yn fi, *Sir?*

Os oes shwd beth â chydanadliad, digwyddodd e ar ôl i Andrew 'Na Ladd – ar wahân i Spikey' Bechadur fynd allan.

**FI**   Gymerest ti risg man 'na.

**SPIKEY**   Ie, wy'n gwybod. Ond fe'n credu fi'n cael turn nawr!

**FI**   Turn?

**SPIKEY**   Aye, *troi* thing.

**RAZ**   Tröedigaeth, Spikey.

**SPIKEY**   Tha's ddy wyn. Eniwei fe'n haeddu fe – ignoro fi achos fi'n thic. *Git!*

Wy'n becso abythdi Spikey withe. Sdim gobeth baryn o siocled mewn ffwrn 'da fe baso un o'r lefele A ma' fe'n dilyn a beth wnaiff e pan nagyn ni 'ma? Achos ymhen y flwyddyn, fyddwn ni ddim 'ma. Ffili dychmygu 'na ar y funud. Pido bod gyda'n gilydd yn yr ysgol. Ma' cymint o'n bywyd ni 'ma. Ac ar y funud, sdim un ohonon ni moyn gadel. Ni jyst ishe i bethe aros fel hyn. Newidiff y mŵd 'na siŵr o fod. Mwya'r trueni.

Gu a Clive yn gweld lot o'i gilydd – lot lot ers iddi wella'n llwyr o'r apendics. Dyw Clive ddim yn gallu dod i Lundain, ond ma'r paratoadau fel paratoi byddin! Ni blant yn aros mewn gwesty yn y West End ac, erbyn hyn, mae'n rhieni annwyl hefyd yn aros mewn gwesty yn y West End – drws nesa i ni! Ma' Gu a Dad a Mam mynd i rannu ystafell wely!

**MAM-GU**    And no bethingalw, Deryck!
**DAD**    I have learnt my lesson, Mam-gu!

A wy' ffili credu mai dim ond wythnos sy fynd – wy' jyst mor cŵl am yr holl beth. Pan ddown ni nôl bydd wythnos yn yr ysgol, wedyn Sulgwyn a 'mhrawf gyrru! Rîli ych a fi i feddwl nad ŷn ni'n cystadlu eleni yn y Steddfod Genedlaethol – bai Cariwso yw hwnna i gyd. Wel, doed a ddelo, ni'n mynd i neud splash masif blwyddyn nesa, arholiadau *or no* arholiadau. Falle dylen i ffono Llinos i gael *chat* bach?

**Wedyn**

Ffones i Llinos. O'dd hi'n lyfli. Siaradon ni am hanner awr am bopeth. Ie yn gwmws. Popeth ar wahân i beth o'n i moyn siarad yn 'i gylch e. Sa i damed callach. Fi sy'n dychmygu'r peth? Neu ishe dychmygu'r peth? Falle 'mod i'n gweld ishe cael perthynas gorfforol gyda rhywun ar wahân i fi'n hunan! Paid â bod yn brat bob dydd o dy fywyd, Rhys. Cymra *day off* nawr ag yn y man. Wy'n mynd i'r gawod. Ges i *shower gel* newydd heddi!!!!!!!!!!!!!!!!!!!!

## Dydd Llun, Mai 14eg

Mae'r ysgol mewn rhyw fath o wewyr oherwydd y daith 'ma i Lundain wythnos nesaf. Mae cwmnïau teledu wedi bod 'ma prynhawn yma, y papur lleol yn tynnu lluniau, Shad yn esgus bod â diddordeb, ac mae fy nhad annwyl wedi trefnu bws i gefnogwyr o rieni! So nawr, mae Llundain, pwâr dab â hi, yn mynd i gael hanner cant a mwy o bobl o'r Rhondda yn ymosod arni. *I feel sorry for London!*

Llinos yn gwenu arna i yn yr Uned. Dal ddim yn gwbod beth sy'n digwydd man 'na. Îfs yn ffab, mwya hapus wy'n 'i gofio fe ers blynyddoedd, fel pe na bai gofid yn y byd. Spikey wedi penderfynu 'i fod e nawr yn cael *holiday* bach o unrhyw waith wrth iddo fe baratoi yn feddyliol ar gyfer y daith i Lundain! Mae Dymps ar y llaw arall wedi gorfod mynd mas i'r banc yn gyson i checo ar statws 'i gyfri, oherwydd mae e wedi clywed bod cymaint o lefydd neis i fyta yn Llundain, mae'n poeni na ddaw y cyfle i'w ran byth eto!

Yn anffodus, mae Dom 'Johny Depp lookalike' Criws wedi gollwng bolycen o'n safbwynt ni. Mae e wedi caniatáu i'r *gobshite* hyll o flwyddyn wyth a ddwgodd Kylie oddi wrth Billy i fod yn rhan o'r cast! Nid ydym yn Indiaid bach hapus bod gwrthrych achos tristwch Billy yn mynd i fod o'n cylch am dridiau! Ond 'na fe, falle gallwn ni drefnu rhyw hyll-gyfarfyddiadau i'r brawd ym mhrifddinas Lloegr!

## Nos Sul, Mai 20fed.

Ni'n mynd fory, ma' 'nghês i wedi paco ac mae'r wythnos diwetha 'ma jyst wedi hedfan! Ges i ac Îfs y'n dewis i siarad ar Radio Cymru ganol wythnos gyda Hywel Gwynfryn. Now ddêrs e profiad! O'n i'n gorfod bod yng Nghaerdydd erbyn un ar ddeg y bore, ac o'n ni'n siarad â fe ar y lein, fel mae'r bobl broffesiynol yn galw'r peth, am hanner awr wedi un ar ddeg. O'dd e'n cŵl! Y profiad hynny yw, nid Hywel Gwynfryn. O'dd Îfs yn wych wrth gwrs a fi fel prat. Ond 'na'r profiad cynta' wy' wedi ca'l o fod mewn stwidio yn ishte tu ôl i feicroffon. O'n i'n 'i lico fe. Pan ethon ni nôl i'r ysgol (mewn tacsi!!!! Diolch, BBC), o'dd pawb yn yr Uned jyst yn ishte 'na esgus bod yn *bored*.

| | |
|---|---|
| **FI** | Glywsoch chi fe? |
| **BILLY** | Clywed beth? |
| **ÎFS** | O, dewch mlân, bois. Shwd o'n ni'n swno? |
| **SPIKEY** | O, bois, fi'n cael *excellent sleep* bythdi *half past eleven till twenty to twelve*. Chi 'di neud unrhyw beth diddorol *then?* |

**DYMPS**     Buodd Dymps yn cael dymps diddorol am hanner awr wedi un ar ddeg!

Bygyrs! Jyst yn weindo ni lan.

**RAZ**       Hei, Rhys *and* Îfs, *media stars*. Chi eisiau seino niceraniaid fi nawr, bois?
**SPIKEY**    Raz, it's a beiro they've got not a paint brush!

Ma' Spikey'n uffernol o lwcus 'i fod e'n symud mor glou a bod Raz mor addfwyn y rhan fwya o'r amser!
A ma' Gu! Wel wir, wy'n credu 'i bod hi ar rywbeth!

**MAM-GU**    See, Deryck. We've got a chance to show them now what we in Wales have suffered over the years.
**DAD**       They had mines in England too, Muriel.
**MAM-GU**    Not like the Welsh mines they didn't.
**DAD**       I'm not going to argue.
**MAM-GU**    Jiw, am ddwy ginog a dime, Rhys, ddelen i lan ar y stêj 'da chi! You sure you got them tickets safe now, Deryck?
**DAD**       Mam-gu I have sown them inside my pants!
**MAM-GU**    Most precious thing there then!
**MAM**       Mam!
**MAM-GU**    O Jiw, Peg, paid â dechre nawr. Wy'n ecseitid ti'n gweld.

A fi, Gu. A fi.

---
## Dydd Sadwrn, Mai 26ain
---

Do'n i ddim yn sylweddoli 'i fod e'n bosib byw heb gwsg am dair noson. Ni wedi bod yn Llundain. Ni wedi perfformio. A ma' cymint o brofiade wedi bod mae wedi cymryd hyd at nawr iddyn nhw grisialu yn y'n feddwl i.
Gadawon ni'r ysgol yn brydlon, a chware teg i'r Shad, o'dd

yr ysgol gyfan wedi cael estyniad ar eu hamser egwyl i ddod mas i'n gweld ni'n mynd a gwnaeth e *speech* itha da ynglŷn â ni'n mynd i gynrychioli ein gwlad a'n hiaith a'n hardal. And ddis ffrom ddy man o'dd ishe'n diarddel ni am weithredu dros Gymdeithas yr Iaith y llynedd!!! Beth odw i wedi gweud erio'd am ragrith yr hen!

Do'n i ddim yn agos at Bont Hafren, pan gyhoeddodd Spikey 'i fod e'n gorfod pisho. Ma' athrawon yn gallu bod yn hynod o galon galed ar adege. Fe'i hanwybyddwyd yn llwyr gan Miss Esyllt 'Cennad dros Gymru ydwyf i' ap Einion a Dom 'Ddis is mei big chans' Criws i'r gradde ei fod e erbyn croesi'r Hafren yn uben mewn poen.

| | |
|---|---|
| **RAZ** | Hoi, Spikey. Potel bop wag man 'yn. |
| **SPIKEY** | Raz, fi methu ca'l wili fi mewn i botel – *neck* fe ddim digon mawr. |

Gwaedd oddi wrth bawb yn y cefn.

| | |
|---|---|
| **SPIKEY** | Hoi, fachlle fi'n fach … |
| **PAWB** | … but I'm **arrrr**d as a **rrr**ock!!! |
| **SPIKEY** | Paso fe 'ma, fi'n *desperate*. *Anybody* cael ffynel? |

A bishodd e yng nghefn y bws.

| | |
|---|---|
| **ÎFS** | Dim ond dou litr ma' hwnna'n dal, Spikey. |
| **RAZ** | And three centimeteres! |
| **SPIKEY** | XXXXLarge, Raz! |

A jyst fel o'dd e'n cwpla, dynnodd y bws mewn i'r gwasanaethe!

| | |
|---|---|
| **DYMPS** | Lawn cystal, fy ffrindiau annwyl. Mae rhywbeth yn *stirring* tu mewn i fi *and it's not pee!* |

Deif wedyn mewn i'r lle bwyta. Wedodd Dad a Mam wrtha i eu bod nhw wedi galw yn yr un gwasanaethau gyda'r rhieni a bod Gu, pan welodd hi'r prishe sef £1.20 am ddishgled o de(!!), wedi mynd at y ford a thynnu 'i fflasg a'i *sandwiches* mas mewn baco ffoil! Wy' mor falch nagon i ar eu bws nhw!

**MAM-GU**    You don't want to look at me like that, Deryck. I 'ave never paid one twenty for a tea bag and a cup of hot water in Wales in my life, and I'm bloody sure I'm not payin' it in England, drama or no drama.

Ath Dymps D.B.LL. (Dros Ben Llestri). Wy'n siŵr bod rhyw wendid 'da fe. Dim ond iddo fe weld bwyd, jyst 'i liw a'i siâp e, a ma' fe'n gorfod 'i ga'l e, pu'n ai yw 'i fola fe moyn e neu bido! Llwythodd e 'i blat gyda thameidach o *bork pies* a *chips* ac yn y blaen, a phan ddath e i dalu, dath y cyfanswm i ddeuddeg punt!! Rhoiodd hwnna fe off 'i fwyd!! Dechreuodd e siarad Cymraeg wedyn gyda'r fenyw ac esgus mai o Rwsia o'dd e achos do'dd dim ffordd o'dd e'n mynd i dalu hwnna! Pan ddangosodd e faint o arian o'dd gyda fe, tairpunt wedodd e, y cyfan o'dd ar ôl ar y plât o'dd tamaten, un pishyn o *bork pie* a shibonen! Wel o'n i'n wherthin gymaint gorffes i symud bant. Pan gyrhaeddodd e at y ford,

**DYMPS**    Capitalistaniaid! Dwyn oddi wrth y tlodion wy'n galw hwnna.
**RAZ**    Egsylent diet, Dymps.
**DYMPS**    Gallen i fod yn anorecsic os yw pethe mor ddrud â 'na yn Llundain!

Dychwelyd i'r bws wedyn a chyn pen dwy awr, o'n i ar gyrion Llundain a Heathrow. O'dd gweld yr awyrennau 'na mor gynhyrfus. O'n i'n ishte tu ôl i Llinos ar y pryd, ag o'n i'n cofio mai i fan hyn dethon ni i hedfan i Kenya diwedd blwyddyn deg. O'dd hi'n cofio hefyd. Trodd hi rownd.

**LLINOS**    Ti'n cofio?
**FI**    Odw.

A'r wên o'dd yn arfer neud i fi doddi yn cael yr un effaith.

**SPIKEY**     Bois! Edrych! Concorde!

A 'na le o'dd yr awyren hardd yma yn dod mewn i lanio.
Jiw o'dd e'n bert.

**SPIKEY**     Chi'n gallu dychmygu hwnna'n lando ar ben Llan
               tip?

A phan ddethon ni i gyrion Llundain go iawn, a'r holl
adeiladau mawr, dath rhyw fath o ddistawrwydd od ar y'n
traws ni, a'n llyged ni'n gwibio o'r naill ochr i'r llall. Sa i'n
gwbod os ŷch chi'n gyfarwydd â lle ŷn ni'n byw, ond cwm
gweddol gul, lot o dai wedi pentyrru ar ben 'i gilydd a lot o
bobl sy'n nabod ei gilydd. Ond o'dd cyrraedd Llundain fel
cyrraedd gwlad ddiarth. Wel, o'dd hi wrth gwrs i bron pawb
ond nid i Dom 'metropolis' Criws, er wedodd Miss Esyllt
'milltir sgwâr D J Williams rŵls' ap Einion mai dim ond
unwaith o'r blaen oedd hi wedi bod hefyd.

**SPIKEY**     Hei, bois. Fi *little bit scared* o gyd o hwn, odych
               chi?

Ac er na atebodd neb, wy'n gwbod y'n bod ni gyd yn cytuno
'da Spikey. Newydd, mawr a *scared!*
    O'dd y gwesty yn Bayswater, lle bynnag ma' hwnna. Ac o'dd
e'n westy lyshipŵs! Pan ethon ni mewn do'n i ddim yn gallu
credu mai i ni o'dd lle mor neis â hyn!

**RAZ**        *Not exactly* tŷ chi, Spikey!
**SPIKEY**     I'm emigratin' – 'ere!

Ac yn y cyntedd gyda ni, o'dd criw mawr o Wyddelod, er ar
y pryd o'n ni gyd yn meddwl taw o'r Alban o'n nhw'n dod.
Wedyn, sbotodd Îfs faner Iwerddon ar eu cesys nhw. O'n
nhw'n edrych arnon ni tra o'n i'n aros i'n hannwyl athrawon
drefnu'r ystafelloedd gyda chynrychiolwyr y gwesty a daeth
un ohonyn nhw ata i. Ei enw fe o'dd Daire.

| | |
|---|---|
| **DAIRE** | Excuse us asking, now, but what language are you talking? |
| **FI** | Welsh. |
| **DAIRE** | O you're from Wales? |
| **RAZ** | Yes, *bach*, and you? |
| **DAIRE** | Northern Ireland – a place called Newry. |
| **SPIKEY** | Beto nhw'n cael Semtex yn bagie nhw! |
| **DAIRE** | O, we rather use guns in England! |
| **SPIKEY** | Hoi, Rhys, fe'n siarad Cymraeg! *Can you speak Welsh?* |
| **AIDAN** | No, but I understand semtex! |
| **SPIKEY** | O, *my God*, fi'n *marked man*. Fi'n *dead!* |

Ond chwerthin wnaeth Aidan a gweddill ei ffrindiau ac, o weld Spikey, 'na gyd galle neb wneud.

| | |
|---|---|
| **CIARAN** | Will we see you later? |
| **RAZ** | You'll be seein' me, *bach*, don't bother with them. |
| **ÎFS** | Miss, Syr, odyn ni'n gallu cwrdd â phawb lawr man 'yn wedyn? Ma'r Gwyddelod 'ma'n gofyn os allwn ni gwrdd? |
| **DOM CRIWS** | Wel, ie. O'r gore. Rhowch awr i'ch hunan. |
| **COLM** | Do you speak Welsh all the time? |
| **DYMPS** | We do. Spikey tries to. |
| **AIDAN** | I didn't know Welsh was a living language like that. |
| **LLINOS** | We have our doubts sometimes when Spikey speaks. |
| **SPIKEY** | Oi, wh'as is? Pick on Spikey day or what? |
| **AIDAN** | I see what you mean. Don't you worry now, Spikey, we'll look after you. |
| **SPIKEY** | Wojyou mean? |

A'r llygaid bach ofnus 'na'n gwbod mai'r tridiau 'ma fyddai'r rhai o'r rhai gorau yn ei fywyd!

Rhannon ni i'n hystafelloedd wedyn, bob yn ddau, ond druan â Spikey, er 'i fod e yn y chweched dosbarth, gafodd e 'i lympo gyda *gobshite* Darren o flwyddyn wyth!

**SPIKEY**    O, Sir, you can not be serious.
**GOB**       Fi ddim yn gwynto, Spikey.
**SPIKEY**    Debatable, boy!

So a'th Spikey rownd pawb i ofyn iddyn nhw os galle fe gael lloches wleidyddol gyda nhw! A chware teg i Billy pan sylweddolodd e beth o'dd natur yr argyfwng, fe gafwyd lloches. Wedodd Billy wrthon ni bod wyneb Spikey fel y Fam Teresa pan gas e' loches.

**BILLY**     Fydden i ddim yn dishgwl i blydi dafad gysgu yn yr un ystafell â'r mwngrel 'na!
**SPIKEY**    Oi, Billy, nhw'n cael *bidet thing* yn y bathrŵm, fi'n gallu cadw bethingalws fi'n fresh i'r *Irish bints!*
**BILLY**     Sa i'n cretu 'u bod nhw mor *desperate* â na hyd yn oed.

Cwrddon ni gyd wedyn yn y lobi ac, am ryw reswm, p'un ai cwlwm gwaed ein cefndryd Celtaidd neu'r ffaith 'u bod nhw yr un mor ddrwgdybus o Lundain ag oedden ni, neu efallai yr un mor ddrwg, fe glicon ni'n syth. Od on'dyw e, am ryw reswm chi'n gwbod yn syth os ŷch chi'n lico rhywun neu bido, ag o'n ni gyd yn lico'r criw Gwyddelod 'ma. O'dd 'u hiwmor nhw mor wyllt! Wel, o'dd Miss Esyllt 'Dwi'n cyfaddawdu wrth ddod i Loegr' ap Einion wedi cytuno i edrych ar ôl y garfan fach o flwyddyn saith ac wyth o'dd gyda ni, wedyn Dom 'streetwise a chŵl' Criws o'dd yn ein gwarchod ni ar strydoedd Llundain! Not!! Dath athro'r Gwyddelod hefyd, ond o'dd Dom a fe'n siarad gymaint am broblemau Gogledd Iwerddon, o'n ni'n cael rhwydd hynt. Nawr sa i'n gwbod shwt ond fe gollon ni'r ddwy ddafad fach yna ac, och a gwae, dyna lle yr oeddem, pobl gall Cymru ac Iwerddon yn droedrydd (lico'r gair cyfansawdd yna?!) yn y ddinas ddihenydd. *(I really must stop reading these posh Welsh books!)* A dyna lle roedden ni yn Soho!!!!

Mae sioc, ac mae yna sioc! O'dd wyneb Spikey wrth weld yr holl glybiau yn arddangos *live dancers on stage* yn bictiwr!!!! O'dd sylw Colm yn wych:

**COLM**      Well, Jesus, Mary and Joseph, they wouldn't be showing dead ones now would they?!

**SPIKEY**   Hei, bois, faint ydy fe i fynd mewn?

**RAZ**       Don't even think about it, sunshine!

A Raz yn ei dynnu fe o 'na cyn i dymheredd ei chwant ffrwydro.

Ro'n ni gyd tu fas i'r siop yma o'r enw Ann Summers. Nawr o'dd Raz yn gwbod beth o'dd y siop 'ma'n gwerthu! Do'dd neb arall, ar y pryd. A'r pwynt yw, do'dd dim byd yn y ffenest i awgrymu mai *sexual aids* oedd yn cael eu gwerthu 'na.

**SPIKEY**   Fi ddim eisiau mynd mewn i ffesterin' siop. Gormod o bethau i gweld mas man 'yn.

**RAZ**       O dewch mla'n, bois. Wy' moen prynu anrheg i Mam!

A gytunon ni i'w dilyn hi mewn! Os do fe! Pan sylweddolodd Spikey beth o'dd ar werth 'na, wy'n credu bod y geiriau 'llygaid ar brennau' yn tanddweud.

**SPIKEY**   I'm in 'eaven!

**BILLY**     Good God Almighty!

**AIDAN**   I'm glad the Sisters of Mercy aren't with us tonight!

Ar y wal, o'dd whipie a'r dildos mwya grewyd!

**RAZ**       Oi, Dong, nhw wedi iwso ti fel model *or what?*

**DONG**    Raz! That is a donkey!

**RAZ**       *Thas' right*, bachgen!

Ond jyst fel o'dd pethe'n dechre twymo dath dou fownser i

dop y grisiau a, sa i'n jocan, o'n nhw'n neud i Billy edrych yn bwlemig!

**BOWNSER** Gentlemen, if you're not eighteen, I suggest you leave.

Problem Spikey yw 'i fod e'n gorfod herio pob awdurdod mewn rhyw ffordd neu'i gilydd.

**SPIKEY** Anybody ever tell you you look like Grant Mitchell off Eastenders.

Diolch i Dduw am Colm.

**COLM** Will I go and get my big brother to help us, Aidan? You know, the one in the IRA?

Dihangon ni – jyst *about*. O'dd e'n amhosib stopo Spikey rhag siarad, o'dd e fel melin bupur 'i fod e'n mynd i ddod i Lundain i'r coleg i weld y pethe 'ma, a dysgu beth mae bywyd rîli abythdi.

**DYMPS** Oi, Spikey. Ti ddim gorfod dod i fan 'yn i ffindo 'na mas, bachgen, *jyst look in your father's wardrobe!*

A chyn i Spikey hyd yn oed godi stêm i ddechre ateb Dymps o'n i yn Leicester Square. Fuoch chi 'na erioed? Mae e jyst yn ferw gwyllt o bobl, sinemâu, llefydd byta a'r sŵn! O'dd e mor gynhyrfus i fod 'na, chi'n gwbod.

**AIDAN** It sort of puts Newrey into the shade, you know. Have you much night life where you live, boys?
**SPANS** Before or after the sheep have gone to bed, Aidan?
**AIDAN** A yes, pretty similar backgrounds then?

Yna, digwyddodd un o'r pethe 'na, yr eiliadau diffiniol yna

sydd jyst yn aros yn y cof am byth. Daeth criw o ddynion heibio yn dal dwylo a chwerthin – grŵp o ddynion hoyw mae'n amlwg. Spikey wrth gwrs mor gynnil â morthwyl frics:

**SPIKEY**    Chi 'di gweld nhw? Chi 'di gweld y *poofters* yna.

Ar Îfs edryches i'n syth achos do'n i wir ddim ishe iddo fe ddechre dadle man 'yn ond Ciaran daniodd y bom:

**CIARAN**    Have you got a problem with gay people, Spikey?
**SPIKEY**    Well, look at them, myn. They're blokes.
**CIARAN**    I'm gay.

Distawrwydd yng nghanol Leicester Square.

**CIARAN**    Have you got a problem with that?

Wy'n cofio llygaid Îfs yn dangos ei edmygedd a Spikey fel rhyw degan pren a'i wddwg e'n troi i bob cyfeiriad yn edrych o Aidan i Colm a nôl.

**SPIKEY**    You're taking the piss.
**COLM**    He's not. And before you ask we've known for a year.
**AIDAN**    Ciaran told us and we're proud of his honesty.
**SPIKEY**    But …
**COLM**    And we get awful fed up of having to tell people how stupid they are for makin' a fuss about it.
**CIARAN**    I thought bigotry was an English disease, Spikey.

Ag o'dd y cyfan drosodd. Symudon ni mlaen, gyda Spikey wedi tawelu'n llwyr. Llinos a Raz yn gegrwth gyda siom achos bod Ciaran mor olgyus, ac edmygedd Îfs o ddewrder y dyn yma o'r Ynys Werdd, Y Bendigeidfran yma o ddyn ifanc yn pontio. Erbyn i ni gyrraedd gorsaf y Tiwb, do'dd dim digon o arian gyda phawb i gael tocyn o'r peiriant poeri tocynnau awtomatig a 'co Ciaran yn rhoi ei law ar ysgwydd Spikey,

**CIARAN**     Don't bother paying, Spikey, we'll bomb our way through!

Ac o'dd e'n 'i gredu fe – am eiliad!

Wrth gyrraedd nôl i'r gwesty, o'n ni gyd yn crafu esgusodion gan wybod byddai'r ddwy set o athrawon yn teimlo'r cyfrifoldeb o'n colli … beth petai, beth petai ac yn y blaen ac yn y blaen hyd at syrffed. Ond jyst cyn i ni droi rownd y gornel at ein tŷ bach twt ni, pwy a ddaeth i'n cyfarfod ar risiau eu gwesty nhw ond ein hannwyl rieni – a nage jyst fy lot i, ond rhieni pawb! O'n nhw'n llythrennol herc, cam a naid oddi wrthon ni ac roedd e'n gwbl amlwg i'r byd a'i frawd nage trafod y Beibl o'n nhw wedi bod yn neud trwy'r nos!

**SPIKEY**          O, no, it's my mother and father! Shaming!
**MAM SPIKEY**   O, my son! Come and see your mother. Deryck, look it's my boy on the West End Stage!

Druan o Spikey, do'dd dim un ohonon ni'n egstatic o'u gweld nhw – wel, ma' lle ac amser i rieni on'does e, ac nid yn Llundain o flaen criw o Wyddelod chi'n trio acto'n cŵl o'u bla'n nhw ma' hynny. Pan ddatgysylltodd Spikey ei hunan o goflaid crafangaidd ei fam dyma fe'n gweud wrthi,

**SPIKEY**          Mam, you are drunk.
**MAM SPIKEY**   Not yet, *bach*, but we're getting there, 'in we, Deryck?
**DAD**             Aye. Hoi, *mab*. Who are your friends, then?
**COLM**            We're the Irish contingent.
**DAD**             Irish? I got a lot of time for the Irish. Protestant or Catholic.
**CIARAN**         Gay Catholic!
**DAD**             Grêt.

Do'dd dad ddim wedi sylweddoli am eiliad beth ddywedodd Ciaran, ond o'dd pawb arall wedi.

| | |
|---|---|
| **DAD** | Sing the anthem, boys. |
| **FI** | Dad, where's Gu and Mam? |
| **DAD** | *Mae Gu ar y Harvey Wallbangers a'r Tequilla Sunrises ers dwy awr.* She thinks she's in Spain at the moment! Was my *Cymraeg* good then, Rhys? |
| **FI** | Marvellous, Dad. |

Wedyn, dechreuodd Dad ganu'r anthem. Os do fe, ma' pob un o'r rhieni mas o'r gwesty, Gu yn joli a dweud y lleiaf! Mam yn joliach os rhywbeth, rhieni Îfs a Llinos a Raz. Ac yng nghanol y treib yma o gantorion dyma Colm yn gofyn,

| | |
|---|---|
| **COLM** | Is your father singing the Welsh national anthem, Spikey? |
| **SPIKEY** | 'E thinks e is. |

'Co Raz yn tynnu Draig Goch mas o'i bag, beth o'dd honna'n gwneud 'na yn y lle cynta Duw a ŵyr, ac erbyn i ni gyrraedd cytgan yr anthem am yr ail waith, o'dd Ciaran a'r bois wedi dechre canu anthem Iwerddon, anthem Sinn Fein! Y fath gynghanedd ni welwyd yn Lloegr erioed! Dath dou blismon hibo mewn car, o'n i'n meddwl y bydde hi'n gachu hwch arnon ni, ond o'dd un ohonyn nhw'n siarad Cymraeg! O'dd, plismon yng nghanol Llundain yn siarad Cymraeg!

| | |
|---|---|
| **DAD** | Hei, bachan. You don't want to stay up this bloody hole. Come 'ome, myn. |

Llwyddon ni i ddechre gadel achos erbyn hyn o'dd Dom a'r athro Gwyddelig wedi ymuno gyda ni, ac wrth i ni adel,

| | |
|---|---|
| **MAM SPIKEY** | Make sure you clean your teeth and wash down below, Spikey! Remember I've brought you up to be a clean livin' boy! |

O, druan ohono fe!

Fel y tybiasom, roedd y bolacin oddi wrth yr athrawon yn mega! Gadael nhw lawr, gofidio bla di bla, bla di bla. Er mwyn dyn, ni'n tynnu at ein deunaw! Ond o'dd pwynt 'da nhw sbo. So gethon ni'n hala i'n gwelyau fel plant bach ufudd i gysgu'n dawel er mwyn cael digon o egni ar gyfer yfory! *Like flamin' hell!* Yn llythrennol, arhoson ni lan yn siarad tan bedwar y bore, a gan fod Dom ac Esyllt mewn rhan arall o'r gwesty, do'n nhw ddim yn ymyrryd dim â ni. Peilodd pawb mewn i'n stafell i ac Îfs a siarad am bopeth – gogledd Iwerddon, y trais, pam nagodd Cymru yn meddu ar ei senedd ei hunan, beth o'dd y'n hagwedd ni at Saeson, pam o'n ni'n siarad Cymraeg drwy'r amser, o'dd Cymraeg yn bwysig i ni? Yr holl siarad yna, ag o'n nhw, y Gwyddelod gymaint mwy sysd na ni yn wleidyddol – heb unrhyw amheuaeth, o'n nhw ymhell ar y blaen yn eu trafodaeth. Mor aeddfed a gwybodus. Ond 'na fe, os chi'n byw mewn tiriogeth sydd wedi gweld cymaint o dywallt gwaed dros achos uno gwlad, allwch chi ddim peidio â bod yn anifail gwleidyddol.

Wy'n credu gysgon ni cetyn bythdi chwech y bore, ond erbyn saith o'dd y ffôns yn canu i'n cael ni ar draed. O'n ni'n gorfod bod yn y theatr erbyn naw y bore, achos o'dd y lle wedi darparu sesiynau actio ac ymarferion i ni gan actorion proffesiynol yn ystod y dydd ag o'n ni'n gorfod cael ymarfer ar y llwyfan. Glywes i ar ôl dod gartre bod y rhieni wedi mynd i Harrod's yn ystod y bore, a bod Gu wedi haraso rhyw ddyn tu ôl y cownter losin am fag Harrods.

| | |
|---|---|
| **MAM-GU** | Come on, myn, you mean bugger. I only want to show it to my friends in chapel. |
| **DYN** | I'm sorry, modom, one must make a purchase. |
| **MAM-GU** | I'll have one sweet then! |
| **DYN** | Seventy five pence, modom. |
| **MAM-GU** | For one sweet! It 'ad better be bloody *melys, bachan!* |

Ac fe gafodd 'i losiynen! 'Y nheulu i – onest!

Ishte 'da'r Gwyddelod trwy'r amser, ac Îfs a Ciaran yn siarad lot. O'n i'n teimlo bach yn genfigennus a dweud y gwir. Sa i'n deall pam hyd yn oed nawr, dim ond 'y mod i. Y'n ffrind i o'dd Îfs, ag o'n i'n teimlo 'i fod e'n rhannu pethe gyda'r dieithryn 'ma. Ma' hwnna mor blentynnedd wy'n gwbod, achos dwy' ddim yn gwbod am beth o'n nhw'n siarad, ac yn bwysicach na hynny, ma' hawl 'da Îfs i gael ffrindiau ar wahân i fi. Sylwodd Llinos 'y mod i'n dawel a whare teg daeth hi i siarad gyda fi a sylwi bod Dong yn glafoerio dros ryw ferch Wyddelig fel *rash*.

| | |
|---|---|
| **LLINOS** | Trio adeiladu perthynas ag Iwerddon mae e. |
| **FI** | Ac yn llwyddo. Mae'n bert, nagyw hi? |
| **LLINOS** | Ody. Edrych nôl, sa i'n gwbod pam es i mas 'da fe. |
| **FI** | Ddim yn bwysig nawr. Yn y gorffennol. |
| **SPIKEY** | Hoi, Rhys. *Irish bint* draw man'na, gweld hi yn y gornel. Hi wedi gofyn i fi fynd allan gyda 'i yn y parti heno ar ôl y sioe, ond dim ond os fi'n gwybod beth yw'r *rhythm method*. Ond fi byth wedi clywed grŵp 'na. Ti'n gwybod rhywbeth amdanyn nhw? |

Esboniwyd yn iawn iddo fe!

| | |
|---|---|
| **SPIKEY** | Hi'n cymryd y *piss* o fi! Reit, ti'n cael condom? *I'll show 'er.* |
| **FI** | Spikey, ti ddim yn cysgu 'da rhywun ar y dêt cyntaf. |
| **SPIKEY** | Mae mwy nag un ffordd o gael Wil i'w Wely, Rhys – as Sharon wd af pwt it! |

Pan ddath y'n tro ni i fynd i'r llwyfan, o'n i wedi gweld cyrff mwy iachus na wyneb Dom 'Rwyf actshiwali wedi cyrraedd a nawr rwy'n cachu brics' Criws. O'dd y theatr yn blydi hiwj. Jyst fel ogof masif. Do'dd e ddim yn gorfod dweud wrthon ni fod yn dawel.

| | |
|---|---|
| **DOM CRIWS** | Nawr 'sdim ishe i neb fecso. Byddwch chi'n olreit. Jyst cadwch at beth ŷn ni wedi ymarfer. |
| **SPIKEY** | *Sir, I can not do it*. Rwy wedi llanw fy nghegs. |

Ac ar y pryd, o'dd Spikey yn siarad droston ni gyd. O'dd y lle yn dal dros ddeuddeg cant o bobl! Ac ar wahân i'r garfan o gefnogwyr o Gymru, fydde neb yn deall Cymraeg. O, diar!!!!!

Mae gweddill y dydd yn fideo ar *fast forward*. Ymarferion gyda'r actorion, pethe syml ofnadw o'n ni gyd wedi neud yn y gwersi, cerdded o gwmpas y theatr ar daith, cerdded tu fas y theatr ar y South Bank a chlymu'n cyfeillgarwch â'r criw o Wyddelod. O'dd Llinos yn lico Colm mae'n amlwg a wy' mor falch ei bod hi wedi dweud wrtha i amser te.

| | |
|---|---|
| **LLINOS** | Wy'n flin os wy'n rhoi lo's i ti wrth ddweud. |
| **FI** | Nagwyt. Eira ddoe ŷn ni ar y lefel 'na, nage fe. Wy'n falch dy fod ti'n lico rhywun neis. Bydd e'n well i ti na Dong. |
| **LLINOS** | Bydd. |

A wir, o'n i yn falch. Siomedig ar un lefel achos o'n i'n meddwl … Na. Wy'n hapus bod Llinos yn hapus.

A'r perfformiad. Cofio'r eiliad pan gethon ni'n harwain o'r ystafell ymarfer i gefn y llwyfan a meddwl 'y mod i'n mynd i farw. Pawb yn rhoi cwtsh iddi gilydd a dala dwylo, a'r criw o Iwerddon ar waelod y grisiau yn rhoi cwtshus i ni. Pan roiodd Ciaran gwtsh i Spikey:

| | |
|---|---|
| **SPIKEY** | You don't fancy me, do you? |
| **CIARAN** | Sorry, Spikey, you're not my type. |
| **SPIKEY** | Gis another cwtsh then. |

Wedyn, dath sain ein ciw cyntaf, ag o'dd pawb 'na.

Ag o'dd e drosodd. Tri chwarter awr cyflyma 'mywyd, ein bywyde ni gyd. O'n ni moyn iddo fe bara am byth unwaith dechreuon ni ganu, ond fe lithrodd e fel dŵr trwy'n dwylo ag o'dd e drosodd. Wy'n cofio cymryd y bow a Dad yn gweiddi "MORE! MORE!" nerth esgyrn ei ben a phawb o Gymru yn codi i'n cymeradwyo ni. Ond wedyn digwyddodd y peth rhyfedda, cododd yr holl gynulleidfa, deuddeg cant o bobl yn codi i'n cymeradwyo ni o Gymru Fach! Anhygoel. Hollol, hollol anhygoel. Pan ethon ni i gefn y llwyfan o'dd Dom yn crio yn hollol agored ac yn gwenu trwy'i ddagrau.

**DOM CRIWS**  Wy' mor browd ohonoch chi. Mor browd.

A Miss:

**MISS**  Mae Cymru ar y map heno, hogia.

A'r Gwyddelod:

**AIDAN**  We've shown the English tonight, boys!

Gethon ni barti wedyn! WOW! Am barti ! Am fwyd! (dim diod achos y'n bod ni dan oedran!) Stopodd Raz, Billy a Dymps ddim gwenu trwy'r nos! Sa i wedi gweld byrdde wedi llwytho fel 'na erioed! O'dd samwn cyfan wedi'i goginio ar un ford, ac os taw ffowlyn o'dd y coese cigach ar y ford, o'n nhw wedi bod yn y jim yn ymarfer! Ffantastic. A'r chwerthin a'r teimlad o fod wedi cyflawni rhywbeth. Pwynt yw, o'dd dwy ysgol arall 'na, ond dim ond gyda'r Gwyddelod o'n ni'n cymysgu. Ethon ni mas ar y balconi 'ma wedyn o'dd yn edrych ar holl banorama Llundain. Meddwol *or what!* Enwogion cyfryngau Llundain yn siarad gyda ni – o'dd actorion 'na o *Eastenders* a *London's Burning!* Ond rhywsut, o'n nhw jyst yn y ffordd achos y'n bod ni moyn bod 'da'n gilydd. A rhaid i fi ddweud, es i gyda Gwyddeles o'r enw Niamh i gael snog, bennodd Llinos lan gyda Colm, llwyddodd Spikey i gael cusan gyda Colleen a'i droi e'n stori fabinogaidd fwyaf ei fywyd, a welon ni ddim y tri gŵr mawr drwy'r nos achos o'n nhw fel hŵfyrs yn cliro'r byrdde! Pawb at y peth y bo. Siaradodd Îfs trwy'r nos gyda Ciaran, ac o feddwl nôl, wy' mor *chuffed* bod rhywun gyda fe o'dd e'n gallu uniaethu ag e.

*Needless to say,* ni fu cwsg o gwbwl y noson honno, a'r bore nesaf dwy' ddim yn siŵr pwy o'dd yn edrych y gwaetha', ni neu'n rhieni achos o'dd y ddau fws yn gadael tua'r un pryd. O'dd y Gwyddelod yn gadael awr ar y'n hole ni a'r fath wahanu oedd hwnnw. Dagre mawr ac addewidion o ysgrifennu a ffono a dod i weld y'n gilydd. A chi'n gwbod beth, wy'n credu y'n bod ni'n dweud y gwir wrth y'n gilydd. Nage siarad gwag yw hwnna i gyd. O'dd 'u gweld nhw yn dala'r faner drilliw yn canu eu hanthem wrth i ni adael yn brofiad emosiynol iawn, a fi hyd yn oed yn trio cuddio 'nagre.

A nawr, wy'n teimlo fel tasen i mewn rhyw fath o faciwym. Rhwng dau fyd. Tasen i ond yn mynd i'r Steddfod wythnos nesa. A beth sy 'o mla'n i? Prawf gyrru hyll-beth dydd Mercher, a meddwl amdanyn nhw. O's bom wedi ffrwydro heno? O's bwled strae wedi bwrw targed anffodus trwy gamgymeriad? Yr ynys Werdd, yr Ynys Waed.

---

## Gŵyl Y Banc, Mai 28ain

---

Ma' Îfs wedi mynd i Iwerddon! Hedfanodd e o Gaerdydd bore 'ma, medde'i fam. *Now bloody then!* Sa i'n gwbod beth wy'n teimlo. Od. Ffono wnes i i siarad ac i weud 'tho fe 'n bod ni gyd wedi penderfynu cwrdd yn Llanwonno dydd Gwener er mwyn bod gyda'n gilydd ar y diwrnod bydden i wedi bod yn cystadlu pe baem ni wedi bod yn yr Urdd eleni. Wedodd ei fam e bydde fe nôl yn gynnar dydd Gwener a dele fe lan. *Good God,* Îfs yn Iwerddon, yn gweld pwy? Pam odw i'n genfigennus? Y'n ffrind i, nage ffrind Gwyddel. Rhys, *get a life!*

---

## Dydd Mawrth, Mai 29ain

---

Prawf gyrru fory, absoliwtli dim gobeth 'da fi baso. Ges i 'ngwers broffesiynol olaf prynhawn 'ma. Bues i jyst â lladd ci! Ma' Dad wedi mynd â fi mas heno.

**DAD**     Seen you drivin' better than this, *mab*.

… ar ôl i fi neud stop argyfwng fydde wedi taflu dyn cyffredin i'r gofod gyda'i nerth! Wy' wedi paso'r arholiad theori, ond beth yw'r pwynt?

## Dydd Mercher, Mai 30ain

Bases i! Pidwch â gofyn i fi shwt, sa i'n gwbod, ond bases i! Anhygoel. O'n i'n meddwl 'y mod i wedi cael y nerfusrwydd eithaf pan sefes i TGAU, ond bore 'ma o'n i fel Dafydd Du ar sbîd!

| | |
|---|---|
| **MAM-GU** | Hei, bach. Byddi di gallu mynd â fi a dy fam a Sêra i'r capel nawr yn lle dy dad. |
| **FI** | Sa i'n mynd i baso, Gu. |
| **MAM-GU** | O, wel. Bydd rhaid i fi ddechre dysgu 'te. |
| **DAD** | You make sure you pass, *mab*, 'cos if Gu ever gets near the drivin' wheel of a car that's the end of the Welsh nation. |
| **MAM-GU** | You've got no faith in me 'ave you, Deryck? |
| **DAD** | Muriel, if you passed your test, I think I'd 'ave to have faith in the Lord! |

A whare teg i Dad, ma' fe wedi gadel i fi fynd mas ar 'y mhen y'n hunan heno i weld Billy. Wel do'dd Îfs ddim 'na, o'dd e! A fory, ma fe'n gweud caf i fynd â Mam a Gu i Borthcawl am *run*.

| | |
|---|---|
| **DAD** | But not over fifty mind! It's only now after you've passed that you'll start learning. |
| **MAM** | Deryck, I passed first time. How many times did you take? |
| **DAD** | What's that got to do with the price of fish? |
| **MAM** | 'Ow many? |
| **DAD** | Terrible hot in 'ere. |
| **MAM** | Deryck! |

| **DAD** | Four! |
|---------|-------|
| **FI** | Dad you said you'd passed first time! |
| **DAD** | Wel I did, fourth time round! Cup of tea, Peg? |

Gobitho bydd Steddfod yr Urdd yn fethiant llwyr hebddon ni.

## Dydd Gwener, Mehefin 1af

'Sdim ffordd hawdd o ddweud hyn. Ma' Îfs wedi gweud wrth bawb 'i fod e'n hoyw. Sa i'n gwbod beth ddigwyddodd yn Iwerddon ond mae daeargryn wedi bod yn Llanwonno prynhawn 'ma.

Gethon ni ddiwrnod grêt. Ma' Llanwonno yn goedwig mewn gwirionedd ond ma' pishyn ohono fe sy'n annwyl iawn i ni. Llannerch o goed a do's dim lot o bobl yn gwbod amdano fe. O'dd pawb arfer mynd 'na 'da'r ysgol gynradd, ac ers hynny, mae e wedi bod fel rhyw fath o le cyfrinachol lle ni'n gallu mynd os yw pwysau'r byd a'i bethau yn mynd yn ormod i ni. Ar ôl claddu Sharon ethon ni 'na lot – jyst i gael llonydd. Wel, fel wedes i, gethon ni laff a thua canol prynhawn cyrhaeddodd Îfs. Nawr, do'n i ddim wedi gweud wrth neb 'i fod e bant. Fi o'dd wedi cal y cyfrifoldeb o ddweud wrtho fe a 'na gyd. Wrth gwrs, o'n i jyst â bosto moyn siarad gyda fe, a wy'n credu 'i fod e moyn siarad gyda fi hefyd ond do'dd hynny ddim yn bosib dan yr amgylchiadau. Wedyn, am ryw reswm, penderfynon ni whare *Dare True Kiss or Promise*. Un o'r geme plentynnedd 'na o'n i'n lico whare mewn partis yn dair ar ddeg oed. A gan fod nant fechan yn Llanwonno o'dd y posibilrwydd o gael *dares* da yn codi whant.

Spikey gafodd y *truth* cynta i ddweud y gwir am un ohonon ni. Hynny yw, dweud yn gwmws beth o'dd e wir yn teimlo amdanon ni, nid beth ma' confensiwn wedi dod i ddisgwyl i ni ddweud. Gwrthododd e! Wel *dare* amdani! O'dd e'n gorfod cerdded ar draws cerrig y nant heb ddefnyddio 'i ddwylo.

**SPIKEY**    Give me a challenge, myn, bois!

Ond fe gwmpws! A'i gwymp oedd fawr! Socan – a 'na beth o'dd llond côl o wherthin yn 'i weld e yn ishte 'na gyda chot enfawr Raz o'i gylch e yn 'i foddi fe.

Dath tro Îfs maes o law a gas e *promise*. A'i addewid e o'dd gweud y gwir wrthon ni. Wel, pawb bach yn syn. Dweud y gwir am beth? Ond o'n i'n gwbod yr eiliad wedodd e ag o'dd yr ofan deimles i yn real.

**SPIKEY**    *Ger a move on,* Îfs. Fi'n rhewi testicls fi *off by 'ere*.

Am ryw reswm, cododd Îfs ar 'i draed a'n hannerch ni.

**ÎFS**    Hwn yw'r peth caleta' wy' wedi neud yn 'y mywyd. A wy' ofan y funud yma – ofan 'y mo'd i'n mynd i golli eich cyfeillgarwch chi ar ôl i fi weud. Ond alla i ddim â byw rhagor o gelwydd. Ac os byddwch chi yn 'y mharchu i gymaint â wy'n gobitho, byddwch chi'n 'y mharchu i am fod yn onest gyda chi a bydd ein cyfeillgarwch ni'n gryfach o achos 'ny.

**SPIKEY**    Wha's 'e on about?

Ar yr eiliad yna, bydden i wedi gwneud unrhyw beth i stopo Îfs. Unrhyw beth o gwbl. O'dd e'n cerdded mewn i dir hollol ddierth, heb wybod beth fyddai'n ei ddisgwyl e. Ond do'dd dim stopo arno fe,

**ÎFS**    Wy' ishe chi gyd i wybod – wy'n hoyw.

Gigl oddi wrth Spikey a thawelwch oddi wrth bawb ac Îfs yn gostwng ei ben.

**SPIKEY**    Good wind up, Îfs.

A thawelwch. Raz o'dd y cynta' i godi a mynd ato fe, a rhoi anferth o gwtsh iddo fe.

**RAZ**     *Darlin', you 'ave just dashed all my dreams,* ond wy'n caru ti mwy nag erioed.

Trodd hi aton ni.

**RAZ**     *What's wrong with you buggers then?* Gwreiddiau yn pen ôl chi *or what?*

Fi o'dd y nesa i fynd ato fe a dath Dymps wedyn i shiglo'i law e'n gadarn a hir.

**DYMPS**     Îfs, o'dd hwnna mor *brave. I am so proud* ohonot ti. Diolch, byt.

O'dd Billy mewn sioc, ond fe ffindodd e 'i ffordd draw hefyd a gwên garedig ar 'i wyneb.

**BILLY**     Sa i'n gwbod beth i weud, Îfs. Wel, diolch am ddweud, ife. Wy' wastod yn ffindo bod *chip sandwich* yn dda mewn creisis.
**ÎFS**     Dria i gofio 'na, Billy.
**FI**     Ble ti'n mynd, Rhids?

O'dd Rhids wedi dechre cerdded tuag at y dŵr a'r llwybr gartref.

**RHIDS**     Ma' fe'n mynd yn hwyr. Wedes i bydden i gartre erbyn saith.

A 'na pryd weles i'r boen yn llygaid Îfs am y tro cyntaf. Rhids o'dd yr unig un o'dd yn ffili edrych yn 'i lygaid e. Ag ynte'n Brif Swyddog gyda fe.

**SPIKEY**     Wel, *I'm quite glad,* Ifan, 'cos hwnna'n meddwl bod y *coast* yn *clear* i fi gyda'r *bints.*

A diolch i Dduw am Spikey. Er i'r holl wherthin ddeilliodd o'i osodiad or-wneud y jôc – o leia o'n i'n gallu wherthin.

Wy' wedi bod draw gydag Îfs trwy'r nos. Ffonodd e fi prynhawn 'ma i ddweud 'i fod e wedi gweud wrth 'i reini fe a'u bod nhw wedi bod yn hollol anhygoel o stoncin a gwych. So es i draw.

**FI**   Shwd wedes ti wrthyn nhw?

**ÎFS**   Gydag anhawster. O'n i'n cachu'n hunan, ti'n gwbod, ofan rhoien i lo's iddyn nhw.

**FI**   A?

**ÎFS**   O'n nhw'n wych. O'n i'n ypset ti'n gwbod, nerfus, ofnus – y gair 'ofn' 'na, wy'n gweud 'tho ti, ma' hwnna'n mynd i ddiflannu o 'ngeirfa i am byth cyn bo hir. Ond pan wedes i o'dd tawelwch. Edrychodd Mam ar Dad a dath y ddou ohonyn nhw ata i a chwtsho fi am *ache*. A buon ni'n crio am sbel, y tri ohonon ni a buon ni'n siarad wedyn nes i ti gyrraedd. Ma' nhw wedi mynd mas i Gaerdydd nawr i siopa fel o'n nhw wedi trefnu. Fel wedes i wrthyn nhw, sa i'n dost. Plîs, *get a life!*

**FI**   Ma' hwnna'n *amazing*. Wy' jyst ffili credu 'u bod nhw mor cŵl amdano fe.

**ÎFS**   Mor cŵl ag o'dd dy fam a dy dad di pan sylweddolon nhw dy fod ti'n cysgu gyda Llinos siŵr o fod. Dyw e ddim yn *'issue'* ydy fe?

**FI**   Na. Nagyw, ti'n iawn. Ife Ciaran nath i ti benderfynu yn Llundain?

**ÎFS**   'I ddewrder e, ie. O'n i jyst yn meddwl, os gall rhywun fel fe neud e, beth sy'n stopid fi?

**FI**   'We have nothing to fear except fear itself.'

**ÎFS**   Yn gwmws.

| | |
|---|---|
| **FI** | 'Sdim rhaid ti ateb hwn, ond ife fe, ti'n gwbod, fe … |
| **ÎFS** | Nage! Rhys, plîs, paid â syrthio i'r trap o gredu bod pob bachgen yn mynd i fod yn rhywbeth mwy na ffrind! |
| **FI** | Na! *God*, na! Sori. |
| **ÎFS** | Bydd pobl yn dechre dy ame di. |
| **FI** | Gall pobl bygran off 'te, gallan nhw! Ti'n gwbod bydd y stori bownd o ledu rownd yr ysgol? |
| **ÎFS** | Bydd. Wel falle, ond o'n i'n gorfod paratoi'n hunan ar gyfer 'na, nagon i? 'Ofn a chadwynau?' Y gwir sy'n y'n neud i'n rhydd, Rhys. Wy'n gwbod pwy odw i a beth odw i ac os o's problem gyda phobl ynglŷn â hynny, wy'n fodlon siarad gyda nhw a thrio esbonio. *But what you see is what you get*, ti'n gwbod. |
| **FI** | Trueni nagos gwersi Addysg Grefyddol nawr. Gallet ti ddychmygu'r dadle? |
| **ÎFS** | Ie!!!!! |

Wy'n ffindo fe'n anodd, a mae'n siŵr y bydda i'n dal i ffindo fe'n anodd mewn degawde pan fydda i'n ailddarllen y dyddiaduron yma i fynegi'n edmygedd a 'mharch tuag at Îfs. Wy'n gwbod nawr, pe bai pethe'n wahanol na fyddai'r dewrder na'r integriti 'na gyda fi. Dwy' ddim yn perthyn i'r un bydysawd â fe. Pobl fel Îfs o'dd yn ennill medale mewn rhyfel. Pobl fel Îfs fydd yn arwain Cymru yn y ganrif nesa' os bydd Cymru ishe arweinwyr sy'n meddu ar ddidwylledd a gallu. Pobl fel Îfs yw halen y ddaear – a fe yw'n ffrind i.

---

### Dydd Llun, Mehefin 4ydd

---

Mae Jiwdas yn ein plith. Cerdded mewn i'r Uned gydag Îfs bore 'ma. Ar y wal mewn pen ffelt bras yn Saesneg 'Îfs gay poof'. Spikey redodd mewn ar y'n hole ni,

**SPIKEY**     Mas o'r ffordd, Rhys. Fi wedi cael paent off y
               gofalwr i paento fe cyn i Îfs gweld ... Heia, Îfs.

Sefon ni 'na, yn edrych ar y chweched oedd wedi cyrraedd.
Pawb yn rhythu, neb yn dweud dim a ni, wel fi, yn berwi
gyda dicter.

**ÎFS**        Pwy bynnag sydd ofn – pidwch bod.

Ac fe gerddodd e mewn i'r Uned, eistedd lle o'dd e'n arfer
eistedd a dweud,

**ÎFS**        Oes gwirfoddolwyr yn fodlon gweithio amser
               cinio i lanhau'r wal, plîs?

Sa i'n deall, sa i yn deall shwd mae e'n gallu bod mor cŵl.
Ma' fe'n afreal. Amser egwyl, o'dd Raz a fi yn cerdded i ystafell
ddosbarth blwyddyn saith, ag o'dd hi'n fwy crac na fi,

**RAZ**        Bastard! Pwy bynnag o'dd e, y bastard. Ffinda i
               mas, Rhys. *'E is not getting away with that.*
**FI**         Falle taw merch nath e.
**RAZ**        Paid siarad mor *dull* – merched yn dwlu ar Îfs.
               *Tha' is the handywork of a frightened little man.*
               *Bastard.*

Ma' Raz yn y'n atgoffa i lot o Sharon pan yw hi fel 'na.
Wy'n siŵr tasen i'n dweud yr ymadrodd 'cyfiawnder
cymdeithasol' wrthi fydde hi ddim yn deall, ond beth yw'r
gwanieth – mae'n gweithredu'r peth yn awtomatig.
Erbyn diwedd amser egwyl, o'dd yr Uned ar ei newydd wedd
gyda chot wlyb o baent yn drewi. Daeth Andrew '666'
Bechadur mewn i berarogli'r Uned a holi,

**AB**         Dwy' ddim yn cofio unrhyw drafodaeth am
               ailbeintio'r Uned?
**ÎFS**        O'dd rhywun wedi ysgrifennu graffiti ar y wal,
               Syr. Penderfynais i ddileu y cyfryw.

| | |
|---|---|
| **AB** | Heb drafodaeth? |
| **ÎFS** | Roedd natur y dweud yn bersonol aflednais, Syr. |
| **AB** | Am bwy? |
| **ÎFS** | Fi. |

A dim rhagor. Amlwg 'i fod e'n gwbod rhywbeth. Mae'r straen yn yr Uned yn gwbl ffiaidd – pawb yn edrych ar bawb. *God*, I hêt rhagfarn. Paratoi ar gyfer Dawns y Chweched?! Hy! Paratoi at ryfel *more like*, ond wy'n gwbod ar ochor pwy odw i os yw'r cachu yn bwrw'r ffan.

---

## Dydd Mercher, Mehefin 6ed

---

Alla i ddim â chredu pa mor isel, pathetic, dan-din ac ofnus ma' rhai pobl yn gallu bod. Neu, a bod yn fanwl, rhai pobl anhysbys yn gallu bod. Croeso i'r byd real, Rhys.

Amser egwyl bore 'ma, cyfarfod y chweched gyda'r Prif Swyddogion yn cadeirio. Ma' Rhidian – prat Hitleraidd – yn llwyddo i siarad gydag Îfs er mwyn gorffen trefniadau Dawns y Chweched. On'dŷn ni gyd yn edrych ymlaen at hwnna?! Ma'r awyrgylch yn yr Uned yn gwbl ffiaidd gyda dwy garfan amlwg – Dongs y byd a ni y byd. A dŷn nhw ddim yn gweud dim byd, jyst yn dangos y dirmyg 'ma yn eu llygaid. All hyn ddim â mynd mla'n. Wy'n mynd i gwmpo mas 'da rhywun.

O'dd Îfs ar y podium bach sydd gyda ni yn yr Uned, newydd dderbyn parsel drwy'r post, a phawb yn meddwl mai'r tocynnau oddi wrth yr argraffwyr oedd yn y paced. Roiodd Îfs 'i law e mewn a throi'r paced wyneb i waered. Cwmpodd peil o gachu ci mas ar y ford ag o'dd 'i law e'n drewi. O'dd y distawrwydd yn yr Uned yn llethol, a phawb yn edrych ar law Îfs ac ar y ford. Wedyn cododd Raz:

| | |
|---|---|
| **RAZ** | *Come on, yer bastards!* Pwy un ohonoch chi sy wedi neud hwn? *Come on*, pwy yw'r cachwr di-asgwrn-cefn sy gormod o ofan i wynebu'i hunan na ni. *Come on!!!* |

A mwy o ddistawrwydd.

**ÎFS**          Mae'n olreit, Raz. A' i i 'folchi'n hunan.

Ath Îfs mas ag es i a Billy a Spikey i'w ddilyn. A llais Dong:

**DONG**          All boys together.

Troies i nôl i'w wynebu e, o'n i'n barod am ffeit, ma'n rhaid i fi weud. *The best form of defence is attack.* Ond o'dd Îfs 'na.

**ÎFS**          Rhys! Galla i ymladd 'y mrwydre'n hunan.

A phan ddes i gartre o'n i ffili byw yn 'y nghro'n. Ma' pawb yn gwbod 'mod i mewn tymer, ond 'sneb yn gwbod pam. Ma' Îfs wedi dweud y galla i ddweud wrth y teulu os wy'n dewish, ond wy'n dewish peidio. Beth yw'r pwynt? Fydden i ddim yn dod gartre i ddweud wrth y teulu bod Îfs yn mynd mas 'da merch. So beth yw'r pwynt? *God*, wy' mor grac! Wy' jyst ishe pwno rhywun a wy'n gwbod pwy yw'r rhywun 'na. Mae'n rhaid taw Dong yw e. Pwy arall fydde'n ddigon pathetic i fihafio fel 'na? Y pwdryn. Wy'n credu 'sen well i fi bido mynd i'r ysgol neu ma' rhywbeth pechadurus o hyll yn mynd i ddigwydd. Pan ofynnes i i Dad am fenthyg y car gynne i fynd i weld Îfs dyma fe'n gweud:

**DAD**          Wel, dam. You might as well pay lodgings gone! Îfs's mother's food better than ours, is it?

**FI**          I need the car, Dad.

Wy' jyst ffili bod yn gwrtais gyda nhw hyd yn oed a, whare teg, dŷn nhw ddim yn rhoi hasl i fi.

Wy'n siŵr bod mam Îfs wedi blino 'y ngweld i, ond dŷn nhw ddim chwaith. Ma'r croeso hyd yn oed yn fwy twymgalon nawr nag arfer, fel tasen nhw'n falch bod popeth fel o'dd e. Wel do's dim achos iddo fe bido â bod ar wahân i'r person, y *thing* 'ma yn y chweched sy'n gwneud y pethe 'ma. Sgwrs grêt 'da Îfs. Dyw e ddim ishe i neb wneud dim.

| ÎFS | Wy' wedi meddwl y peth trwyddo, Rhys. Pwy bynnag sy'n neud e, gyda fe ma'r broblem. Ma' fe'n ofnus. 'Ma 'i ffordd e o ddelio gyda'r ofn 'na. |
|---|---|
| FI | Wel, sori, Îfs. Sa i'n deall shwd ti'n gallu bod mor cŵl am y peth. |
| ÎFS | Beth ti moyn i fi neud? |
| FI | Sa i'n gwbod. Wy' jyst yn gwbod beth wy' moyn neud. Pwno!! |
| ÎFS | A beth fydde hwnna'n ateb? |
| FI | Sa i'n siŵr, ond wy'n credu gelen i lot uffernol o bleser ohono fe! |

---
## Dydd Gwener, Mehefin 8fed
---

Ma' 'nhrwyn i'n itha da, ma'n lygad i wedi cau o hyd a ma' dou glaish ar y'n *chest* i. Wel o'dd e bownd o ddigwydd, nagodd e?

---
## Dydd Sul, Mehefin 10fed
---

Ddim ishe dweud dim byd amdano fe ddydd Gwener. Teimlo'n well heddi achos bod Îfs yn teimlo'n well. Dath e draw i weud 'tha i 'i fod e wedi ffindo mas pwy o'dd yn gyfrifol. Ond o'dd e'n pallu dweud wrtha i! Gofynnes i a gofynnes i, ond o'dd e'n gwrthod yn lân. Mae'r mater drosodd ac er 'i fod e'n diolch i fi'n uffernol am 'y nheyrngarwch i a 'nghyfeillgarwch i, o'n i'n gorfod ymddiried ynddo fe a derbyn mai dim ond fe a'r person wnaeth y pethau 'na o'dd yn mynd i wybod byth. Ac nid Dong o'dd e!

Wel 'nath hwnna i fi deimlo'n wynderffwl ar ôl cael ffeit y ganrif! *For God's sake,* sa i wedi cael 'ffeit', fel ffeit, ers blwyddyn naw! Wy'n gwbod ges i whalad ym mlwyddyn deg ond ymosodiad gan Gareth o'dd hwnna nage ffeit. A wy'n gwbod mai fi o'dd ar fai. Ond o'dd yr olwg ar wep Dong wedi mynd yn drech na fi. Dechreuodd e mas o ddim.

O'n i yn yr Uned yn gwitho dydd Iau diwethaf. Fi ar 'y mhen y'n hunan bach yn trio canolbwyntio ar draethawd Cymraeg o'dd eisoes yn hwyr. Dong yn dweud jôcs yn y gornel am ddynion hoyw:

**DONG**      Glywest ti am y ddau *ghost* oedd yn rhoi wilis lan ei gilydd!

*That's it.* Ffrwydres i.

**FI**      Jyst cia dy ffycin ben, Dong.
**DONG**      What's your problem, Rhys?
**FI**      Ti a dy geg.
**DONG**      Hoi, bachan. *If your friend is a poof ...*

A bwres i fe – yn galed. Ond, whare teg, bwrodd e fi nôl yn galed hefyd. A bydden ni wedi cadw i fwrw'n gilydd oni bai bod Îfs a Billy wedi dod mewn i'n gwahanu ni. Erbyn 'ny o'dd gwa'd yn llifo a'r tymhere'n anadlu fel peirianne.

**DONG**      Get yer 'ands off me, Ifan.
**ÎFS**      Dwy' ddim yn gwbod beth yw dy broblem di, Robert ...
**DONG**      Dong's the name ...
**ÎFS**      ... ond do's dim byd 'da ti ofni.
**DONG**      Fi ddim ofni dim byd, boi!
**ÎFS**      Stopa acto fel se' ti'n *threatened* gyda fi 'te. Billy, cer â Rhys at y nyrs.
**FI**      Ar ôl i fi roi hwn yn 'i le.
**DONG**      You and who's army, Rhys, poofter lover!

Sgrechodd Îfs wedyn, a sa i wedi 'i glywed e fel 'na erio'd yn 'y mywyd.

**ÎFS**      *Come on,* Dong. Bwra fi! *Come on,* pam taw dim ond iwso geirie wyt ti? Pwna fi! *Come on,* bachan dewr!

Ac Îfs yn 'i wthio fe yn ei *chest* drwy'r amser.

**DONG**    Keep your fuckin' hands off me!
**ÎFS**    Beth sy'n bod? Ofan dy fod ti'n mynd i fod r'un peth os gyffyrdda i â ti? Yh? 'Na beth yw e? Pwna fi, y blydi llwfrgi shwd ag wyt ti!! PWNA FI!!!!

Ond wnaeth e ddim. A sa i'n deall pam achos ma' fe'n fwy o seis o lawer nag Îfs, ac yn gryf iawn. Ond wnaeth e ddim. *God*, ma' Îfs mor ddewr! Wedyn dath Andrew Bechadur i stafell y nyrs – wedi clywed am y 'cwmpo mas' yn yr Uned. Ond man a man 'se fe wedi gofyn am gyfrinache Sgrolie'r Môr Marw, wedon ni ddim byd wrtho fe. Ac o'dd ysgol am weddill y dydd yn ffiaidd. Ond cadwodd Dong mas o'n ffordd i a finne o'i ffordd e. Yr unig berson na ddangosodd ei gefnogaeth lwyr i Îfs o'dd Rhids.

**RHIDS**    Pwysig bod Prif Swyddog yn aros mas o'r peth.
**DYMPS**    Ma' Îfs yn Brif Swyddog a Raz ...
**RHIDS**    Ti ddim yn deall, Dymps.
**DYMPS**    Beth, Rhidian – shwd i sillafu *coward?*

O'dd popeth yn datgymalu rownd i ni. A phan ddes i gartre ...

Wel shwd o'n i'n mynd i esbonio i Sêra i ddechre? O'n i'n mynd i ddweud celwydd am Îfs? Mae'n tynnu at ddeuddeg oed. Dim ond pan ddethon ni off y bws ysgol sylwodd hi, achos dŷn ni ddim yn ishte ar bwys y'n gilydd ar y bws.

**SÊRA**    Beth sy' wedi digwydd i ti?
**FI**    Ges i ffeit.
**SÊRA**    Pam?
**FI**    Rhywun yn yr Uned yn mynd ar y'n nerfe i.
**SÊRA**    Pam?
**FI**    Achos o'n nhw'n dweud pethe cas am Îfs.
**SÊRA**    Pam?
**FI**    Sê! Ife 'na gyd ti'n mynd i weud yw pam?
**SÊRA**    Ie, nes wy'n deall. Ma' Mam mynd i fynd yn *'ape'*.

Ac fe wnaeth hi.

**MAM**       Weita di nes bod dy dêd yn dod sha thre. Pwy ymladd yn dy oetran di?

**FI**       Mam, do'dd dim dewish 'da fi.

**MAM**       Fandal i Gymdeithas yr Iaith a thyg yn yr ysgol. O Duw, Duw, beth sy'n dicwydd yn y teulu 'ma, gwed?

**MAM-GU**       Nawr o'dd Sêra'n gweud bod *black eye* 'da ti. Ga' fi weld! O jiw, ma' hwnna'n *frammer* o un. Shwd olwg sy' ar y nell? Gwath gobitho!

'Na pryd lanwodd y'n llyged i. Ma' Gu wastod yn ffindo ffordd i dynnu'r colyn mas o bob sefyllfa, ond mae'n crîso fi achos ei bod hi mor gall, mor cŵl a fydd hi ddim wastod 'na. Camgymrodd Mam beth o'dd ystyr y dagre.

**MAM**       O's pô'n arnot ti?

**FI**       Nêgos.

Wedyn o'n i ffili stopid o'n i. Wy'n gwbod nawr beth o'dd e, rhwystredigaeth a thymer at beth o'dd yn digwydd i Îfs. Nage claish stiwpid ar y'n wyneb i. Pethe sy'n paso yw rheina. Ond beth o'dd yn digwydd tu fewn i ben y'n ffrind.

**MAM**       Nawr paid ypseto, widdiff dy dêd ddim arnot ti.

**MAM-GU**       Nê naiff! Ne bydd e'n gorffod atab i fi!

**MAM**       Well allsa Deryck ddim sefyll lan i ddwy fenyw o'r un teulu, gallsa fe?

**SÊRA**       Tair!

Pan ddath Dad gartre (o'dd e'n hwyr), o'n i wedi cwlo lawr tam bach ac wedi penderfynu yn y'n feddwl i weud popeth – gyda Sêra 'na. 'Na beth bydde Îfs ishe i fi neud.

**DAD**       Must 'ave been a good reason, *mab*.

**FI**       Yes, Dad. There was.

**DAD**       Right, let's have it then.

| | |
|---|---|
| **FI** | Well, it's to do with prejudice. |
| **SÊRA** | Beth yw hwnna? |
| **FI** | Rhywun yn dweud pethe cas am rywun heb roi siawns i'r person 'na. |
| **SÊRA** | Reit. |
| **FI** | There's no easy way of sayin' this next thing, and I know I'm saying it with his permission. Îfs has told us in school that he's gay. |

Y tawelwch sy'n fwy na thawelwch.

| | |
|---|---|
| **DAD** | Good God Almighty. No! |
| **MAM** | Shw mae 'i fam? |
| **FI** | Dyw e ddim yn dost, Mam! Sdim danjer iddi fywyd e! |
| **MAM** | Wel nê, wy' ddim yn gweud … |
| **DAD** | You sure, Rhys? |
| **FI** | Dad, this is difficult enough as it is. |
| **SÊRA** | Ody *gay* yn meddwl … |
| **MAM** | Sêra, cera lan lofft. |
| **MAM-GU** | Wy'n cretu delen ni gyd fod 'ma, Peg. Ma' Rhys yn siarad am fywyd man 'yn. Caria mlên, bach. |
| **FI** | Wel, Gu, Dad. Most of us haven't got a problem with that. All we can see is an extremely brave friend. But there's a boy in form six called Dong … |
| **SÊRA** | O, Dad, e's 'orrible. He's a lech! |
| **FI** | And e's obviously got a problem with Îfs. His language towards him was foul – publicly – and I reacted to that and wanted to do something about it. I felt exactly like I felt when Andrew Bechadur was horrible about Sharon. |
| **DAD** | Except you didn't hit Andrew Bechadur. |
| **FI** | No, Dad. |

Y distawrwydd sy'n rhoi amser i rywun feddwl.

| | |
|---|---|
| **FI** | I'm not proud of fighting, Dad, but I was right to do it. |
| **DAD** | Yes, yes you were. |
| **MAM** | O't bach. O't ti yn iawn. |
| **FI** | A ddim yn thyg? |
| **MAM** | Nê! |
| **SÊRA** | So wyt ti'n *gay*, Rhys? |
| **FI** | Nêgw, Sê, ond dyw hwnna ddim yn stopo fi fod yn ffrindie gore 'da Îfs, ody fe? |
| **SÊRA** | Nêgyw, sbôs. Ody te'n barod nawr? |
| **DAD** | Dim byd i ddweud, Mam-gu? |

Ac o'dd Gu yn anarferol o dawel.

| | |
|---|---|
| **MAM-GU** | I will speak to Rhys later, Deryck, in the privacy of my flat. |

Aeliau Dad yn codi a Mam yn dechre dod â bwyd i'r ford.

| | |
|---|---|
| **MAM-GU** | But I will say this. |
| **DAD** | I knew it was too good to be true. |
| **MAM-GU** | I am proud to be the matriarch of a family where justice and equality are real words and not a dream. |

O'dd llyged Dad yn sefyll yn 'i ben.

| | |
|---|---|
| **MAM-GU** | That's all – for the moment. |
| **DAD** | Thank you, Aneurin Bevan! Well, I've only got one other thing to say. Tell Îfs the door of this house is always open and we want to see 'im over 'ere more. |
| **MAM-GU** | I … |
| **DAD** | I thought you'd finished. |
| **MAM-GU** | All I was going to say is I agree totally. Reit, swper, Peg. |

O'dd cymint mwy gallan nhw fod wedi gofyn ac o'dd hawl 'da nhw hefyd siŵr o fod, ond nage na'r lle na'r amser. Adwaith Sêra o'n i'n ffindo yn hollol od. Mor cŵl, mor ddi-ffws. Pryd ma' rhagfarn yn dechre 'te? Pwy sy'n rhoi'r syniadau asgell dde 'ma yn ein penne ni ei bod hi'n anghywir i fod yn wahanol? Ma' rhagfarn yn tŷ ni – yn erbyn y Ceidwadwyr – ond ma' rhagfarn yn erbyn rhagfarn hefyd os chi'n deall beth wy'n feddwl. Ond yn sicr, dwy' erio'd wedi clywed Dad, Mam na Gu yn siarad yn erbyn neb oherwydd eu lliw na'u cenedl. Wel, ie, y tynnu coes 'ma am Gogs – ond ŷn ni gyd yn gwbod taw esgus yw hwnna. Bythdi hanner awr wedi naw, dath Gu at 'y nrws i! Digwyddiad! Dyw hi ddim yn lico dringo'r grisie dyddie 'ma.

| | |
|---|---|
| **MAM-GU** | O's lle i un bêch? |
| **FI** | Heia, Gu. Dewch miwn. |
| **MAM-GU** | Ti'n fishi'n neud gwaith? |
| **FI** | Nêgw. Dim ond meddwl. |
| **MAM-GU** | Gwd peth i neud, meddwl. Nawr te, whre hwn. |
| **FI** | Na, Gu. Smo fi moyn arian. |

O'dd hi'n trio rhoi papur decpunt i fi.

| | |
|---|---|
| **MAM-GU** | Nawr, dere, rho hwn yn dy *account*. |
| **FI** | Gu, plîs, rhwng arian TGAU a'r ddirwy a thalu am y tŷ 'ma, chi bownd o fod yn *spent out*. |
| **MAM-GU** | Paid ti becso am dy Gu bêch. Wy' wastod wedi gallu balanso'r llyfre! Plîs, rho fe yn dy bocad, a chera di ag Îfs mês i gêl drinc ne rwpath. Plîs. |
| **FI** | Diolch, Gu. |
| **MAM-GU** | Wy' moyn gweud rwpath wrthot ti am y teulu, achos wy'n gwpod wetiff dy fam ddim byd byth. |
| **FI** | Hwnna'n swno'n fygythiol, Gu! |
| **MAM-GU** | Nê, *not at all*. Ti'n gwpod, am beth o't ti'n wilia lawr llawr am Îfs. |
| **FI** | Ie. |
| **MAM-GU** | Ma' rhywun *gay* wedi bod yn y'n teulu ni hefyd. |
| **FI** | *Good God*, o's e? |

| | |
|---|---|
| **MAM-GU** | O's. Ond do'dd neb yn siarad amdano fe. Wel do'dd neb yn siarad am *bugger all* yn y dyddie 'ny. Ma' fe'n rhyfedd 'da fi bod dinon ar ôl yn y cymo'dd 'ma achos do'dd neb yn neud dim byd yn ôl fel o'dd y pregethwyr yn siarad dyddie 'ny! Barn Duw a chosb! Ond 'na fe, dim ond y capel o'dd 'da ni i fynd iddo fe siwrne. Dim arian i fynd i'r pictiwrs hyd yn oed ar un sbel. |
| **FI** | Pwy o'dd e, Gu? |
| **MAM-GU** | Hi. |
| **FI** | Hi? |
| **MAM-GU** | Ie, hi. Ti'n cofio fi'n gweud 'tho ti am y dyn 'na 'chupws y dinon yn Senghennydd? |
| **FI** | Otw. |
| **MAM-GU** | Wel 'i ferch e – Victoria Esme Evans. Wy'n 'i chofio ddi'n ddê, a ma' cof gweddol 'da dy fam. Wel nê, ma' cof *selective* 'da dy fam! |
| **FI** | Shwd o'ch chi'n gwpod 'i bod hi'n hoyw? |
| **MAM-GU** | O'dd hi'n byw 'da menyw arall. |
| **FI** | Yn y cyfnod 'na! |
| **MAM-GU** | Smo'r tulu 'ma wedi bod yn *backward coming forward* erio'd cofia! |
| **FI** | Jiw, o'dd hwnna yn … wel, gwahanol. |
| **MAM-GU** | Pawb yn gwbod ti'n gweld, yn y stryd, ond neb yn cymryd taten o sylw. Meddwl bod y ddwy ohonyn nhw tam bach yn od. Ond neb yn becso dim. Ag o'dd hi'n fydwraig, ti'n gweld. |
| **FI** | Yn beth, Gu? |
| **MAM-GU** | Bydwraig – *midwife*. |
| **FI** | O, reit. Bydwraig. Wy'n lico'r gair 'na. |
| **MAM-GU** | Gore yn y cwm o'n nhw'n gweud – ag o'dd pob menyw o'dd yn erfyn yn gofyn amdeni hi. Nawr do'dd dim byd mwy personol na 'na o'dd e? Yh? |
| **FI** | Wel sa i'n gallu ateb 'na, Gu! |
| **MAM-GU** | Byddi di! Rywbryd! Wel, 'na gyd sy' 'da fi weud. A gweud 'mod i'n browd ohonot ti. |
| **FI** | Diolch, Gu. |

Wel! Wel! Wel! Fy nheulu bach twt ddim mor dwt ag o'n ni'n meddwl. Grêt! Wrth gwrs, ma' Gu yn iawn. Ma' bownd o fod perthnase hoyw ym mhob teulu, ym mhob cyfnod. So pam nagyn ni'n siarad amdanyn nhw? Pam nagyw'r bobl yma yn cael y fraint o berthyn i'w teuluoedd ar 'u telere nhw? Pam odyn ni'n dishgwl i bawb gydymffurfio â'r norm? A nawr wy'n mynd i stopid gofyn cwestiyne na alla i eu hateb. Ond wy'n falch 'y mod i'n 'u gofyn nhw!

## Dydd Llun, Mehefin 11eg

Cadoediad anesmwyth.

## Dydd Mawrth, Mehefin 12fed

Cyhoeddiad bod arholiadau'r ysgol yn dechre mewn pythefnos. I hêt sgŵl!

## Dydd Mercher, Mehefin 13eg

Ymddangos bod y cadoediad yn barhaol. Dong yn sur ond ei geg yn fwy parchus. Trefniadau'r Ddawns yn cymryd blaenoriaeth. Y sioc waethaf yw bod Andrew Bechadur a Soffocleese yn dod. Ych! Ni wedi neud trefniadau i fynd gyda'n gilydd i Gaerdydd dydd Sadwrn i fesur am ein siwts ni ac ati ar gyfer y ddawns.

| | |
|---|---|
| **SPIKEY** | Well, all I 'ope is they gor an hiwj tape measure for my inside leg! |
| **RAZ** | In your dreams, boy! |
| **SPIKEY** | O'dd Sharon arfer dweud 'na, Raz. |
| **RAZ** | Sori, fi ddim yn meddwl ... |
| **SPIKEY** | Na, ma fe'n olreit. Ti'n gallu dweud e. Fe'n siwto ti. Reit, *who's 'elpin' me to* adolygu Cymraeg. |
| **BILLY** | Pam ti moyn adolygu? |

**SPIKEY**   Billy, I am mature nawr. Fi eisiau paso!
**BILLY**   Galle rhywun nôl y nyrs i fi plîs!

Îfs yn grêt. Ma'r dyn yn mynd i fod yn arweinydd a bydden i yn ei ddilyn e i uffern a nôl. Ma' fe wedi ysgrifennu englyn i fi! Onest – englyn!!!! I fi! Wedodd e nagodd e'n siŵr os o'dd y gynghanedd yn iawn ond o'dd e ishe diolch i fi am bopeth wy' wedi neud iddo fe. Ma' fe:

> Gyfaill, ynot fe gefais – y cyfan,
>    Yn y cof, boed adlais:
> Buost swyn i'm cwyn a'm cais,
> Imi'n gawr mwyn a gerais.

Nagyw hwnna'n lysh? Ma' ffrind gwych 'da fi a ma' fe'n fardd! Fy nghwpan sydd lawn!

---

## Dydd Sadwrn, Mehefin 16eg

---

Dyw Caerdydd ddim yn mynd i fod yr un peth eto. Wel dyw siop Suit Direct, y lle llogi, ddim yn mynd i fod yr un peth eto!

O'dd e'n deimlad da cyn dechre. Pawb yn cwrdd gyda'i gilydd a'r cwmwl sydd wedi bod yn yr ysgol yn rhywbeth i'w anghofio. A'r peth cynta nethon ni wrth gwrs pan gyrhaeddon ni Gaerdydd o'dd – ie, bwyta! Wel beth arall sydd gyda ni neud â Dymps, Billy a Raz yn y cwmni? A ma'n rhaid i fi gyfadde, ni gyd fel locustiaid yng Nghaerdydd. Sa i'n gwbod beth yw e. Jyst gweld yr holl gacs 'na wedi'u gosod mor neis.

O'n i ffili deall pam o'dd Spikey wedi gadael hanner ei gacen e ar y plât ac yn rhythu i ben draw'r arcêd 'ma lle o'n ni gyd yn ishte tu fas.

**SPIKEY**   Miss! Miss Esyllt widd e man!

Ma' fe'n rhyfedd na fuodd rhyw fath o gorwynt y ffordd drodd pawb eu penne fel un i'r cyfeiriad o'dd Spikey yn edrych. A wir i Dduw i chwi, Twm Twm, dyna lle roedd Miss Esyllt 'Cysgod Y Cryman is a good book – onest' ap Einion ben ben â dyn! Dyn golygus. Dyn hynod o olygus. Yr un dyn o'dd gyda 'i ym mis Mawrth!

**SPIKEY**   Bitch! She's just ruined my fantasy.
**RAZ**      *Same bloke as* mis Mawrth.
**SPIKEY**   Na!
**RAZ**      Spikey! *I know a good arse when I see it, and I do not forget!* Mei God, fi mynd ar ddiet i fe.
**ÎFS**      Ma' fe'n olygus iawn, nagyw e?
**DYMPS**    Ffansïo fe, Îfs?

O'dd e mor wych bod y cwestiwn wedi dod oddi wrth Dymps fel rhan naturiol o'r siarad.

**ÎFS**      Na, Dymps. Ddim 'y nheip i.
**FI**       Spikey, ble ti'n mynd?
**SPIKEY**   Dilyn hi. Fi gorfod ffindo mas os e'n brawd hi neu rywbeth?
**RAZ**      I don't speak to my brother like that!

A wy'n gwbod 'i fod e'n stiwpid! Ond godon ni fel rhyw fyddin fach o dditectifs, a dechre eu dilyn nhw o bellter. Cwestiwn yw, pa mor gynnil gall wyth o bobl fod yn symud o gwmpas Caerdydd? O'dd Llinos yn ddoniol,

**LLINOS**   Spikey, ma' hawl gyda'r fenyw i gael bywyd preifat ti'n gwbod.
**SPIKEY**   Not without my permission, she asn't!

Cyrhaeddon ni'r Ais, y lle 'ma yng Nghaerdydd lle mae lot o gaffis awyr agored yn weddol ddidramgwydd, ond yn ddiarwybod i ni, o'dd Miss a'r dieithryn hync wedi troi nôl ag o'n nhw'n dod tuag aton ni!!!! *Mare time!* Beth allen ni neud? Ffeintodd Spikey. Ddim yn iawn, jyst ffug-ffeinto yn y fan a'r lle.

| | |
|---|---|
| **RAZ** | O, mae fy ffrind annwyl wedi llewygu! Gwell i fi rhoi cusan bywyd iddo ef! |
| **SPIKEY**(*sibrydiad*) | You dare and you're dead! |
| **MISS** | Heia, pawb allan yn siopa, ia? |
| **NI** | Heia, Miss. |
| **MISS** | Be wyt ti dda ar y llawr, Spikey? |
| **SPIKEY** | O, hylô, Miss. Fi ddim wedi gweld chi *by there*. Ddim wedi bwyta brecwast llawn a ffrwythlon y bore hafaidd hwn a fy mhen yn ysgafn. |
| **MISS** | Ond dy iaith yn gwella. |
| **SPIKEY** | Who's that, Miss? |

Pam bod Duw wedi creu Spikey? Cynildeb? Peidwch â siarad mor sofft. Jyst fel 'na, "Who's that, Miss?" *God!*

| | |
|---|---|
| **MISS** | Hwn yw 'nghariad i Spikey – Mathew. Americanwr ydy o. |
| **SPIKEY** | O, like pen pals cariad, ife, Miss. |

A'i lygaid yn gloywi mewn gobaith.

| | |
|---|---|
| **MISS** | Na, mae Mathew yn dod i ddarlithio mewn Astudiaethau Celtaidd yn y brifysgol yng Nghaerdydd. Mathew, dyma ddisgyblion Cymraeg fy nosbarth lefel A. |
| **SPIKEY** | 'E don't speak Welsh as well! Reffyrî!!! I can't win. |
| **MATHEW** | Ddim yn berffaith eto. Mae'n dda iawn gyda fi gyfarfod â chi. Maddeuwch fy idiom llyfr. Mae Esyllt yn mynd i wella fy iaith. |
| **SPIKEY** | I bet she is! |

O'dd e mor wiyrd, clywed Cymraeg gydag acen Americanaidd! O'dd siom Spikey yn ddigon cryf iddi gario fe gartre mewn parsel. A pham? Do'dd dim gobeth pelen eira rhwng clunie Raz 'da fe gael cusan hyd yn oed oddi wrth rywun fel Esyllt, ond fel wedodd e ar y trên ar y ffordd gartre,

**SPIKEY**    Bois, myn, *it's a* delfryd. Fi'n gorfod cael ffantasi fi. Methu destroyo hwnna! Neu chi'n destroyo fi!

Dwys, ddyn!

**MISS**    Wel, 'dach chi wedi cael eich siwtie i'r Ddawns? Bydd Mathew yno hefyd.

**SPIKEY**    Reit, *let's go*. Fi'n well nawr.

**MISS**    A chofia gadw'r ddawns gynta i fi, Spikey!

**SPIKEY**    Aye.

Wel 'na un peth, mae Miss Esyllt 'canu maswedd yn rhywiol dros ben' ap Einion yn gwneud ei rhan i sicrhau bod y Gymraeg yn ymestyn ei ffinie!

**RAZ**    O, Rhys, Mathew *could* ymestyn *my* ffinie *any day!!* Pam bod Americanwyr mor blydi stoncin, boncin gorjys? O'dd e'n gwneud i Brad Pitt edrych fel *dog with a bad 'ead*.

**FI**    Sa i'n gwbod, Raz. Neud i fi deimlo'n hollol *inadequate*.

Ac erbyn hyn, o'n i wedi cyrraedd y siop. Wel, wir, o'dd y ffys 'da Spikey ynglŷn â mesur yr *inside leg* wedi tyfu'n ddrama erbyn hyn a phan ddath menyw mewn iddi fesur e ...

**SPIKEY**    She is not gettin 'er 'ands on my meat and two veg.

**SPANS**    Falle hi ddim yn hoffi *sprouts*, Spikey!

**MENYW**    Who's first?

**PAWB**    Billy!

**BILLY**    Thenciw, bois, *very kind* ohonoch chi. *I 'ope that tape measure is warm!*

**SPIKEY**    I 'ope it's long!

**BILLY**     Wel, nele pishyn o selotêp byr y tro i ti, nele fe?

Ymhen rhyw chwarter awr dath Billy mas yn gwishgo DJ – *Dinner Jacket a cummerbund* – y peth llydan 'na sy'n mynd rownd y bola a rhaid dweud, o'dd e'n dishgwl yn smart.

**SPIKEY**   Ble mae Billy? Fi'n edrych am *ugly bloke* a fi'n
             methu ffeindo fe. O edrychwch, dyma Billy! Hei,
             bachgen, ti'n mynd i pwlo yn hwnna!
**BILLY**    Smo chi'n meddwl 'mod i'n dishgwl yn sofft
             ynddo fe?
**FI**       Nagwyt, Billy. Ma fe'n gweddu i ti.
**SPIKEY**   Is Andrew Bechadur 'ere then?

Pawb yn edrych arno fe fel tase fe wedi cael *mare*.

**SPIKEY**   Ti'n dweud 'gweddi'!
**FI**       Ystyr hwnna gyda 'u' bedol ar y diwedd yw 'i fod
             e'n siwto Billy.
**SPIKEY**   *O, God, this bloody language !* 'I' *dots and* 'U'
             *bedols*. Fi'n methu côpo!

Wedyn dath y merched mewn. Wel o'dd rhaid i fi wherthin achos o'dd Raz yn dishgwl fel balŵn yn cerdded – balŵn pinc yn cerdded!

**RAZ**      Oreit, bois. Unrhyw un eisiau cnoiad?
**DYMPS**    Dy, Raz. Ti'n edrych digon da i fwyta, ferch!
**RAZ**      *And,* Dymps fy angel, ti ddim yn edrych yn ddrwg
             dy hunan.

Hylô!!!! A oes teimladau serchus yn cyniwair? Ag o'dd Llinos yn edrych yn blydi stonc, gyda rhyw ffrog o'dd yn dod off yr ysgwydd. Ni allaf ddweud celwydd, fe drodd fy stumog a gwneud fflip fflop.

**FI**       Ma' hwnna'n edrych yn gorjys.
**LLINOS**   Diolch. Ti'n edrych yn dda hefyd.

**ÎFS**        Odw i?

Ag o'dd Îfs wedi trio siwt wen mla'n.

**SPIKEY**   Hei, Îfs! Blydi hel, fi'n credu fi'n ffansïo ti yn
             hwnna!
**ÎFS**        Sori, Spikey, ddim 'y nheip i.
**SPIKEY**   Why does everybody say that about me?

O'dd e'n edrych yn wych. *Cummerthing burgundy* am 'i
ganol a chot wen a throwsus du.

**LLINOS**   Îfs, ma' hwnna'n hollol *stunning.*
**DYMPS**    Wel, wy'n credu'n bod ni gyd yn caru'n gilydd.
             *We'll hire them!*
**SPIKEY**   'Scuse me, love. 'Ave you gor a discount for poor
             orphans from the valleys whose fathers have
             been out of work for seven years and who don't
             know where the next crust is coming from?
**MENYW**    No.
**SPIKEY**   Fair enough.

*Mad!*

A nawr, 'sen well i fi ddechre ystyried adolygu. *God,* pam?
Pam odw i ar y rowndabowt yma o arholiadau a stres a
phopeth arall? *Stop, world, I want to get off.*

---

## Dydd Llun, Mehefin 18fed – Dydd Gwener, Gorffennaf 6ed

---

Adolygu, adolygu, adolygu, adolygu, adolygu, bar o sebon,
adolygu, bar o sebon, bar o sebon, bar o sebon AW!!!! Adolygu,
adolygu, adolygu – rhy *bored* i 'molchi! Arholiadau. Cwbl
amlwg 'y mod i wedi methu popeth. Ma' Spikey mewn rhyw
fath o iselder parhaol. Ac mae'r Ddawns nos yfory, nos
Sadwrn, a nawr 'sneb ishe mynd.

Ma' meddwl am rannu ystafell gyda Bechadur a Dong a Soff … sa i'n gwbod. Cadw wyneb bla di bla. Pam? Wrth gwrs, bydd mynd i'r ysgol am y pythefnos o'r flwyddyn ysgol sydd ar ôl yn wastraff amser. Pawb yn dweud eu bod nhw'n rhy brysur i'n dysgu ni achos bod cymaint o farcio 'da nhw neud. O'n i'n edrych yn yr albym lluniau pwy noson o'r flwyddyn sydd wedi bod. Pwy feddylie y bydden i wedi cyflawni gymaint?

Ta beth, ma' Dad wedi cytuno y galla i fynd â'r car nos yfory, a 'sdim ots o gwbwl 'da fi. Ar ôl 'y mhrofiad meddw gyda Doorbell y peth diwetha wy' moyn yw rhoi y'n hunan mewn sefyllfa o berygl! Wy'n rhoi lifft i Llinos ac Îfs draw 'na a Duw a ŵyr pwy ar y ffordd nôl. Ma' Rhids yn mynd â'r car hefyd. Ma' rhywbeth wedi digwydd rhyngto fe ac Îfs, rhyw fath o gymodi. Mae Rhids lot mwy cŵl nag o'dd e.

*Anyway.* I'r gawod – eto!!! Ma' fe'n mynd i gwmpo off rât 'ma!

## Monday, July 9th

This is Deryck writing, Rhys's father. The kids went to the Ball last Saturday night … I can't say anymore. O, *mab bach …*

# Nawr prynwch y <u>casét</u>!

Uchafbwyntiau'r gyfrol hon yn cael eu darllen gan yr awdur! **Pris £4.95**

# ...a'r llyfr cyntaf, wrth gwrs!

Y llyfr a hyrddiodd Rhys ac Ysgol Gyfun
Glynrhedyn i sylw'r bydysawd!
Enillydd Gwobr Tir na n-Og.
**Pris £5.95**

# Mwy o lên gyfoes o'r Lolfa!

## ANDROW BENNETT
### Dirmyg Cyfforddus
Ar wyliau yng Nghymru y mae Tom pan ddaw ar draws Anna, Americanes nwydus, dinboeth yn wir. . . Ie, hon yw hi – y nofel erotig gyntaf yn Gymraeg!
**£6.95**                                   0 86243 325 8

## MARTIN DAVIS
### Brân ar y Crud
Pwy sydd ag achos i ddial ar y Cynghorydd Ted Jevans, un o bileri'r gymdeithas? Wrth ddadlennu'r ateb mae'r awdur yn codi'r llen ar fyd tywyll, bygythiol yn llawn cyfrinachau rhywiol. . .
**£5.95**                                   0 86243 350 9

## ELIS DDU
### Post Mortem
Gweledigaeth uffernol o ddoniol o'r Gymru Hon – yn llythrennol felly: campwaith unigryw sy'n siŵr o ennyn ymateb o Fôn i Fynwy!
**£5.95**                                   0 86243 351 7

## GLYN EVANS
### Jyst Jason
O sedd ôl Morris Mil i sedd ffrynt y Myrc coch, taith ddigon egr a gafodd Jason Gerwyn ar hyd ei oes fer...cyfrol frathog yn llawn pathos a dychan.
**£4.95**                                   0 86243 398 3

## Lyn Ebenezer
### Noson yr Heliwr

*Cyfres Datrys a Dirgelwch*

Pan ddarganfyddir corff myfyrwraig ger yr harbwr yn nhref brifysgol, Aber, mae'r Athro Gareth Thomas yn cynnig helpu'r Arolygydd Noel Bain i ddod o hyd i'r llofrudd. Nofel o'r ffilm o'r un enw.

**£5.50**                                                    0 86243 317 7

## Dyfed Edwards
### Dant at Waed

Nofel iasoer am Tania a'i chriw sy'n bodloni eu chwant am waed yng nghylbiau nos y ddinas: cyfrol gyffrous sy'n hyrddio'r nofel Gymraeg i faes cwbl newydd.

**£5.95**                                                    0 86243 390 8

## Robat Gruffudd
### Crac Cymraeg

Nofel newydd swmpus, afaelgar am y Gymru gyfoes  yn symud rhwng pentref Llangroes, Bae Caerdydd, Nefyn, Caer, Llundain, ac ynysoedd Groeg… *Rhestr Fer Llyfr y Flwyddyn.*

**£7.95**                                                    0 86243 352 5

## Mabli Hall
### Ar Ynys Hud

Dyddiadur Cymraes ifanc sy'n mynd i weithio mewn gwesty ar Ynys Iona. Ychwanegir at naws hudolus y gwaith gan luniau pin-ac-inc Arlene Nesbitt.

**£4.95**                                                    0 86243 345 2

## MELERI WYN JAMES
### Stripio
Casgliad o storïau bachog, tro-yn-y-gynffon gan awdur ifanc.
**£4.95**                                    0 86243 322 3

## TWM MIALL
### Cyw Haul
Nofel liwgar am lencyndod mewn pentref gwledig ar ddechrau'r saithdegau. Braf yw cwmni'r hogia a chwrw'r Chwain, ond dyhead mawr Bleddyn yw rhyddid personol. . . Clasur o lyfr o ysgogodd sioe lwyfan a ffilm deledu.  Ailargraffiad 1994.
**£4.95**                                    0 86243 169 7

## MIHANGEL MORGAN
### Saith Pechod Marwol
Cyfrol o straeon byrion hynod ddarllenadwy. Mae'r arddull yn gynnil, yr hiwmor yn ffraeth ond yna'n sydyn sylweddolwn nad yw realiti fel yr oeddem wedi tybio o gwbwl. . . *Rhestr Fer Llyfr y Flwyddyn 1994.*
**£5.95**                                    0 86243 304 5

## ELERI LLEWELYN MORRIS
### Genod Neis
Dwsin o straeon syml, crefftus. Mae gan y cymeriadau eu hofnau a'u siomedigaethau ond mae ganddynt hefyd hiwmor ac afiaith iachus. . .
**£4.95**                                    0 86243 293 6

## ANGHARAD TOMOS
### Titrwm

Nofel farddonol am ferch fud-a-byddar sy'n ceisio mynegi
cyfrinachau bywyd i'r baban sydd yn ei chroth. . .
**£4.95**

0 86243 324 X

## URIEN WILIAM
### Cyffur Cariad

*Cyfres Datrys a Dirgelwch*
Mae Lyn Owen, swyddog tollau, yn ymholi  i mewn i farwolaeth
amheus merch a garai, a'r ymchwil yn ei arwain i'r Andes, ac i
borthladdoedd lliwgar Cyprus. . .
**£4.95**

0 86243 371 1

## MARCEL WILLIAMS
### Cansen y Cymry

Nofel hwyliog wedi'i lleoli yng nghefn gwlad Cymru pan oedd
gormes y *Welsh Not* ac arolygwyr ysgolion fel y merchetwr
Matthew Arnold yn dal yn hunllef byw. . .
**£4.95**

0 86243 284 7

## EIRUG WYN
### Elvis—Diwrnod i'r Brenin

Y gwir a'r gau, y cyhoeddus a'r preifat, y golau a'r tywyll am Elvis
mewn nofel sy'n croesholi a chroeshoelio;r eilun poblogaidd.
**£4.95**

0 86243 389 4

## EIRUG WYN
### Smôc Gron Bach

Mae criw o wŷr busnes am chwalu rhes o dai er mwyn codi
stiwdio deledu: nofel gyffrous sydd hefyd yn trin y gwrthdaro
rhwng safonau hen a newydd. . . *Gwobr Goffa Daniel Owen 1994.*
**£4.95**

0 86243 331 2

Am restr gyflawn o'n holl lyfrau llenyddol a chyffredinol
mynnwch eich copi rhad o'n Catalog newydd, lliw-llawn,
48-tudalen — neu hwyliwch i mewn iddo ar y We Fyd-eang!

TALYBONT CEREDIGION CYMRU SY24 5AP
*e-bost* ylolfa@ylolfa.com
*y we* http://www.ylolfa.com
*ffôn* (01970) 832 304
*ffacs* 832 782
*isdn* 832 813